L'ÉTOILE DE CRISTAL

LA SAGA DE LA GUERRE DES ÉTOILES
AUX PRESSES DE LA CITÉ

Timothy Zahn, *L'Héritier de l'Empire*
Timothy Zahn, *La Bataille des Jedi*
Timothy Zahn, *L'Ultime Commandement*
Kathy Tyers, *Trêve à Bakura*
Dave Wolverton, *Le Mariage de la princesse Leia*

DANS LA COLLECTION OMNIBUS

Star Wars, Tome 1
Star Wars, Tome 2

Vonda N. McIntyre

La guerre des étoiles

L'ÉTOILE
DE CRISTAL

Roman

PRESSES
DE LA CITÉ

Laurédit inc.

Titre original : *The Crystal Star*
Traduit par Michel Demuth

© 1994, by Lucasfilm Ltd. All right reserved.
Édition originale : BANTAM-US
© Presses de la Cité, 1996, pour la traduction française
ISBN 2-258-04100-7

Pour Leigh Brackett

Je remercie :

Kevin J. Anderson
Rebecca Moestra Anderson
Mark Bourne
John H. Chalmers
Jane Hawkins
O. Henry
Marilyn Holt
Andy Hooper
Kate Schaefer
Amy Thomson
Janna Silberstein

1

Les enfants avaient été kidnappés.

Leia se précipitait vers la clairière, laissant derrière elle le chambellan, les courtisans de Munto Codru, sa suite et même la jeune demoiselle page, celle qui, malgré le protocole, s'était ruée dans sa chambre pour la prévenir, le nez et les oreilles en sang, complètement affolée et incapable de s'exprimer.

Mais Leia avait compris aussitôt : on avait enlevé Jaina, Jacen et Anakin.

Elle courait à perdre haleine sur le doux sentier de mousse qui, à travers les arbres, menait au terrain de jeu préféré des enfants. Pour Jaina, ce chemin était une route interstellaire permettant d'accéder à l'hyperespace. Pour Jacen, c'était une sorte de long fleuve mystérieux. Anakin en revanche, qui traversait une phase de réalisme absolu, soutenait qu'il s'agissait d'un simple sentier.

Les enfants adoraient ces lieux, et Leia s'exclamait souvent de bonheur devant les trésors qu'ils lui rapportaient : un insecte frénétique, une pierre aux éclats brillants – un joyau, peut-être ! –, des fragments d'un œuf brisé.

Les larmes brouillaient sa vue. Ses sandales fragiles se prenaient dans la mousse. Elle trébucha, se redressa aussitôt et continua en relevant sa longue robe de cérémonie.

Autrefois, songea-t-elle, autrefois, j'aurais porté un pantalon et des bottes, je n'aurais pas été coincée comme ça !

Elle avait la gorge en feu.

Autrefois, j'aurais pu courir de la salle de réception à la clairière sans perdre mon souffle !

La clarté verte de l'après-midi vibrait autour d'elle. Un peu plus loin, la forêt s'ouvrait sur la prairie inondée de lumière où ses enfants jouaient un moment auparavant.

Elle reprit sa course, haletante, les jambes lourdes.

Elle courait vers une absence, un vide affreux.

Elle entendit l'écho de son cri intérieur : « Comment est-ce possible ? Comment une chose pareille est-elle arrivée ? »

Et la réponse – l'unique réponse possible – la terrifiait. Un instant, le pouvoir qu'elle avait de sentir la présence de ses enfants avait été neutralisé. Seule une manipulation de la Force pouvait provoquer cet effet.

En atteignant la prairie, elle se dirigea vers le ruisseau où Jaina et Jacen s'étaient si souvent ébroués, où ils avaient appris à nager à leur petit frère Anakin.

Un cratère se trouvait à la place de l'herbe tendre. La prairie était aplatie en cercle autour de cette tache de terre nue, labourée.

Une bombe à pression ! comprit Leia avec horreur.

Elle avait éclaté près de ses enfants.

Ils ne sont pas morts ! Ils ne peuvent pas être morts, je le saurais !

A la lisière du point d'explosion, Chewbacca gisait, recroquevillé. Le sang coulait sur son pelage brun.

Leia s'agenouilla près de lui sans se soucier de la boue. Un instant, elle redouta qu'il soit mort, mais il saignait et respirait encore. Elle appliqua sa main sur la plaie profonde qu'il avait à la jambe pour tenter d'endiguer l'hémorragie. Tout comme la demoiselle, il perdait du sang par les oreilles et les narines.

Un cri de chagrin effrayant, déchirant, monta de la gorge de Chewbacca. Ça n'était pas une plainte de souffrance mais de remords et de rage.

– Ne bouge pas ! ordonna Leia. Chewbacca, reste immobile ! Le docteur arrive. Tu vas bien. Qu'est-il arrivé, mon Dieu ? Qu'est-il arrivé ?

Le Wookie poussa un autre cri et Leia comprit qu'il était

désespéré au point de vouloir mourir. Il avait adopté la famille de Leia et la considérait comme étant la sienne. C'était sa Famille d'Honneur, et il n'avait pas su protéger les enfants.

– Tu ne peux pas mourir. (Non, il fallait qu'il vive, absolument, songea-t-elle. Lui seul savait qui avait enlevé ses enfants.) Chewie, réveille-toi! Reviens-moi!

Ses assistantes surgirent de l'orée de la forêt en même temps que le chambellan et pénétrèrent dans la clairière. Aussitôt, elles lancèrent des cris effarouchés, à cause des fines herbes coupantes qui les blessaient. Les enfants de Leia avaient en effet tenu à ce que cette prairie pousse en totale liberté, sans qu'on puisse la piétiner ni même y laisser des empreintes. L'herbe s'écartait devant eux comme par magie.

De la magie pour mes enfants magiques, se dit Leia. Je croyais les protéger, je croyais que nul ne leur ferait jamais de mal.

Les larmes lui brûlaient les joues.

Courtisans, conseillers et gardes s'étaient à présent regroupés autour d'elle.

– Madame! Madame! geignit Mr. Iyon, le chambellan de la planète Munto Codru.

Sous l'effet du soleil et du vent, son visage était cramoisi et il avait l'air dans le plus total désarroi.

– Avez-vous amené le docteur? cria Leia. Trouvez-le!

– Je l'ai fait appeler, madame, elle arrive!

Mr. Iyon tentait de la relever tout en essayant de s'occuper de la blessure de Chewbacca, mais elle le repoussa sèchement.

Le pouls de Chewbacca était irrégulier et elle redoutait qu'il meure.

Non, pensa-t-elle, tu ne mourras pas. Tu ne le peux pas. Je t'en empêcherai!

Elle se servit de la Force – ou du moins tenta d'utiliser le peu de connaissances qu'elle avait acquises – pour fortifier le blessé.

Elle regrettait amèrement tout le temps dévolu à la charge d'État et qui l'avait freinée dans son apprentissage de la Force.

Elle savait qu'elle ne pouvait laisser le flot de sang chaud de Chewbacca s'échapper de ses mains car la vie de son ami, elle aussi, s'échapperait.

Le docteur s'avançait dans la prairie, suivie de deux assistants et de son loungaroun qui se déplaçait par petits bonds tout en portant son matériel. Mr. Iyon, le chambellan, avait lui aussi un loungaroun qui avait joué avec les enfants. Et il avait également disparu.

Le docteur Hyos s'agenouilla près de Leia et examina rapidement la blessure de Chewbacca. Elle apprécia les premiers secours donnés par la princesse.

– Bon travail.

– A présent, Princesse, il faut vous écarter, dit le chambellan Iyon.

– Pas encore! s'exclama le docteur Hyos. Je n'ai que quatre mains, après tout. La princesse est très bien là où elle est.

Le loungaroun s'était assis sur son arrière-train entre Leia et le docteur Hyos. Il tourna sa lourde tête, lentement, gentiment, et la fixa de ses grands yeux bleus limpides. Leia eut un frisson. Son pelage était brun et dru, mêlé de poils noirs, longs et raides. Il haletait, la langue pendante entre ses crocs aigus, avec son mufle grotesque, et, sous son souffle âcre, Leia se rejeta en arrière.

Les quatre mains du docteur Hyos, d'ordinaire si flasques, s'activaient rapidement dans les paniers de bât du loungaroun.

– Voyez-vous ce que je fais, très cher? souffla le docteur Hyos. L'hémorragie est importante. (Elle ajouta :) Notre princesse l'a arrêtée.

Le docteur s'adressait à son loungaroun, lui expliquant chaque geste de Leia.

Le docteur Hyos extirpa des pansements à pression d'un compartiment sans cesser de montrer à son loungaroun ce qu'elle était en train de faire. Ses longs doigts dorés étaient aussi habiles qu'assurés.

– Ma princesse, le pansement va se souder de lui-même. Il faudrait que vous ôtiez votre main de la plaie.

Leia s'exécuta tandis que Hyos appuyait fermement le

pansement sur le flanc de Chewbacca. Elle le sentit se tendre sous sa main, se refermer sur la blessure du Wookie en soudant ses deux extrémités dans sa fourrure. Le loungaroun observait la scène, la langue pendante.

Leia s'accroupit. Elle avait les mains poisseuses, la robe souillée et retrouvait avec horreur l'image claire de la réalité.

Le docteur Hyos examinait Chewbacca, fronçant les sourcils devant les coulées de sang qu'elle découvrait sous son nez et ses oreilles.

— Une bombe à pression... dit-elle.

Leia se souvint d'avoir entendu dans la matinée un coup de tonnerre; c'est si lointain tout ça, se dit-elle. Elle avait alors pensé que la pluie allait bientôt tomber. Et Chewbacca, elle le savait bien, ne tarderait pas à ramener les jumeaux et Anakin. Elle prendrait un moment pour les câliner et admirer leurs dernières découvertes, puis ils partageraient leur déjeuner.

Mais on était au milieu de l'après-midi. Pourquoi le temps avait-il passé si vite?

— Madame, dit le chambellan Iyon sans oser toutefois la déranger.

— Faites fermer le port spatial. Qu'on bloque les routes. Peut-on interroger la demoiselle page? Vérifiez aussi auprès du contrôleur du port. Y a-t-il une chance que les kidnappeurs aient quitté la planète?...

Mais elle se disait en même temps que toutes les mesures qu'elle pouvait prendre étaient inutiles, ou bien trop tardives.

Mais s'ils ont fui, songea-t-elle, je peux leur donner la chasse avec l'*Alderaan*. Je peux les capturer. Mon petit vaisseau peut capturer n'importe quoi...

— Madame, il ne serait pas très avisé de fermer le port.

Elle se tourna vers le chambellan, le regard furieux, soupçonnant instantanément un homme auquel elle s'était fiée le moment d'avant.

— Ils ont pris votre...

Elle hésita.

— Oui, madame, ils ont pris mon loungaroun.

– Votre loungaroun! Et ça ne vous fait rien?

– J'ai beaucoup de peine, madame. Mais je dois dire aussi – je vous en demande pardon – que vous ne comprenez pas nos traditions. Fermer le spatioport est inutile.

– Les ravisseurs vont tenter de s'échapper de Munto Codru.

Mr. Iyon écarta ses quatre mains.

– Ils ne le feront pas. Nous avons nos traditions. Si nous ne suivons pas ces gens, il n'arrivera rien aux enfants. C'est également la tradition.

Leia était au courant des coutumes d'enlèvement et de rançon propres à Munto Codru. Un sport local auquel elle ne désirait guère participer.

– Je dois dire que c'était un coup très audacieux, commenta le chambellan.

– Et très cruel! intervint Leia. Chewbacca est blessé! Et la bombe à pression... Mes enfants...

Elle luttait pour dominer sa peur qui se trahissait dans sa voix.

– Les auteurs de ce coup n'ont fait éclater une bombe à pression que pour prouver qu'ils pouvaient le faire, madame, déclara Iyon.

– Mais dans ce genre d'enlèvement, nul n'est censé être blessé, n'est-ce pas?

– En tout cas aucune personne de sang noble, Princesse Leia.

– Mon titre est « Chef de l'État », protesta-t-elle d'un ton coléreux. Et non pas « Princesse ». Plus maintenant. Le monde où j'étais une princesse a été détruit depuis longtemps. Nous vivons en république, désormais.

– Je le sais, madame. Veuillez pardonner nos coutumes surannées.

– Ils doivent savoir qu'ils n'ont pas une chance de s'enfuir, encore moins de toucher une rançon. S'ils devaient...

Elle ne put continuer : s'ils devaient leur faire du mal...

– Permettez-moi, je vous prie, de vous conseiller en cette matière, déclara le chambellan en se penchant vers elle avec ferveur.

16

– Si vous appliquez les lois de la République, il n'en résultera que tragédie et désastre.

Le docteur Hyos approuva.

– Les rançonneurs doivent être courageux. Mais aussi bien jeunes et inexpérimentés. La famille... (Elle se tourna vers Mr. Iyon.) Les Sibiu, peut-être?...

– Leurs ressources sont insuffisantes, déclara le chambellan.

Qui que ce soit, songea Leia, il n'a eu besoin que des ressources de la Force. Du Côté Sombre de la Force.

Mr. Iyon montra le sol dénudé, puis Chewbacca.

– Il a fallu un esquif ainsi qu'un rayon tracteur. Et des accointances avec les milieux de la contrebande, afin de se procurer la bombe à pression.

– Ah... Les Temebiu, en ce cas.

– Ça se pourrait, commenta le chambellan. Ils sont ambitieux.

– Je vais te leur apprendre, moi, à être ambitieux, marmonna Leia.

– Madame, je vous en prie. Vos enfants n'ont rien à craindre. Si les rançonneurs souhaitent voir aboutir leur projet, ils ne peuvent pas leur faire de mal. Les petits prennent sans doute cet événement comme une grande aventure.

– Notre ami Chewbacca a failli y laisser la vie! Mes enfants ne risquent certainement pas de trouver cela amusant! Pas plus que moi!

– C'est déplorable, en effet. Peut-être Chewbacca n'a-t-il pas compris le sens de nos traditions? Il était censé se rendre.

– Faites fermer le port, répéta Leia d'une voix tendue, trop furieuse pour s'arrêter aux commentaires du chambellan. Je ne veux pas courir le risque qu'ils s'enfuient de Munto Codru.

– Très bien, dit Mr. Iyon. C'est possible... mais à condition d'agir avec prudence. Il faut nous arranger pour les distraire plutôt que les offenser...

Il prit un air concentré.

Le docteur Hyos prenait le pouls de Chewbacca au

niveau de la veine principale qui avait bien failli être entaillée.

– Son pouls est stable. Bien. A présent, nous passons à la chirurgie.

Chewbacca, à peine conscient, roulait des yeux pleins d'incompréhension en direction de Leia.

– Médecine de champ de bataille, ajouta le docteur Hyos. Je n'ai pas pratiqué ça depuis fort longtemps. Je pensais ne jamais avoir à me retrouver sur un champ de bataille, en fait.

– Moi non plus, dit Leia.

Le loungaroun hurla.

Leia s'était rarement inquiétée de la sécurité de Jaina, Jacen et Anakin. Certes, elle y avait réfléchi, et elle avait pris les dispositions nécessaires avec leur nurse, Winter, avec Yan et Luke aussi bien qu'avec leur héros suprême, C3 PO. Mais cela n'avait jamais été pour elle une source de tourment. Elle savait qu'elle serait prévenue de tout danger imminent. Son manque d'entraînement dans la Force ne pouvait atténuer la perception qu'elle avait de ses enfants. Et puis, si elle ne savait pas définir le danger, Luke le saurait certainement. Winter, elle, était prête à sacrifier sa vie pour sauver les enfants. Quant à Chewbacca, qui accompagnait souvent la famille, il consacrait la plupart de son temps aux petits. Qui d'autre pouvait mieux assurer leur sécurité ?

Et Yan, son cher Yan, il était le maître d'œuvre de la paix qui se répandait dans l'univers. Tous les enfants, et pas seulement les enfants de ceux qui avaient abattu l'Empire, devraient désormais être à l'abri du danger.

C'était du moins ce qu'elle s'était dit.

Les deux assistants du docteur Hyos emportaient à présent Chewbacca vers l'aile de chirurgie, dans le château ancien de Munto Codru.

Leia les suivit avec un brusque sentiment de solitude. Yan et Luke étaient partis pour une autre aventure, avec sa bénédiction. Winter avait profité de cette tournée pacifique pour participer à une conférence sur les enfants fugueurs. Et elle aussi se trouvait à plusieurs mondes de distance.

Leia ne voyait rien d'amusant dans cette coïncidence.

Elle attendit à l'extérieur tandis que le docteur Hyos et ses assistants traitaient les plaies de Chewbacca. Les courtisans et les aides de camp tournaient autour d'elle avec leur habituelle déférence, mais elle les repoussa.

Le loungaroun était allongé devant les portes de l'aile chirurgicale. Le docteur Hyos lui avait demandé de monter la garde en lui disant qu'il ne serait autorisé à entrer que lorsqu'il serait plus grand. Il sommeillait, la tête inclinée sur ses crocs redoutables.

Le chambellan traversait d'un pas vif la salle d'attente entourée par de hautes murailles de pierre.

— Pas la moindre trace, annonça-t-il. Pas la moindre. Quelle audace, quelle habileté. Madame, il va nous falloir attendre qu'ils appellent.

— Attendre? s'exclama Leia. Cela me paraît... déraisonnable.

Plus jeune, Leia n'aurait pas employé ce terme. Elle aurait dit : stupide, idiot, ou encore déplacé...

— La demande de rançon nous parviendra demain dans la matinée, dit le chambellan, dans l'espoir de la rassurer.

— Dans la matinée! Mais dans la matinée, les kidnappeurs seront loin!

— Ils ne peuvent pas s'enfuir, madame. Le port est fermé. Et puis, ils ne vont pas chercher à s'échapper. Ils n'ont aucune raison de le faire.

— Mais ça s'est produit il y a deux heures. Ces gens qui ont enlevé mes enfants nous ont aussi volé deux heures!

Mr. Iyon se rembrunit.

— Comment cela, volé? Madame, vous avez travaillé bien au-delà de midi. Les horloges sont à l'heure, le soleil est à sa place...

Il se tut, comprenant que sa petite plaisanterie n'avait en rien apaisé l'humeur de Leia.

— Ils nous ont volé deux heures. Donc, ce ne sont pas des kidnappeurs ordinaires! Des kidnappeurs ordinaires n'auraient jamais percé nos défenses, ils n'auraient pas su tromper Chewbacca et nous dérober ces deux heures!

– Mais, madame, je vous l'ai expliqué : Munto Codru engendre des kidnappeurs d'une rare qualité.

Il la fixait avec tristesse. Et Leia se dit : Il pense que je réagis à cause de la peur et du chagrin. Si je lui dis que je soupçonne qu'un fidèle du Côté Sombre est responsable de cette agression, il peut croire que je perds la tête.

Les portes s'ouvrirent, le docteur Hyos parut, tapota la tête du loungaroun, et s'approcha de Leia. Elle lui prit les mains et les serra longuement entre deux des siennes.

– Chewbacca va s'en sortir, dit-elle. Son ouïe mettra un certain temps à se rétablir du choc, il sera encore faible quelques jours, jusqu'à ce que son flux circulatoire soit rétabli.

– Est-ce qu'il vous a dit...

– Il n'est pas en mesure de parler. Leia, ma princesse, il doit à présent dormir, sous peine de courir un risque.

– Avez-vous transmis mon message à Yan et Luke? demanda Leia au chambellan.

– Oui, madame, mais, à mon grand regret, je dois vous dire qu'ils sont aux abords de la Station Crseih. Ce système stellaire est particulièrement violent. Il y a là-bas un trou noir dont le compagnon est un cristal quantique et leur double influence bloque toute communication.

– Nous devons donc envoyer un vaisseau à leur poursuite.

– Mais, madame, le port est fermé !

– C'est moi qui l'ai fermé ! Je peux ordonner à un bâtiment de quitter cette planète !

Soucieux, il lui toucha doucement la main en signe de réconfort.

– Il nous faut maintenir l'illusion : le port est fermé à cause d'un mauvais fonctionnement de l'équipement de repérage. Si un vaisseau vient à décoller et si la nouvelle se répand qu'il s'agit d'une feinte, les rançonneurs prendront cela comme une insulte mortelle.

– Mais vous avez dit qu'ils sauraient...

– Les kidnappeurs? intervint le docteur Hyos. Ils savent, et nous aussi. Tous les autres peuvent le deviner, mais peu importe. C'est l'impression qui compte et non la réalité.

– Le docteur a raison, approuva le chambellan. Je vous en prie, madame, honorez vos rendez-vous de la soirée comme si rien n'était advenu. Faites appel à ce courage pour lequel nous vous honorons tous. Pour le bien de vos enfants.

Leia dut se maîtriser pour ne pas montrer qu'elle tremblait et pour s'éclaircir les pensées.

Avant qu'un vaisseau réussisse à rejoindre Yan, tout serait joué, se dit-elle. Je ne gagnerai rien en l'appelant à l'aide.

– Je retourne à la salle de réception. Je dois finir d'honorer mes rendez-vous. A supposer que nous n'ayons aucune nouvelle avant le coucher du soleil.

– Je vous en prie, madame, attendez demain matin, plaida le chambellan. Dès le lever du soleil, je vous l'assure, nous aurons des instructions.

– Je me rends à mes rendez-vous, insista Leia.

– Leia!... s'exclama le docteur Hyos.

– Madame... fit le chambellan en écho.

– Quoi?

Elle se retourna vers eux, furieuse.

Mrs. Iyon lui désigna en silence, l'air attristé, sa robe maculée de boue et ses mains ensanglantées.

Et Leia songea : J'ai déjà rencontré des chefs d'État et des ambassadeurs dans des tenues encore bien pires.

Elle nettoya ses mains tachées du sang de Chewbacca. Quant à sa robe, c'était peine perdue. Elle était tailladée par les herbes coupantes de la prairie et maculée de boue. Elle la lança donc dans le recycleur ainsi que ses sandales. Elle se rendit ensuite dans la salle de bains et là, un tremblement gagna tout son corps. En surprenant son reflet dans le miroir, son visage blême et ses cheveux hirsutes, elle baissa les yeux. Il lui fallait retrouver le calme, chercher une nouvelle assurance.

Le gazouillis de D2-R2 emplit soudain la pièce. Le droïd approchait. Au même instant, Leia entendit une voix aiguë, juvénile et indécise.

– Non, je ne m'en souviens pas, vraiment...

D2-R2 chantonna en guise de réponse.

Leia entra dans sa chambre et, à la seconde où elle foulait les tapis de soie, une jeune Codru-Ji, native de la planète, entra à reculons dans la chambre en titubant.

– Je ne sais pas. Je ne m'en souviens pas, répéta-t-elle.

Leia ne vit d'abord que le pied avant du droïd, puis son corps cylindrique suivit. Il poussait la Codru-Ji dans sa direction.

– J'ai seulement vu que les petits avaient disparu, et que le gros était blessé, et j'ai couru chercher du secours.

C'était la demoiselle page qui était venue prévenir Leia. On lui avait lavé le visage et pansé ses plaies et elle avait échangé ses vêtements déchirés pour une robe d'hôpital.

– Oh, ma pauvre chérie! fit Leia en s'approchant d'elle.

La demoiselle ne réagit pas. Leia lui effleura l'épaule supérieure. Comme effrayée, la fille se redressa et recula, ses quatre mains serrées contre son corps.

Elle ouvrait de grands yeux en observant Leia.

– Pardonnez-moi, pardonnez-moi...

Leia la prit gentiment par un bras inférieur et l'attira plus avant dans la pièce.

– Pourquoi n'es-tu donc pas au lit? Tu devrais te reposer à cette heure, pour guérir...

– Le petit droïd est venu me chercher, et j'ai compris que je devais mendier votre pardon...

– D2, comment as-tu osé? lança Leia. Va chercher le docteur Hyos. Vite!

Le droïd gazouilla, recula, puis s'avança afin de montrer sa réticence.

– Vite!

Avec un trille mourant, D2 franchit le seuil.

Leia accompagna la demoiselle jusqu'à un canapé et tenta de la faire asseoir. Mais celle-ci résista.

– Non, je ne dois pas m'asseoir...

– Tout va bien. Oubliez un peu le protocole...

Leia insistait, mais les jambes de la demoiselle semblaient bloquées. Elle renonça à la faire asseoir et resta à côté d'elle.

– Vous avez sauvé la vie de Chewbacca. Et vous m'avez alertée...

La demoiselle la regardait sans comprendre.

– Milady, je suis désolée, mais je ne peux plus entendre...

Elle porta ses mains à ses oreilles et se mit à sangloter en silence.

– Je ne sais ce qui a pu se produire, reprit-elle. Ils étaient en train de s'amuser et puis... (Elle s'interrompit et eut un long frisson. Leia se demanda si elle ne revivait pas le choc de l'explosion.) J'ai... j'ai dû sombrer dans le sommeil, madame. Il faudrait m'exiler ! Quand je me suis réveillée, les petits n'étaient plus là et... (Elle leva encore une fois les mains avec une exclamation sifflante propre à sa langue.) Ce que je veux dire, madame, c'est que Chewbacca a été blessé et que... Je n'ai pas pu l'entendre !

Leia la serra contre elle, maladroitement étant donné leurs différences d'anatomie, mais avec tendresse, en essayant de la consoler.

Le docteur Hyos surgit alors, indignée de voir qu'on avait osé déranger sa patiente.

– Je me demande ce qui a pu passer par la tête de D2, fit Leia. Il n'aurait jamais dû la conduire ici. Elle ne devrait pas être debout...

– Elle ne devrait pas être couchée, fit Hyos d'un ton plein de sous-entendus. Mais vous avez raison, il faut qu'elle se repose.

La demoiselle se dégagea du docteur et agrippa les mains de Leia.

– Je suis tellement navrée.

– Je te pardonne, dit Leia, lentement, prudemment. Tu me comprends ?

La demoiselle hésita avant d'acquiescer et de s'abandonner à Hyos.

D2 était toujours là, sifflotant son mécontentement tout en tanguant tandis que Leia s'habillait. Machinalement, elle enfila un pantalon de marche, une chemise de cuir souple et de grosses bottes. Le droïd l'agaçait, mais elle savait qu'il ne s'arrêterait pas avant de lui dire ce qui le tracassait. Il se colla à ses pas. Dès qu'ils arrivèrent à l'intersection des couloirs, il emprunta celui qui accédait à l'extérieur tandis que Leia, le dos courbé, se précipitait vers la salle de réception.

Le sifflotement de D2 se fit insistant.

– Je ne peux, lui dit-elle. Il faut... que je fasse bonne figure.

Elle entra. Le héraut, d'habitude si efficace, lui jeta un seul regard avant de s'avancer pour lui barrer le chemin. Puis il se mit au garde-à-vous en la reconnaissant enfin. La tenue de chasse de Leia l'avait surprise. Il l'avait toujours vue en longue robe de cérémonie.

– Le Chef de l'État de la Nouvelle République, fille de...

– Nous n'avons pas le temps de réciter toute la liste! le coupa Leia.

Le héraut se tut et tous, assistants, conseillers et natifs codru-ji, se tournèrent vers elle, désemparés. Le chambellan fit un pas hésitant dans sa direction.

Elle traversa la salle de réception dont les dalles vernissées résonnèrent sous ses bottes. Elle s'installa dans le cercle et croisa les jambes dans le raclement du tissu épais de son pantalon de chasse. Leia s'efforça de prendre une attitude sereine.

Elle se tourna vers le représentant de la province de Kirl.

– Je vous demande pardon, monsieur l'ambassadeur, lui dit-elle. Et je vous remercie de votre patience. Nous avons eu... un petit ennui domestique. (Elle lui fit son sourire le plus charmeur.) Vous savez ce que c'est...

Soudain, les mots lui échappaient.

Le bel ambassadeur kirlien, qui avait emprunté son nom à sa province, leva ses quatre mains en lui retournant son sourire.

– Je sais ce qu'il en est. J'ai dû bien des fois interrompre ma tâche pour, comme vous dites, un petit ennui domestique. Nulle excuse n'est nécessaire, quoique vous ayez la grâce notoire de nous la proposer !

Ses façons grandiloquentes l'avaient souvent distraite et parfois charmée. Mais Leia avait soudain le sentiment que ses mots s'enchaînaient de façon lassante, gluante même.

La journée se traînait et parut interminable. Les usages politiques compliqués de Munto Codru exigeaient qu'elle reçoive des ambassadeurs d'un nombre infini d'entités indépendantes. Il n'était guère étonnant que ce monde fût au seuil – et même au-delà du seuil – des systèmes importants de la République. Il gaspillait son énergie à affronter des fractions internes. Ses citoyens n'avaient guère de temps à consacrer à la coopération interplanétaire. Il leur avait fallu des années pour choisir le statut de chambellan, et une autre encore pour élire Mr. Iyon.

Quand la cloche du soir tinta, l'ambassadeur fit la révérence et se retira. Tandis que les assistants refermaient les portes de la salle de réception, les personnes qui attendaient d'être reçues émirent des soupirs et des sifflements propres au langage de Munto Codru.

– Aucune nouvelle? demanda Leia quand le silence se fit.

– Non, madame, dit le chambellan. Mais nous ne saurons rien avant demain matin. C'est la tradition.

– Mais ces gens, que voulaient-ils? Comment pouvez-vous savoir qu'ils n'étaient pas les kidnappeurs et qu'ils ne désiraient pas me parler?

– Quels gens?

– Ceux qui sont encore dans ma salle d'attente.

– Ils ne sont nullement importants, ils ne sont rien, madame. En tout cas peu de choses... Nombreux sont ceux qui ont inventé une histoire afin de pouvoir dire, de retour chez eux : « J'ai vu la princesse... J'ai parlé au Chef d'État de la Nouvelle République. »

– Pourtant, il me plairait de leur parler.

– Ils reviendront. A présent, venez : il faut vous restaurer. Demain, vous allez devoir négocier avec les rançonneurs et les enfants vous seront rendus, et tout sera comme avant.

Leia dut faire un sérieux effort pour arracher ses doigts à son fauteuil.

Elle avait percé des petits croissants profonds dans le satin épais.

Elle se hâtait en direction de la salle de chirurgie. Le docteur Hyos était à son bureau. Les yeux clos, elle sommeillait, debout sur ses quatre jambes, gardant son équilibre en une sorte de danse lente, ou comme sous l'effet d'une imperceptible brise, ses quatre bras à peine levés. Leia n'avait encore jamais vu dormir une native de Munto Codru.

Quelle position bizarre, se dit-elle. Est-elle normale ou propre au docteur Hyos? Peut-être s'est-elle endormie debout? Et ça ne va pas tarder à m'arriver.

Le loungaroun se tenait à ses pieds. Il leva son horrible figure vers Leia et elle soutint le regard de ses yeux horribles. Il grommela en reposant la tête sur ses pattes avant, mais il ne referma pas les yeux. Leia n'avait aucune raison d'avoir peur de lui, pourtant il la perturbait.

Elle abandonna le docteur à son somme et, en contournant largement le loungaroun, entra silencieusement dans la chambre de Chewbacca.

Celui-ci reposait dans un hamac qui épousait étroitement son corps énorme. On avait posé des pansements régénérateurs sur sa jambe, constata Leia avec un certain soulagement : elle avait craint que l'on ait mis le Wookie dans une cuve bacta en état de vie suspendue, incapable de communiquer.

Leia s'installa sur une chaise, près de lui, et l'observa. Son sommeil était agité, sa respiration rapide et faible. Elle aurait voulu qu'il s'éveille. Elle voulait lui parler, apprendre ce qu'il avait vu, savoir s'il avait lui aussi perdu deux heures ou bien s'il avait réussi à voir ce qui se passait. Il pourrait lui confirmer les doutes qui l'assaillaient déjà.

Et puis, elle voulait le rassurer, lui dire qu'elle ne lui en voulait pas...

Une vague de colère montait, tout au fond d'elle, d'une violence telle qu'elle étouffa un cri.

Oui, elle lui en voulait. Elle était furieuse. Elle ne trouvait rien qu'elle pût lui dire.

Elle se redressa et quitta la chambre. En fermant la porte, elle faillit heurter le docteur Hyos.

– Oh!... J'ai vu que vous dormiez, je ne voulais pas vous réveiller.

– Avez-vous parlé à Chewbacca?

– Non, je... (Comment pouvait-elle admettre le sentiment qu'elle éprouvait pour le plus vieil ami de son époux?) Il est sous sédatif, n'est-ce pas?

– Bien sûr. Sa blessure est grave.

– Avez-vous déjà soigné des Wookies?

– Non, Chewbacca est le premier de sa race à visiter notre monde.

– En ce cas, comment avez-vous su la façon de le traiter?

– C'est mon travail de le savoir. Je n'ai jamais soigné d'humains non plus, mais quand on m'a appris votre mission, j'ai voulu en savoir plus sur ceux qui allaient nous rendre visite.

– Il a de la chance, fit-elle.

Chewbacca n'a pas de soucis, se dit Leia. Il est dans l'oubli. Et quand il sera guéri, quand il se réveillera, je saurai... et je revivrai chacun de ces instants infernaux.

– Il est sérieusement blessé, insista le docteur Hyos. Il a perdu beaucoup de sang. S'il avait vraiment de la chance, il n'aurait pas été aussi gravement atteint.

– Pourriez-vous le réveiller? Rien que pour un instant? Afin que nous sachions s'il a vu quelque chose, n'importe quoi...

– La demoiselle page n'a rien vu et rien entendu. Je doute qu'il en soit autrement pour Chewbacca. Le réveiller maintenant serait courir un grand risque.

– Mais si jamais il avait...

– Un risque inutile.

Le docteur Hyos entraîna Leia à sa suite et elles quittèrent l'aile de chirurgie.

– Vous avez vécu une journée longue et terrible. Essayez de prendre du repos. Un enlèvement n'est jamais facile à accepter, mais demain...

Un cri perçant l'interrompit. Le docteur se précipita dans une chambre voisine. Leia la suivit. Et le loungaroun aussi, se dit-elle. Elle entendait claquer ses griffes.

La demoiselle page était au centre de la pièce, maintenue en position verticale par un harnais, vêtue de sa seule chemise de nuit d'hôpital. Le docteur lui caressa les cheveux pour l'apaiser. Elles échangèrent quelques phrases discrètes dans leur langue faite de sifflements et de gazouillis qui dépassaient parfois le seuil d'audition de Leia. Bientôt, la demoiselle se rendormit et le docteur s'éloigna d'elle, préoccupée.

– Elle va se remettre?

– Vous êtes encore là?

– Est-ce qu'elle va se remettre?

– La bombe a affecté son ouïe.

– Mais vous lui parliez à l'instant, et elle vous entendait. Elle va guérir, n'est-ce pas?

– Je crains qu'elle ne retrouve jamais vraiment l'usage de ses sens. Mais elle vivra, oui.

– J'en suis heureuse.

– Vraiment?

– Qu'elle survive à cela? Oui, bien sûr!

– Notre ouïe est très différente de la vôtre, et plus délicate. Nos communications les plus intimes se situent dans le haut des fréquences. (Le docteur Hyos s'exprimait sur un ton très doux.) Imaginez que votre corps soit engourdi. Que tous vos sens soient réduits de moitié. Tous. Peut-être que les humains sauraient endurer une telle existence, mais son avenir à elle sera... difficile.

– Oh, je ne savais pas, fit Leia. Je suis navrée. (Elle se tourna vers la demoiselle avec une sympathie nouvelle.) Est-ce qu'elle ne serait pas mieux allongée?

– Les adultes ne s'allongent pas pour dormir.

Le loungaroun, à cet instant, leva la tête et fixa Leia.

– Venez, dit le docteur, gentiment. Allez vous reposer.

Leia se jeta sur son lit avec un cri de désespoir. Comment avait-elle réussi à survivre à cette journée intolérable, si interminable? Une tension douloureuse habitait ses muscles. Elle ne parvenait pas à la chasser et, comme toujours, elle regretta d'avoir été prise par ses devoirs au point d'oublier l'art du Jedi.

Je parie qu'il suffit à Luke de dire à son corps : Assez, pour qu'il ne se raidisse plus, songea-t-elle avec une certaine perfidie. Ou bien se dit-il : Je ne ressens aucune douleur?

Comment pourrai-je attendre le matin pour avoir des nouvelles des kidnappeurs?

Elle croyait le chambellan quand il lui assurait qu'un enlèvement n'était pas destiné à faire du mal aux victimes. Mais elle sentait aussi que ses enfants couraient un danger mortel. Si les kidnappeurs avaient réussi à s'allier à un pratiquant du Côté Sombre...

C'était forcément l'explication. Le chambellan tout comme le docteur Hyos, que Leia trouvait respectables, considéraient, eux, que les kidnappeurs étaient honorables? Mais ceux qui avaient enlevé ses enfants étaient cruels, impitoyables : ils avaient blessé Chewbacca et la demoiselle page alors qu'ils étaient inconscients, impuissants.

La bombe à pression! Elle n'avait pas éclaté pour couvrir l'enlèvement mais pour détruire toute trace. La preuve que quelqu'un s'était servi du Côté Sombre...

Étendue sur le dos, elle sentit les larmes monter. Au-dessus d'elle, une clarté perlée se diffusait dans le plafond de pierre translucide aux sculptures délicates et complexes, mystérieuses pour tous. Les sociétés contemporaines de Munto Codru utilisaient les châteaux anciens comme capitales provinciales, sinon ils les évitaient car ils les considéraient comme hantés. Une civilisation antique avait construit ces palais labyrinthiques. Elle avait inscrit son histoire sur des parois de roc si finement taillées qu'elles évoquaient du verre flotté. Cette culture avait disparu en ne laissant que ces châteaux et des récits gravés incompréhensibles.

Leia tenta de déchiffrer les incrustations, mais ses larmes brûlantes lui brouillaient la vue.

Dans le hall de son appartement, l'avertisseur sonnait. Elle se redressa.

C'est peut-être un message! se dit-elle.

Elle alla ouvrir la porte. Mr. Iyon se tenait sur le seuil.

– Vous avez entendu?...

– Non, madame. Je vous en prie, je vous jure qu'ils entreront en contact avec vous dès le matin.

– Mais ils peuvent déjà se trouver n'importe où !

– Non, ils sont à proximité !

– Non, ils ne sont plus à proximité ! Écoutez, monsieur, nous avons suffisamment attendu. Ils se sont certainement échappés !

– Mais, madame, la fuite n'est pas nécessaire – il est plus convenable de rester à proximité. Surtout avec de jeunes enfants. Il se peut même qu'ils soient dans le château.

– Dans le château ? Comment cela serait-il possible ? Mais non !

– Quel meilleur endroit pour se dissimuler à portée de nos oreilles ? Ce château est vieux de mille ans. Ses fondations et ses tunnels s'étendent loin dans le sol alentour – jusqu'à la montagne même.

– Je le saurais ! Vous ne comprenez pas ? Je saurais qu'ils sont là ! Il faut entamer la poursuite !

Mr. Iyon lui accorda un regard solennel et lui prit délicatement le bras pour la conduire jusqu'à un fauteuil. Quand elle fut assise, il prit place en face d'elle sur le bord du sofa.

– Madame, si vous l'ordonnez, j'obéirai. Mais...

– Je l'ordonne !

– ... Je souhaite avoir la certitude que vous comprenez bien ce que vous demandez.

– Je... (Elle hésita soudain.) Vous avez autre chose à me dire.

Lentement, il inclina la tête et son regard se perdit dans les dessins complexes du tapis.

– Si quoi que ce soit vient à déranger les négociations, chacun y perdra la face. Les kidnappeurs seront obligés de frapper à nouveau.

– En faisant du mal à mes enfants ?

– S'ils venaient à faire subir des sévices à quiconque de noble naissance, ils sacrifieraient leurs propres ambitions. (Le chambellan s'interrompit avant de reprendre avec quelque difficulté :) Mais si vous refusez de négocier, madame, les kidnappeurs seront enclins à faire quelque sacrifice – ceci afin de démontrer leur sincérité.

Leia ne comprenait pas ce qu'il voulait dire. Comment

les kidnappeurs pouvaient-ils faire un sacrifice si leurs propres traditions leur interdisaient de faire du mal à ses enfants ?

– Votre loungaroun, dit-elle en comprenant enfin. Vous craignez qu'ils s'en prennent à lui.

Le chambellan releva la tête et la regarda droit dans les yeux sans rien dire.

– Mais ce ne sont pas des kidnappeurs ordinaires ! Vous ne comprenez pas qu'ils ne sont pas de Munto Codru ?

– En êtes-vous certaine, madame ?

Elle en était sûre – ou du moins elle l'avait été. Mais elle était tellement épuisée, tellement déchirée par le chagrin, et si tentée de croire que dès le lendemain matin tout serait résolu et que ses enfants seraient sains et saufs.

Je ne vais pas répondre tout de suite, songea-t-elle. Pendant quelques minutes encore, je peux au moins réfléchir à ce que le chambellan Iyon vient de me dire.

Il avait croisé deux de ses bras. Une assistante entra avec un plateau sur lequel étaient disposés une antique théière de pierre gravée, une tasse et quelques gâteaux sur un plat. La lumière éveillait des éclats d'or liquide dans les flancs de la théière dont les gravures devaient être aussi anciennes que le château.

– J'ai pris la liberté de vous faire apporter du thé. C'est apaisant.

Leia n'avait rien pris de la journée. Un instant auparavant, elle aurait juré qu'elle ne mangerait plus jamais, mais l'eau lui venait soudain à la bouche, et son estomac se noua de façon inélégante quand elle perçut le parfum du thé et des petits biscuits.

– Merci, monsieur Iyon. Mais je ne vois aucune tasse pour vous. Il y en a une autre sur le buffet.

– Je me suis déjà restauré, madame.

– J'insiste.

Brusquement, elle était soupçonneuse, et dans le même temps gênée par sa réaction.

L'assistante alla chercher la tasse, versa le thé et se retira. Leia se servit un biscuit et prit sa tasse.

– Le chef est un spécialiste des desserts, déclara-t-elle. Vous y avez goûté ?

31

Elle mordit dans son biscuit, certaine que le chef apportait autant de soin à ses petits riens qu'à ses plats mijotés à l'écart des grands dîners d'apparat. Le biscuit se dissipa dans sa bouche comme une bouffée d'air sucré, épicé, qui emporta sa faim.

– Madame, dit le chambellan, je ne peux pas manger de sucreries. Mais je partagerai bien une tasse de thé avec vous.

Sur ce, il vida sa tasse d'une gorgée.

Déconcertée, encore soupçonneuse, allant même jusqu'à se demander si elle n'avait pas commis une erreur en grignotant le biscuit, Leia but lentement son thé. Elle s'étonnait elle-même de jouer aussi la comédie pour des gestes normaux. En cet instant précis, elle aurait dû courir à la poursuite de l'ennemi, le blaster au poing.

Mais, se dit-elle, autrefois, nous savions qui était l'ennemi.

– C'est aimable à vous d'avoir apporté la dernière mode de Coruscant sur Munto Codru, dit le chambellan pour changer de sujet. Les nouvelles voyagent si lentement et nous sommes tellement loin du gouvernement central.

– Qu'est-ce que... ?

Elle se souvint de ce qu'elle portait : un pantalon de marche, une chemise de cuir souple et de grosses bottes. Elle aurait voulu lui dire qu'elle n'avait pas eu la force de remettre une autre robe d'apparat. Puis elle se demanda s'il ne lui reprochait pas gentiment sa tenue.

Mais non, il semblait parfaitement sincère, et elle rougit. Elle essaya de trouver un moyen de lui expliquer sans qu'il puisse croire qu'elle se moquait de lui.

– Ce n'est pas ce qu'il y a de plus chic dans la mode d'aujourd'hui. Mais c'est confortable et...

Elle n'acheva pas sa phrase et haussa les épaules.

Mr. Iyon bâilla et ses lèvres minces découvrirent ses dents proéminentes. Elles claquèrent quand il referma la bouche.

– Je vous demande pardon, madame.

Elle hocha la tête et bâilla à son tour.

– Nous devrions prendre du thé poivré, dit-elle, bien que celui-ci soit délicieux.

32

Elle s'efforçait de se rappeler la question qu'elle avait voulu poser. Mr. Iyon lui avait dit que les enfants ne pouvaient pas être loin, et elle doutait que ce soit possible.

S'ils étaient près d'ici, se dit-elle, je les sentirais, non ? Ils ont été capturés par un maître du Côté Sombre...

Ou bien ce n'est pas le Côté Sombre, peut-être...

Elle cherchait désespérément à se rassurer. Le château avait peut-être été édifié sur quelque minéral unique qui altérait ses perceptions. Si les ysalamari pouvaient perturber la Force, pourquoi un tel phénomène ne serait-il pas possible dans les profondeurs d'une planète ?

Elle bâilla à nouveau. Et Mr. Iyon l'imita, comme s'il était son reflet dans un miroir. Le sommeil gagnait irrésistiblement Leia.

– Nous devons...

Elle ne put poursuivre. Elle ne se souvenait plus de ce qu'elle avait voulu dire.

– Bonne nuit, madame, dit le chambellan d'une voix douce.

Il se redressa comme un homme exténué et se dirigea en vacillant vers la porte. Leia était trop engourdie pour s'offusquer de ce manque de courtoisie.

Le sommeil submergeait sa frayeur. Elle voulait se lever, mais le fauteuil était si confortable...

Je vais juste me reposer un moment, songea-t-elle.

2

– Comme au bon vieux temps, hein, gamin ? fit Yan Solo à Luke Skywalker.

Installé dans le siège du copilote du *Faucon Millenium*, Luke répondit en souriant :

– Exactement comme au bon vieux temps, à cette différence que l'Empire ne cherche pas à nous dérouiller.

– C'est bien vu.

– Et tu n'as plus Jabba le Hutt sur le dos à cause de cette cargaison d'épices.

– Exact.

– Et personne n'essaie plus de récupérer les vieilles dettes de jeu que tu as laissées traîner.

– Ça aussi, c'est exact, fit Yan, pensif. Mais j'aimerais bien faire un tour, histoire d'avoir de nouvelles dettes de jeu. Après tout, à quoi servent les vacances ?

– Et, pour finir, tu ne peux plus reluquer toutes les belles filles que tu rencontres.

– Mais si. (Devant le rire de Luke, Yan s'empressa d'ajouter :) Il n'y a rien de mal à regarder une belle fille. Leia et moi, nous nous faisons confiance, et elle n'est pas jalouse.

Luke éclata de rire.

– Et, bien entendu, ça ne te ferait rien si elle flirtait avec l'ambassadeur kirlien, par exemple. Plutôt beau type, d'ailleurs, cet ambassadeur.

– Il n'y a rien de mal à regarder les filles, s'entêta Yan.

34

Un petit flirt innocent, ça n'a rien de grave non plus. Mais cet ambassadeur kirlien ferait mieux de voir où il met ses quatre mains. Écoute, gamin, la séduction est une des plus belles inventions de la civilisation.

Il souriait.

Luke avait horreur qu'il l'appelle « gamin » et ce petit jeu ravissait Yan.

Luke tourna son regard vers l'hyperespace.

— En revanche, toi, tu devrais flirter un peu plus, dit Yan.

— Si je puis vous être de quelque service, Maître Luke, proposa C3 PO en se penchant vers eux.

« J'ai à votre disposition une bibliothèque particulièrement riche en poèmes d'amour, dans plusieurs langages accessibles aux humains, de même que des prescriptions d'étiquette, des informations médicales et...

— Je n'ai pas le temps de flirter, coupa Luke. Ni de lire des poèmes d'amour. Pas pour le moment...

C3 PO se rassit. Luke discernait la silhouette du droïd comme une ombre. Pour se rendre incognito, C3 PO avait recouvert son corps doré d'une couche de laque violette, un changement auquel Yan ne s'était pas encore fait.

— Tu en fais trop, grommela Yan. Est-ce que les Chevaliers Jedi ne se distraient jamais ? Les petits Chevaliers Jedi sont bien venus de quelque part, non ? Je parierais que ce vieil Obi-wan...

— Je ne sais pas ce que Ben aurait fait !

Il y avait un accent de détresse et non de colère dans la voix de Luke. Yan avait profondément conscience de la solitude de son jeune ami.

— J'ignore ce qu'ont pu faire les autres Chevaliers Jedi, reprit Luke doucement. Je n'ai pas connu Ben suffisamment longtemps, et l'Empire a détruit tellement d'archives et... Je ne sais pas.

Yan souhaitait qu'il trouve quelqu'un avec qui partager sa vie et son travail. Depuis qu'ils étaient mariés, Leia et lui, leur union s'était renforcée chaque année, chaque jour. Ces années de bonheur contrastaient avec le célibat de Luke et Yan était de plus en plus préoccupé par la solitude de son jeune beau-frère.

– Du calme, Luke, du calme. Tu fais de grande...
– Mais les traditions...
– Et alors, il n'y a pas de mal à faire semblant, non? On était plutôt doués pour le bluff au bon vieux temps.
– Oui, au bon vieux temps, répéta Luke d'un air sombre.
– Et qui sait ce qu'on va trouver là où nous allons? Peut-être quelques nouveaux Chevaliers Jedi pour nous donner un coup de main.
– Ça se pourrait. Je l'espère.

Le *Faucon Millenium* jaillit hors de l'hyperspace dans un flot de traits lumineux pour regagner l'univers normal.

A la même fraction de seconde, les boucliers anti-radiation se mirent en place et l'alarme générale se déclencha.

Yan jura. Il s'était attendu à trouver un flux de rayonnements lourds dans cette région de la galaxie – il avait équipé le *Faucon* afin d'y parer – mais c'était une véritable tempête de radiations dures qui se déchaînaient autour d'eux.

Après avoir vérifié qu'aucun des systèmes du vaisseau n'était endommagé, il prit le temps de risquer un regard à l'extérieur. Bouleversé, il sifflota.

Ils se trouvaient au sein d'un nuage stellaire dense et éblouissant. Deux amas d'étoiles étaient entrés en collision. Des cohortes de géantes rouges, pareilles à des veines gonflées, s'enfonçaient dans des régions remplies de naines blanches. Les étoiles étaient si proches les unes des autres qu'elles n'étaient plus qu'une immense formation chaotique, tournoyant sur des rythmes différents dans le déchirement de la matière.

Le chaos régnait dans ce bal impossible. Nul ne pouvait prévoir les configurations en cours, ni même savoir s'il y aurait une architecture. Bientôt – en termes de temps cosmique – ces essaims de soleils éclateraient peut-être dans toutes les directions. Autre possibilité : la formation principale s'effondrerait sur elle-même, sa masse ne serait pas plus grande qu'une planète, une lune, un poing, une tête d'épingle. Et elle disparaîtrait de l'univers.

– Si je puis me permettre... hasarda C3 PO. En dépit de mon bouclier supplémentaire, je sens les rayonnements X pénétrer mon enveloppe extérieure et atteindre mes synapses. Je n'ose imaginer quel effet cela peut avoir sur vos délicates structures biologiques. La Station de Recherche Crseih a été conçue pour résister à ce genre de situation. Puis-je suggérer que nous franchissions le bouclier du port aussi vite que possible?

Comme pour appuyer la requête du droïd, un éclair de lumière intense venu de nulle part traversa le champ de vision de Yan. Il l'identifia aussitôt comme un rayon cosmique qui frôlait sa rétine.

– Bien vu, C3 PO.

Il mit le cap sur la Station de Recherche Crseih.

Ils traversaient le système stellaire le plus étrange que Yan ait jamais approché. Une naine blanche en cristallisation, ancienne et mourante, orbitait autour d'un trou noir selon une ellipse bizarrement excentrique.

Des milliards d'années plus tôt, là où le vaisseau se trouvait actuellement, une petite étoile jaune ordinaire tournait paisiblement autour d'une super-géante bleue, mais celle-ci avait vieilli et s'était effondrée.

L'étoile bleue était devenue une supernova et avait craché dans l'espace des débris, des flots furieux de lumière et de radiations. Sa lumière continuait de traverser l'univers et on pouvait la distinguer comme une explosion depuis les galaxies les plus lointaines.

Au fil du temps, les restes du noyau de la super-géante avaient dérangé l'orbite de sa compagne, l'étoile jaune, jusqu'à la faire décliner. L'étoile jaune était alors tombée vers le corps inimaginablement dense du trou noir qui aspirait tout ce qui venait à sa portée, y compris la lumière. Et lorsqu'il capturait de la matière – même une étoile jaune dans sa totalité – il en séparait les atomes dans un disque d'accrétion ardent. Les particules subatomiques implosaient alors vers l'équateur de la singularité en émettant des torrents furieux de radiations. Le disque d'accrétion tournait à une vitesse fantastique, dans une chaleur infernale, créant un impressionnant bûcher funéraire pour sa compagne jaune disparue.

Le plasma, la matière de l'étoile à très haute température, avait formé une roue tournoyante, tempêtueuse, dont la vitesse de rotation et la chaleur étaient telles qu'elle lançait des rayons X vers l'univers. Et puis, enfin, le gaz ardent était retombé vers l'invisibilité du trou noir, de plus en plus près, mais aussi de plus en plus lentement sous l'influence de la relativité.

Il avait disparu à tout jamais de l'univers.

Et le destin de l'étoile jaune s'était clos ainsi.

Le système recelait une troisième étoile, la naine blanche agonisante qui brillait avec une chaleur ancienne alors même qu'elle se gelait en un cristal quantique. Elle basculait vers le trou noir, dans la courbe intérieure de son ellipse, quand le *Faucon Millenium* pénétra dans le système.

– Regarde un peu ça, fit Yan. Quel spectacle !

– Oui, très certainement, Maître Yan, intervint C3 PO, mais ce n'est encore que l'ombre de ce qui se produira lorsque le trou noir capturera l'étoile de cristal.

Luke observait sans mot dire le maelström du trou noir. Et Yan attendit encore un peu avant de lancer :

– Hé, gamin ! Arrache-toi à ça !

– Quoi ? fit Luke dans un sursaut.

– J'ignore où tu étais, mais certainement pas ici en tout cas !

– Je pensais à l'Académie Jedi. J'ai toujours beaucoup de peine à quitter mes étudiants, ne serait-ce que pour quelques jours. Mais si j'ai la chance de trouver d'autres Jedi qui ont été éduqués, cela fera une différence de taille. Pour l'Académie et pour la Nouvelle République...

– Je crois que nous nous en tirons plutôt bien, dit Yan, irrité.

Il avait passé tant d'années à maintenir la paix entre des gens ordinaires que, selon lui, les Chevaliers Jedi étaient susceptibles d'apporter plus d'ennuis que d'aide.

– Et si ceux-là sont du Côté Sombre ?

Luke ne répondit pas.

Yan ne tenait que rarement compte de ses cauchemars,

mais il avait souvent fait celui où ses propres enfants étaient tentés par le Côté Sombre.

Pour l'heure, se dit-il, ils étaient en sécurité, en visite sur les mondes lointains et pacifiques de la Nouvelle République. Ils devaient être actuellement sur Munto Codru et visitaient probablement les montagnes superbes de la zone tempérée. Il sourit en imaginant sa princesse et ses enfants reçus dans quelque antique et mystérieux château de conte de fées.

Des éruptions solaires montaient de la surface de la naine blanche. Le *Faucon* survola la zone de turbulence avant de se diriger vers la région la plus redoutable du trou noir.

Yan augmenta les boucliers au maximum de tolérance tout en accélérant pour franchir l'espace de radiations, dans la clarté éblouissante, dure et actinique du disque d'accrétion.

La naine blanche pas plus que le trou noir ne possédaient de planète naturelle, sinon des débris épars et un halo de comètes gelées. Cependant un planétoïde artificiel tournait autour de la naine blanche.

Au temps de l'Empire, la Station Crseih avait été une unité de recherche secrète. Pendant le règne de l'Empereur, elle avait été déplacée de son site caché vers un autre, puis encore une fois pour une destination que peu de gens connaissaient. Mais, partout, elle avait gardé sa réputation de lieu maléfique.

La majeure partie des archives sur les recherches effectuées dans la station avaient été détruites avant la chute de l'Empire. Les chercheurs s'étaient enfuis pour disparaître ou se rendre à la Nouvelle République. Yan ne connaissait qu'une chose certaine à propos de la Station Crseih, elle avait été réinstallée dans ce système stellaire afin d'utiliser l'énergie destructrice du trou noir et ainsi servir les ambitions guerrières de l'Empereur.

Le projet Crseih avait échoué, mais la station existait toujours, cachée là, à la lisière de l'univers civilisé, isolée par un rideau d'étoiles en explosion ou mourantes. Il restait quelques habitants, heureux d'avoir été libérés du joug de l'Empire. Ils vivaient à l'extérieur de la Nouvelle République, hors de la protection de sa justice.

Hors de sa protection mais aussi de ses restrictions.

Le *Faucon Millenium* plongeait dans l'ombre de la station. Yan poussa un soupir de soulagement. La lumière de la naine blanche inondait le cockpit, mais le bouclier de la station les protégeait d'ores et déjà des rayonnements durs.

Le bouclier était comme un immense parapluie de patchwork déployé sur une bonne moitié du planétoïde irrégulier. Au fur et à mesure de l'extension de la station, les empiècements s'étaient multipliés. Le bouclier recouvrait les dômes résidentiels, mais aussi les corridors des sas atmosphériques. Transparent dans le spectre visuel, il protégeait les équipements et les habitants des radiations à haute énergie. Il était parfois visible, comme un scintillement dans l'ombre. Mais il s'obscurcissait dès qu'il était atteint par un flux de rayonnements.

Yan posa le *Faucon* sur un carré de pierre vitrifiée. Crseih n'avait guère l'allure d'un spatioport. On n'y trouvait que quelques mécaniciens itinérants d'hyperdrive, et des ravitailleurs. Une société de location spécialiste des boucliers assurait la maintenance.

Yan demanda un bouclier de surplus pour le *Faucon*. Quelques minutes plus tard, un tracteur à chenilles remorquant une grande bâche transparente s'avança.

— Il est efficace, dit Luke.

— Ou bien il s'ennuie. On ne peut pas dire que la circulation soit vraiment infernale dans le coin. (Yan plissa le front.) Qu'est-ce que tu dis de ça? Pour une fois que j'ai des vacances, je me retrouve dans un trou perdu.

— C3 PO, où est ton contact? demanda Luke.

Quelques dizaines d'autres vaisseaux de types et d'âges divers croupissaient au sol, pour la plupart sous bouclier. Quelques-uns étaient restés nus et exposés aux vents cosmiques, carcasses abandonnées et rouillées qui n'étaient plus que des épaves.

C3 PO observait nerveusement la scène au travers de la verrière.

— Je suis virtuellement certain qu'il est venu nous recevoir, Maître Luke. Il est peut-être à bord de ce tracteur?

40

Il s'agitait. Quelques semaines auparavant, Yan avait commencé à recevoir des messages incompréhensibles. Mais C3 PO avait reconnu le langage. Selon lui, il était presque éteint. Les messages faisaient état de rumeurs sur des événements étranges survenus dans la Station Crseih.

– C'est ma faute si nous avons entamé cette enquête, dit C3 PO.

Yan avait chargé le droïd de répondre aux messages dans le même langage obscur en fixant un rendez-vous. Désormais, C3 PO, parce qu'il était C3 PO, se considérait comme responsable de l'expédition tout entière.

– J'espère que ce n'est pas un stratagème que quelqu'un nous aura monté, fit le droïd.

– Mais non, tout va bien, dit Yan. Ce ne sera pas ta faute.

– Mais si jamais ces rumeurs se révélaient inexactes, je ne pourrais résister à la honte que je...

Yan cessa d'écouter la litanie angoissée du droïd. Certes, il serait navré pour Luke s'ils ne trouvaient pas le Jedi perdu. Mais Yan était heureux de se trouver là, en cet instant où leur voyage pouvait basculer des vacances dans l'aventure.

Yan observa de nouveau la station. De longs conduits d'aération aplatis, isolés et blindés tapissaient le planétoïde. Ils connectaient les différents districts. Certains étaient opulents et bien entretenus, mais d'autres étaient devenus des amas de gravats. Les laboratoires de recherche de l'Empire avaient été abandonnés, mais la communauté qui s'était développée continuait d'exister. Certains habitants avaient trouvé de nouveaux moyens de prospérer sans l'Empire et loin de la vigilance de la Nouvelle République.

Car les ambassadeurs et représentants se consacraient plutôt aux mondes peuplés du centre galactique.

Quel soulagement, se dit Yan. Pas d'ambassadeurs, pas de protocole de cour. Pas d'habits de cérémonie ni de dîners en grande pompe.

Le tracteur ralentissait et hésitait.

– Combien êtes-vous prêts à payer pour ce petit service? demanda le conducteur.

– Une lettre de créance, dit Yan.

– On n'accepte que les vrais crédits ici.

Le tracteur recula.

– Une minute ! Est-ce que...

Yan s'interrompit : il avait failli demander « Est-ce que vous savez qui je suis ? », alors qu'ils voyageaient incognito et que le conducteur, bien sûr, ignorait son identité.

Cette seule pensée lui donnait un nouveau sentiment de liberté.

– La lettre de créance doit être déposée, Maître Y... (La mémoire programmée de C3 PO l'interrompit à temps.) Monsieur... Sinon, elle ne peut être encaissée.

– Je le sais, sourit Yan. Je pense que je voulais seulement les impressionner. Avec tous ces sceaux et ces signatures.

Et une fausse identité, se dit-il.

Le tracteur retournait vers le réseau des tuyauteries.

– Revenez ! lança Yan. D'accord pour du cash !

– Faites voir un peu.

Yan brandit une petite liasse irisée de billets de la Nouvelle République. L'ex-contrebandier qu'il était s'était réjoui quand le Sénat avait échoué dans sa tentative de faire voter une loi destinée à l'abandon de toute devise de paiement. La contrebande serait devenue encore plus risquée sans une monnaie facile à escamoter. Ce qui était la motivation essentielle du Sénat, d'ailleurs.

Le tracteur revenait vers le vaisseau. Il manœuvra jusqu'à ce que le bouclier qu'il remorquait soit en place sur le *Faucon*. Puis il se dégagea et le bouclier se verrouilla. Le tracteur était blotti sous la coque du *Faucon*.

Yan coupa les moteurs et mit en place tout un jeu de dispositifs de sécurité dont certains étaient particulièrement subtils.

– On y va, dit-il enfin. Et rappelez-vous qui vous êtes. Enfin, qui vous n'êtes pas !

C3 PO avait son vernis violet et Yan portait la barbe. Luke, quant à lui, n'avait rien fait pour changer son physique.

– Écoute, gamin, lui dit Yan. Je persiste à penser que tu devrais quand même faire quelque chose. Et si tu te rasais le crâne, hein? Parce que quelqu'un va fatalement te reconnaître.

Luke lui lança un regard perplexe.

– Non, je ne me raserai pas le crâne. Et personne ne va me reconnaître.

Yan eut un brusque vertige. Le visage de Luke, soudain, devenait flou et se reformait. Il vit quelqu'un de différent : un jeune homme aux cheveux noirs, un peu plus grand, plus svelte, avec des traits ordinaires, discrets.

– Bon sang! Ne joue pas à ça avec moi!

L'image frémit et se dissipa, Luke redevint Luke.

– D'accord, dit-il. Ça ne t'affectera pas. Mais les autres ne risquent pas de me reconnaître.

– D'accord!

Ils débarquèrent.

Yan aurait aimé que Chewbacca soit avec eux, mais c'était difficile à concevoir pour une mission incognito. Avec sa barbe, on ne reconnaîtrait sans doute pas Yan. Mais un humain voyageant en compagnie d'un Wookie hirsute, c'était une image que, dans toute la galaxie, on associait au général Yan Solo et à son ami Chewbacca, Héros de la Nouvelle République.

En bas de la rampe d'accès du *Faucon Millenium*, le sas d'accès du tracteur était plongé dans la pénombre. Une tige translucide barrait le chemin de Yan. Il la repoussa et la sentit bouger dans sa main. Il la serra plus fermement. Elle vibra, s'agita et alla fouetter la paroi. D'autres tiges d'aspect similaire, segmentées, se dressèrent devant lui. Elles étaient toutes reliées à une forme massive à facettes multiples.

– Hé! s'exclama Yan.

– Lâchez-moi! dit le conducteur.

– Lâche-le, fit Luke. C'est son bras que tu tiens. Sa jambe. Son appendice.

– Mais comment tu sais ça?

Luke se contenta de le dévisager en silence.

Yan lâcha la tige vivante.

– J'ai horreur que tu fasses ça, dit-il à Luke.

– On paie d'abord et on entre ensuite, dit le conducteur.

43

Yan sortit plusieurs billets et les lui tendit.

L'un des appendices translucides se leva du seuil, juste devant lui, et les quatre griffes dont était munie son extrémité lui frôlèrent le visage. Elles étaient acérées et bleues comme de l'acier, aussi longues que sa main.

– Jolis, ces ongles, hasarda Yan.

Il donna les billets et les griffes se refermèrent délicatement sur le papier gravé.

– Merci, dit le conducteur. Mais ça fait plus.

– Plus ? Tout de suite ? Pour nous poser sur un bout de rocaille ?

– Sur un bout de rocaille et sous un bouclier loué, alors qu'une tempête de rayons X approche. Et ce bouclier est à moi. Mais je peux toujours l'enlever si ça vous dit.

Yan avait pris la mesure du flux de radiations : il était assez puissant pour être qualifié de tempête de rayons X. Mais sur Crseih, c'était un temps normal. Quand la naine blanche se rapprochait du trou noir, celui-ci lui arrachait des nappes de gaz à haute température et les rayons X devenaient alors un ouragan.

– Une tempête de rayons durs aurait certainement des effets néfastes sur les systèmes du *Mil...* de votre vaisseau, acheva précipitamment C3 PO. Si nous le laissons sans protection.

– Je le sais, grommela Yan.

Il sortit trois autres billets et les froissa entre les griffes du conducteur, tout en se disant qu'avec ça il ne leur resterait plus tellement d'argent liquide. Peu importait, la lettre de créance pouvait résoudre leur problème.

Dans un bruissement, les griffes se retirèrent en même temps que les tiges translucides. La vue de Yan s'accoutumait à la faible clarté. Le conducteur était installé à l'autre bout de la cabine. Il ramenait ses membres autour de lui comme autant de bâtonnets desséchés.

– Je ne vous compte pas la course jusqu'à Crseih, annonça-t-il.

– Merci infiniment, dit Yan.

Derrière eux, le *Faucon* remontait sa coupée et refermait son sas.

C3 PO inspectait l'intérieur du tracteur.

– Vous n'avez pas d'autre passager? demanda-t-il.

– J'ai à peine assez de place pour vous.

Le droïd lui répondit dans un langage si étranger que Yan en eut mal aux oreilles. C3 PO l'avait déjà employé auparavant pour traduire les messages de la Station Crseih.

Il se dit que ce type est notre contact! pensa Yan.

Le conducteur déploya plusieurs appendices, y compris ceux qui étaient munis de poils sensoriels auditifs et de redoutables épines.

– Qu'est-ce que vous voulez dire? demanda-t-il à C3 PO. Pourquoi cherchez-vous à irriter mes organes d'audition?

– Je vous demande pardon. Je ne disais rien d'important. Je vous ai pris pour quelqu'un d'autre.

Le tracteur se dirigeait vers la cité.

Le conducteur arrêta son véhicule dans le garage. Un conduit d'aération se fixait déjà sur la porte. Yan se courba pour descendre, suivi de Luke et C3 PO. Ils étaient à l'intérieur de la station.

Le tracteur recula et s'éloigna dans un vrombissement.

– Les araignées, fit Yan en frissonnant. Désolé, mais les araignées m'ont toujours fichu la trouille.

– Des araignées? s'écria C3 PO. Parce qu'il y a des araignées ici? Où donc? Il faut que je fasse attention à ce qu'elles ne tissent pas leur toile entre mes membres. Parce que j'ai connu une fois un droïd qui...

– Je parlais du conducteur, dit Yan.

– Mais ce n'était pas une araignée!

– C'était une métaphore.

– Mais...

– Peu importe. Oublie ce que j'ai dit.

– C'était à mon sens un très bon businessman, insista C3 PO.

Yan éclata de rire.

– Oui, ça tu l'as dit. Plutôt vorace.

Le droïd fit quelques pas nerveux en regardant autour de lui.

– Je suis certain que notre contact est quelque part.

Yan jeta un regard à Luke.

– Et maintenant? Tu n'as pas une petite idée de l'endroit où on pourrait trouver tes Jedi perdus?

Luke secoua la tête. Un bref instant, quelques mèches lui retombèrent sur le front et Yan retrouva le jeune gamin qu'il avait rencontré la première fois. Mais Luke n'était plus un gamin. Et de loin. Avec les années, il avait développé une autre facette de sa personnalité qui troublait et inquiétait Yan.

Luke eut un haussement d'épaules.

– Je serais censé les détecter. Mais non, je ne sens rien. Peut-être qu'ils se dissimulent eux-mêmes. L'Empire les a traqués. Qui pourrait leur en vouloir?

– On pourrait se dire qu'ils ont pu constater qu'il n'y avait plus d'Empire depuis quelques années, ajouta Yan ironiquement.

– Oui, mais il existe nombre de gens qui voudraient le voir rétabli, insista Luke.

– D'accord.

Yan ne croyait pas du tout à l'existence d'un groupe de Jedi perdus. Mais, d'un autre côté, plus la quête de Luke se prolongerait, plus longues seraient leurs vacances.

Je ferais peut-être bien de ne pas trop le titiller, songea-t-il.

Au-delà des boucliers antiradiation, le tourbillon bruyant du carnaval stellaire était estompé. La lumière ardente s'était changée en nuances douces de blancs et de gris. Des reflets et des ombres oscillaient sur le sol.

Yan leva les yeux. La Station Crseih tournait sur son axe; le trou noir et son disque d'accrétion composaient une aurore violente. Le tourbillon occupait un quart du ciel. Dès qu'il commencerait à décliner, sa compagne naine blanche se lèverait. Et elle se rapprocherait de la singularité, jusqu'à ce qu'elles embrasent en même temps l'espace entier.

Yan évitait de regarder directement le disque d'accrétion du trou noir, même sous la protection des boucliers. Les feux d'artifice expulsés de sa surface projetaient plus d'énergie que tous ceux que les civilisations avaient pu créer au long des millénaires pour toutes les fêtes depuis le début de l'histoire.

Il s'engagea dans un conduit en direction du dôme le plus proche de la station. L'atmosphère y était chaude, moite, fétide, quasi tropicale en somme. Il aurait pu la sentir entre ses doigts, poisseuse, presque solide.

La plupart de ceux qui vivaient ici, se dit-il, devaient venir de mondes tropicaux. C'est toujours plus facile de maintenir la fraîcheur dans une station mais...

Mais pas dans une station comme Crseih. La machinerie de refroidissement surmenée vibrait sous le sol. Les boucliers protégeaient l'espace vital en absorbant les rayons X. Cette prodigieuse énergie se transformait en chaleur qu'il fallait bien évacuer quelque part. Les machines s'usaient donc à la transporter vers la face obscure du planétoïde de Crseih, où elle était absorbée dans l'espace. Mais cette face obscure, entre le trou noir d'un côté et la naine blanche de l'autre, était réduite à un croissant de nuit.

Yan leva la main vers la paroi du conduit et la retira très vite : même avec la ventilation, elle était brûlante.

C3 PO les précédait en trottant, bizarre dans son déguisement de laque violette, préoccupé par sa recherche futile de leur contact.

— J'ai dit très clairement à notre correspondant de nous rencontrer, geignit-il. Je ne parviens pas à comprendre...

Yan eut l'impression que Luke le frôlait.

Mais comment a-t-il fait? se dit-il. Je l'ai vraiment vu? Ou bien non?... Bon sang, j'ai horreur de ce genre de tour!

— C3 PO, dit Luke, il vaudrait mieux ne pas diffuser nos plans sur toutes les ondes.

— Mais, Maître Luke, ça ne me viendrait pas à l'idée! Je vous assure que je n'avais pas activé mon émetteur!

— Alors, n'active pas non plus ton unité vocale.

— Très bien, Maître Luke, si c'est ce que vous préférez.

C3 PO se remit en marche, mais son corps en disait tout aussi long que les paroles d'accueil qu'il aurait voulu entendre à leur arrivée.

Yan sentit la sueur ruisseler en gouttes épaisses sur son

front et ses tempes. Il s'essuya et remonta ses manches dans la lourde ambiance de serre, sans se poser la moindre question sur son apparence.

Au fil des années, Leia et les conseillers avaient réussi à lui inculquer quelques principes d'habillement. Au lieu de mettre le premier vêtement qu'il trouvait dans sa penderie avec n'importe quel autre livré par le droïd nettoyeur, il parvenait maintenant à s'habiller en fonction de ses devoirs quotidiens. Généralement, il délaissait l'uniforme de cérémonie, à moins qu'il n'ait à passer les troupes en revue ou qu'il n'assiste à une réception diplomatique. Yan Solo avait une profonde allergie pour les uniformes et il n'appréciait pas non plus les dîners et les discours.

Pour ce voyage, il n'avait même pas prévu un seul uniforme. Son pantalon fatigué et sa vieille chemise ample étaient bien trop lourds pour le climat de Crseih, mais il se sentait libéré.

Il éclata de rire.

– Je crois qu'on va s'amuser.

Ils abordaient une courbe, dans la vapeur du conduit, et ils virent qu'elle allait encore très loin, droit devant eux.

– Où est C3 PO ? s'inquiéta Luke.

– Je l'ignore. Tu as probablement heurté sa sensibilité en lui disant de se taire.

– Je lui ai seulement dit de garder nos plans pour lui.

– Tu n'as pas une idée d'où il a pu passer ?

– Je préfère ne pas me lancer à sa recherche. Mieux vaut éviter de s'éloigner si nous voulons rester incognito.

– Pourquoi ne pas envoyer une fusée de signalisation ? Les Maîtres Jedi nous retrouveront, comme ça.

– Mieux vaut d'abord trouver les habitants du coin. Après tout, nous ne savons pas grand-chose sur ceux que je recherche. Rien que des rumeurs, des histoires bizarres.

– Tu as raison, gamin, appuya Yan.

Plus ça prendra longtemps, moins vite je me retrouverai en uniforme, dans une soirée chic, ajouta-t-il en son for intérieur.

– Oui, tout à fait raison. Ça prendra le temps qu'il faudra.

– Si ce sont bien des Jedi, je veux m'assurer qu'ils n'appartiennent pas au Côté Sombre.

– Mais si quelqu'un utilisait le Côté Sombre, à proximité je veux dire, tu ne le sentirais pas?

– Bien sûr que si!

– Parfait.

– Du moins, je le crois. (La voix de Luke faiblit tandis qu'il observait le tunnel translucide qui se perdait au loin et, à l'extérieur, les dômes perchés entre les cratères.) Je l'espère, en tout cas...

Excédé, Yan le dépassa à grands pas. Il marmonna entre ses dents : « Qu'est-ce que je dis toujours? Ils créent plus de problèmes qu'ils n'en valent la peine. »

Il surgit dans le premier dôme de la Station Crseih, dans le bruit et la lumière crue, l'air chaud et humide.

Luke le suivit avec plus de réticence, il se tint à la droite de son ami, vigilant.

Yan se demandait jusqu'à quelle distance Luke pouvait projeter sa fausse image. Est-ce que les habitants risquaient de le voir tel qu'il était vraiment s'ils prenaient du recul? Mais quand ils se rapprochaient, pensaient-ils qu'ils s'étaient sans doute trompés? Ou bien était-ce comme un voile, une carapace d'illusion qui l'abritait de tous les regards?

Yan n'aurait su le dire puisque, ainsi que Luke le lui avait expliqué, il n'était pas affecté, lui. Il voyait toujours Luke Skywalker, son beau-frère pilote, par ailleurs Chevalier Jedi, avec sa robe de Jedi qui, heureusement, ne se différenciait pas trop de la tenue commune à bien des humanoïdes de différents mondes. Elle avait par ailleurs l'avantage de dissimuler parfaitement son sabrolaser.

Yan se lissa la barbe, habitude qu'il avait contractée depuis qu'elle avait commencé à pousser, quelques semaines avant leur départ. Cette barbe nouvelle était un talisman de liberté.

Sous l'immense premier dôme de la Station Crseih, il y avait un carnaval. De tous côtés, orchestres, jongleurs, acrobates et marchands vantaient leurs talents ou leurs éventaires.

Un groupe de Bremishens entremêlés frétillaient juste à l'entrée, ils tordaient leurs longs museaux en claquant de leurs vastes oreilles en forme de feuille. Avec leur peau douce, mauve et plissée, leurs corps se confondaient dans la frénésie et ils semblaient ne former qu'un unique organisme fébrile. Ils émettaient une plainte grave et continue qui pouvait venir aussi bien de tous comme d'un seul individu.

Luke lança une pièce dans le panier des Bremishens.

– Pourquoi? demanda Yan.

– J'apprécie leur art.

– De l'art?

Mais Luke paraissait parfaitement sérieux.

– Ça n'a rien de plus bizarre que la danse ou le bolo-ball, tu sais.

– Ça, ça te regarde.

Une image revint à Yan, la dernière fois qu'ils avaient dansé, Leia et lui. Il ne se rappelait plus sur quelle planète, mais ils avaient échappé pour un temps aux toasts, aux protocoles, pour se retrouver dans les reflets lumineux d'une piste de danse. Un élan de désir et de solitude lui traversa le cœur.

Un individu qui n'arrivait pas à la taille de Yan, couvert d'une fourrure grise qui le dissimulait aux regards, le tira par la manche.

– S'il vous plaît, très honorables, une petite pièce? On aurait bien ça dans ses popoches pour moi?

– Non, je n'ai pas de monnaie.

Il repoussa les longs doigts brillants et fins comme des brindilles qui s'accrochaient à sa poche.

– Attends, dit Luke. J'en ai, moi.

Il donna une pièce à l'être en s'adressant à lui d'une voix douce.

Les doigts-brindilles cueillirent prestement la pièce qui disparut sous la fourrure grise et drue.

L'être renifla et se dirigea vers le conduit.

– D'autres passagers arrivent? demanda-t-il avec espoir.

– Non, il n'y a que nous, dit Yan.

Plusieurs mendiants, guides de fortune et autres vendeurs de babioles convergeaient sur Yan et Luke.

– Ils sont à moi, à moi! protesta l'être à la fourrure grise. Trouvez-en d'autres!

Mais les autres l'ignorèrent.

– Non, merci, fit Yan. Nous ne voulons rien.

Il entraîna Luke car il imaginait très bien son compagnon en train de distribuer leurs derniers crédits avant même qu'ils n'aient rallié la sortie.

Ils s'échappèrent très vite, en fait : les mendiants et autres marchands de pacotilles avaient déjà repris leur place autour du seuil d'entrée du dôme et attendaient patiemment des clients plus compréhensifs.

Mais la créature grise aux doigts-brindilles avait continué à suivre Yan au sein de la foule. Elle tournait autour d'eux en marmonnant : « A moi! A moi! »

– Le droïd qui était avec nous quand nous sommes arrivés, vous l'avez vu? demanda Yan.

Il haussait la tête pour balayer du regard la cohue du dôme d'accueil. Dans une foule d'humains, il aurait été le plus grand. Mais ici, avec toutes les races exotiques qui se mêlaient, il n'était guère que dans la moyenne. Et il devait se rappeler qu'il ne cherchait pas un droïd doré mais violet.

– Les droïds n'ont jamais de monnaie, ronfla la créature. Les droïds n'ont pas de popoches. Pas de raison de demander aux droïds.

– Vous pourriez peut-être nous aider, avança Luke. D'une autre façon.

– Aider? Travailler?

La créature était soudain plus méfiante.

– Nous montrer, seulement. Nous montrer où trouver un bon logis. Et comment nous guider dans la Station Crseih.

– Mais je sais comment dénicher un hôtel! protesta Yan, offusqué. Je n'ai pas décroché depuis si longtemps que je ne sois pas capable de repérer une bonne auberge!

– Tais-toi! souffla Luke d'un ton implacable.

Surpris, Yan obtempéra.

– Logis, logis, oui, logis, répétait la créature. Et aussi des lieux pour manger et pour acheter de jolis vêtements, spécialisés dans les tailles humaines.

L'être bondit en avant, les plis de sa fourrure tressautant sur ses flancs.

Luke le suivit, et Yan leva les yeux vers le haut du dôme d'un air suppliant avant de leur emboîter le pas en grommelant : « En tout cas, j'espère que ce petit rigolo mal brossé ne va pas se permettre de critiquer la mode des humains ! »

Le petit être gris les entraîna dans un circuit de tubulures et de dômes tous plus différents les uns que les autres. La rumeur et l'agitation du premier s'étaient éteints. Ils traversèrent un secteur empli de hangars et de machines imposantes avant de pénétrer dans un parc luxuriant où une végétation exotique avait envahi les murs, le feuillage multicolore rutilant sous la lumière du tourbillon céleste.

— On va où, au juste ? demanda Yan. Il y avait sûrement des logements possibles plus près du dôme du carnaval.

— Pas pour vous, dit le petit être hirsute. Pas assez bon pour vous.

Ils pénétraient dans des secteurs plus tranquilles, loin des lumières, de la violence et du bruit. Là, les jardins se succédaient et les constructions à l'architecture ergonomique et agréable devenaient basses. Mais Yan n'était pas sensible à cette différence et il avait l'impression que l'air s'était changé en draperies visqueuses et chaudes qui pesaient sur ses épaules.

— Luke, souffla-t-il, on ne va jamais rien trouver. On est complètement perdus !

— Un peu de patience.

— De la patience ! Mais j'en ai eu trois fois trop ! On marche depuis la mi-journée !

Luke se contenta d'un vague sourire devant cette exagération et continua de suivre la créature grise.

Le dôme dans lequel ils pénétraient à présent était le plus grand qu'ils aient croisé. Son sommet était tellement haut qu'ils discernèrent de petits nuages en apex, contre la paroi. Une brise douce agitait l'atmosphère moite. Le petit hirsute non humain les précéda jusqu'à un immeuble qui dominait la bordure d'un cratère. Un lac artificiel occupait le fond. De l'autre côté, l'immeuble se transformait en une haute tour, encadrée de deux ailes.

– Ici, annonça la créature. Ici, c'est parfait.

Il désignait de ses doigts-brindilles une entrée en forme d'arche irrégulière.

Yan franchit le seuil et se retrouva dans la pénombre d'une pièce fraîche. Quelque part, de l'eau ruisselait, il en percevait le parfum. Il se retourna. Luke s'était immobilisé au-dehors, une silhouette dans la lumière vive. Yan sursauta. Il croyait soudain voir à la fois Obi-wan Kenobi et Anakin Skywalker, le Seigneur Dark Vador. Mais quand Luke fit un pas vers lui, l'illusion se dissipa.

Yan retourna sur le seuil et regarda au-dehors. La créature à toison grise avait disparu. Il plissa le front.

– Pourquoi tenais-tu tellement à suivre ce gars jusqu'ici? demanda-t-il à Luke, qui venait de s'installer au bord de la piscine intérieure.

La main dans l'eau, Luke la huma longuement avant de la goûter, puis il répondit :

– Nous avions besoin d'un guide indigène.

– Nous sommes censés en avoir déjà un, remarqua Yan.

– Et il pourrait nous être utile.

– J'en doute, fit Yan.

– Il... il m'a rappelé Yoda.

– Tu crois vraiment que ça pourrait être un de tes Jedi?

– C'est ce que je me suis dit. Mais j'en doute à présent. Pourtant...

Il était sur le point de se moquer de lui, mais Yan se retint, le manque soudain d'assurance de Luke le troublait.

– Hé, cria-t-il à la cantonade. Y a personne ici?

Mais après tout, songea-t-il, ils pouvaient très bien ne pas avoir abouti dans un logis ou une auberge : cette créature poilue pouvait les avoir égarés dans une demeure privée pour leur jouer un sale tour.

– Oui, humain, je suis là!

Une image se dessinait dans la piscine intérieure, mouvante, changeante, brillante. Elle renvoyait des rais de lumière à tous les angles, mais Yan ne parvenait pas à discerner une forme précise dans cette aura hypnotique.

– Nous voulons trois chambres. Deux pour des humains, et l'une qui convienne à un droïd.

– Pour combien de temps?

La voix musicale se chargea de couleurs et de dessins.

– Une durée indéterminée, dit Yan.

– Alors ce sera deux jours standard d'avance, je vous prie.

Yan claqua la porte. Ils avaient laissé leurs derniers crédits.

Et la chambre ne les valait certainement pas. Elle était luxueuse, d'accord, avec un service d'étage haut de gamme et un patio qui surplombait le lac du cratère, tout en bas. Malgré tout, s'il n'arrivait pas à présenter une lettre de créance en guise de paiement, Luke et lui seraient dangereusement à court.

Dès le départ, cette lettre de créance l'avait mis mal à l'aise. La Station Crseih était trop à l'écart des voies spatiales, trop loin des frontières politiques de la Nouvelle République. Les droits, les privilèges et les services auxquels ils étaient accoutumés n'avaient plus de valeur ici.

C'était exactement le genre d'endroit qu'il avait fréquenté avant de devenir le général Yan Solo. Il aurait pu se poser ici avec le *Faucon* et rentrer dans tous les bars qu'il voulait. Il se demandait s'il en serait encore capable désormais.

Tu te ramollis, se dit-il. Tu vis trop bien, trop doux. Il va falloir faire le ménage, mon vieux...

Et rétablir tes finances. Même s'il savait que Luke serait loin d'être d'accord avec son plan.

A l'instant où il reprenait son blouson pour sortir, Luke frappa à la porte qui séparait leurs deux chambres. Il ne répondit pas et sortit très vite dans le couloir.

Pour Yan, la lettre de créance n'était qu'un chiffon sans valeur dans sa poche. Sa première impulsion fut de la déchirer et de la jeter dans le cratère le plus proche. Ce qui aurait été aussi stupide qu'impossible, une lettre de créance n'était pas imprimée sur du papier mais sur une feuille de plastique d'archive pratiquement indestructible. Ses bords lui auraient sans doute tailladé la peau avant qu'il réussisse même à les entamer.

A sa connaissance, il n'y avait personne dans la Station Crseih qui fût prêt à accepter une lettre de créance tirée sur les fonds de la Nouvelle République. Un entrepreneur en avait négocié le rachat, mais Yan n'était pas acculé au point d'accepter ce marché : le prix proposé était ridicule. Pour l'entrepreneur, ç'aurait été une bonne affaire, car la lettre était négociable par le porteur, n'importe où dans l'univers sauf ici.

— Au diable! marmonna Yan.

— Est-ce que vous auriez...

— Non, je n'ai rien! Rien! répliqua-t-il sans même détourner le regard.

— ... Une petite minute, monsieur?

La Spectrale se plaça devant lui, fragile comme un roseau dans un étang au printemps.

— Je ne vous demande rien si ce n'est un instant de votre temps.

— Bien sûr, dit-il. Oui, bien sûr.

Les Spectrales l'avaient toujours fasciné. Elles ressemblaient à des humains mais elles ne l'étaient pas. Leur beauté éthérée les captivait, et elles étaient tout autant attirées par eux. Séduisantes comme des incubes ou des succubes, aussi fragiles que des toiles d'araignée. Si un humain et une Spectrale avaient une relation physique, cela signifiait une mort certaine pour la Spectrale.

Mais il n'y a pas de mal à regarder, songea Yan.

La Spectrale lui souriait. Ses grands cheveux d'or vert étaient répandus autour d'elle comme un halo et ses immenses yeux noirs cherchaient son regard. Elle lui effleura la main de ses doigts graciles. Sa peau de bronze luisait et celle de Yan se hérissa au contact de ses ongles dorés. Il frissonna.

— Vous voulez quoi? demanda-t-il d'un ton rauque.

La Spectrale sourit doucement.

— Rien. Seulement vous donner quelque chose. Le chemin du bonheur...

– Le chemin de la mort, oui!

– Non. Non, je ne suis pas comme ça, je ne suis pas comme les autres. J'ai toujours...

Elle se tourna vers la rue sale, dressée sur ses pieds nus. Les Spectrales ne marchaient jamais à plat, elles semblaient toujours danser comme des faunes.

– J'ai toujours erré parmi les humains. Votre race me séduit. Je vous suis, je vous tente... Vous êtes si excitants! Et je me suis dit, comme ça, que je pourrais partager un instant de ma vie avec un humain, que ça pouvait être la dernière expérience de mon existence. (Elle sourit de nouveau, avec une expression de béatitude.) Mais j'ai compris cette erreur de comportement, cette faute de pensée, et je me suis décidée à aider les autres à voir la vérité! A voir que nous sommes tous pareils, que nous pouvons tous communier dans la joie si nous nous donnons à Waru!

Yan éclata de rire. La Spectrale recula alors, surprise et effrayée. Puis désemparée.

– Monsieur? Ai-je dit quelque chose qui puisse vous amuser?

– Non, mais quelque chose qui m'a surpris, oui. (Il montra d'un geste large le dôme, les tavernes et leurs lumières, toutes les tentations du lieu offertes à celui qui pouvait en payer le prix.) Je ne m'attendais pas à ce qu'on essaie de me convertir... ou du moins, pas ici.

La Spectrale avait retrouvé le sourire et se rapprochait.

– Mais où donc, sinon ici? Venez, je vais vous montrer. Nous sommes semblables. Waru nous donnera la joie.

– Merci, dit-il. Non, vraiment. Merci.

– Alors, une autre fois peut-être, souffla la Spectrale en une promesse de douceur.

Elle s'éloigna sur la pointe des pieds, lui adressa un signe fugace et se perdit dans la foule.

Yan étouffa un rire en entrant dans la plus proche taverne. Il s'efforça d'oublier cette rencontre avec une Spectrale comme toutes celles qui l'avaient précédée. Inutile de se les rappeler, de vivre dans des impossibilités.

La taverne enfumée, sombre et étouffante avait des relents âcres de vin et d'encens. Yan s'assit au bar et tenta

56

de se détendre. Il parvenait à identifier au moins la moitié des étrangers qui l'entouraient. Mais certains non-humains lui étaient réellement inconnus.

La frontière, se dit-il soudain. Une vraie frontière.

Il eut d'abord un sourire ravi, puis se mit à rire encore. Il y avait tellement longtemps qu'il n'avait pas passé une frontière.

– Minimum deux éléments.

Il se retourna vers le bar. Il n'y avait personne. Il chercha des yeux, rien.

Un mince tentacule lui serra la manchette.

– Minimum deux éléments.

Tout au long du bar, les tentacules s'activaient ou s'insinuaient doucement entre les chopes, les verres et les carafes. Yan se redressa pour regarder de l'autre côté, mais un tentacule fin comme un cheveu se leva devant lui et le repoussa fermement en arrière.

– Si vous désirez vous imbiber, vous êtes là où il faut. (La voix évoquait un fagot de baguettes d'acier tombant en pluie.) Mais si vous désirez assouvir votre curiosité, je vous suggère le musée du dôme d'à côté.

– Désolé, dit-il, froissé.

– Il n'y a pas de mal. Minimum deux éléments.

Le tentacule était prêt à le servir.

Yan se rassit sur son tabouret.

– Eh bien, d'accord. Polonium et gnole de prune, ça ira ?

– Je ne sers ni l'un ni l'autre.

– Alors disons deux chopes de la bière du coin.

– Un choix très judicieux pour un individu courageux.

Le tentacule s'éclipsa.

Yan chercha dans ses connaissances une espèce farouche à tentacules mais n'en trouva aucune qui pouvait correspondre. Il s'appuya au bar, soudain détendu. Quand il rentrerait, il aurait tout le temps de chercher les races qu'il n'avait jamais rencontrées et même de monter une expédition pour les inviter à rallier la Nouvelle République.

Il partit explorer les lieux. La taverne n'avait rien de familier. La lumière était mourante, la fumée à couper le souffle, et des groupes denses étaient agglutinés autour des tables et du bassin central. Les langues exotiques se confondaient en un ronronnement indéchiffrable.

Deux chopes de bière se posèrent sur le comptoir et le tentacule disparut alors même qu'il retournait au bar. La mousse débordait des chopes pour éclabousser le bois tailladé.

Yan avala une gorgée. Il s'était attendu à de l'eau acide ou à un détergent brûle-gueule. Mais la boisson avait un goût agréable de bière sur sa langue, et il avala. Son estomac l'accueillit avec plaisir. Elle était chaude et douce. Il finit la première chope et entama la seconde sans cesser d'épier la taverne.

Un tapotement humide détourna son attention. Le tentacule était de retour et battait un rythme régulier et de plus en plus impatient, soutenu par une ventouse insistante au tempo mouillé.

– Attention, tu vas t'emmêler, dit Yan en riant.

La bière se diffusait agréablement en lui. Les conversations étaient plus fortes et il parvenait presque à les comprendre. Il avala une autre lampée.

– Humain, vous avez déjà prouvé votre courage, dit la voix du barman. Inutile de pousser trop loin votre chance en vous soustrayant à vos obligations.

– Mes quoi? s'exclama Yan.

– Vos obligations! Vous occupez mon espace, vous ingérez mes comestibles...

Yan pouffa de rire.

– Hé là! Ça n'est pas votre langue natale, n'est-ce pas?

– Certainement pas, fit l'autre d'un ton particulièrement offensé.

– Ça marcherait mieux si vous vous exprimiez plus carrément.

– Payez!

– Voilà!

Yan sortit une pièce et la posa sur le comptoir. Une ventouse se plaça instantanément dessus et la souleva. Le tentacule plongea derrière le bar et réapparut.

– Qu'est-ce qu'il y a comme distraction dans le coin? demanda Yan.

Le tentacule désigna différents coins de la salle et divers groupes.

– Ça. Vous désirez autre chose?

– Eh bien, je n'ai rien contre un petit jeu de temps à autre.

– Le bolo-ball? Il y a une ligue ici.

– Je pensais à quelque chose de plus tranquille... et de plus risqué aussi.

Le tentacule se crispa jusqu'à former un nœud et se leva par-dessus son épaule vers la salle. Yan se retourna et faillit entrer tête la première dans le torse d'un géant.

Il leva la tête. Une humaine améliorée l'observait d'un air heureux.

Un résultat robuste de manipulations génétiques et chirurgicales, qui devait dépasser Chewbacca d'une bonne tête.

– J'aime bien parier de temps en temps, risqua Yan.

Elle ouvrit la main, et il vit dans sa paume un jeu de cartes avec des dessins compliqués. La géante écarta les doigts, et le jeu tomba. Elle ne garda qu'une carte, au dos émeraude et or : Chance & Risque.

Yan s'efforça de sourire.

– Parfait. Oui, ce sera parfait.

3

Anakin gigotait furieusement dans les bras de Jaina pour essayer de descendre.

– Mauvais hommes, Jaya! Mauvais hommes!

– Arrête de remuer, Anakin.

Elle serrait son petit frère contre elle, mais il se débattait encore plus fort, le visage barbouillé de larmes de colère. Il avait cessé de pleurer mais il était encore tellement furieux que tout son corps tremblait.

Jaina, elle aussi, avait peur, et elle était perdue. Mais elle prenait sur elle pour ne pas le montrer.

Ils étaient sur un disque d'herbe parfaitement circulaire. L'herbe de Munto Codru. Jacen et le loungaroun de Monsieur le Chambellan étaient endormis. Jaina aurait voulu que Jacen se réveille. Elle venait à peine de reprendre conscience. Et ça lui avait fait mal. Auparavant, quand elle se réveillait, elle n'avait jamais eu mal. Jamais de toute sa vie.

Le bout d'herbe ne faisait plus partie de la prairie. Ils étaient dans une grande pièce métallique. L'herbe était posée sur le sol de métal. On aurait dit que quelqu'un l'avait découpée comme on le faisait pour les petits gâteaux. Tout autour d'eux, les murs se dressaient très haut. Jaina ne voyait ni portes ni fenêtres. Des lumières éblouissantes les éclairaient depuis le plafond.

– Ne pleure pas, Anakin, dit-elle. Je vais m'occuper de toi. J'ai cinq ans, et je peux m'occuper de toi parce que tu n'as que trois ans, toi.

– Trois ans et demi!

– Oui, trois ans et demi.

Il renifla en se frottant le nez.

– J'veux Papa.

Jaina, elle aussi, aurait bien aimé que Papa soit là. Et Maman. Et aussi Winter. Et Chewie. Mais elle ne dit rien. C'était à elle de faire l'adulte. Elle était l'aînée. Elle aurait bientôt toutes ses dents. Une incisive, sur le devant, bougeait sous sa langue tandis qu'elle réfléchissait à ce qu'elle devait faire.

Elle avait deux ans de plus qu'Anakin. Bon, un an et demi, d'accord. Et elle avait cinq minutes de plus que Jacen. Ils étaient jumeaux, même s'ils n'étaient pas exactement semblables. Elle avait les cheveux brun clair et très drus. Ceux de Jacen étaient plus sombres et bouclés. Mais elle n'en était pas moins l'aînée.

– Descends-moi! geignit Anakin. Jaya, descends-moi!

– Je vais te laisser descendre, si tu me promets de rester sur l'herbe.

Il fit la moue, les yeux luisants de colère. Il était particulièrement entêté. A propos de n'importe quoi.

– C'est promis? insista Jaina.

– Je reste sur l'herbe.

Elle le laissa aller. Il plongea dans l'herbe et leva les yeux. Une seconde, elle revint à son frère jumeau. Elle espérait qu'il allait se réveiller. Le loungaroun s'agita et geignit.

Jaina revint à Anakin à l'instant précis où il avançait le pied hors de l'herbe et elle le rattrapa.

– J'ai dit: on reste là! Sur l'herbe!

– Mais je suis sur l'herbe! (Il montra le sol de métal.) Jaya, non, pas de Krakana.

La dernière fois qu'ils avaient suivi Maman dans sa tournée, sur Mon Calamari, on leur avait interdit d'aller nager dans l'océan. Après tout, Mon Calamari était presque un monde entièrement océanique. Et infesté de Krakana qui dévoraient n'importe quoi, et plus particulièrement les enfants.

Depuis, chaque fois que l'on disait « non » à Anakin, il répondait : « Pas de Krakana! »

Elle ne voulait pas faire peur à son petit frère. Elle ne savait même pas s'il y avait des raisons d'avoir peur. Mais elle aurait bien aimé savoir comment on les avait amenés ici. Il avait dû se passer quelque chose de mauvais, mais on les avait ensuite sauvés, et c'est pour ça qu'ils étaient ici.

Jacen gémit. Jaina prit la main d'Anakin et le ramena vers son frère.

— Tiens-lui la main, dit-elle.

Elle fit de même avec l'autre main de son jumeau.

— Jasa, Jasa, réveille-toi, gros tas de sommeil!

Jacen ouvrit les yeux.

— Ouille! fit-il, comme Jaina quelques instants auparavant.

Elle savait ce qu'il éprouvait. Il avait affreusement mal à la tête, comme si quelqu'un lui hurlait dans l'oreille.

Ils avaient les larmes aux yeux. Jaina sentit ses lèvres frémir et elle y porta la main. Sa dent de devant bougea un peu plus.

Alors, elle poussa le cri et le chagrin s'évanouit. Il les abandonna, elle et Jacen, avant même que son jumeau soit pleinement réveillé.

Elle n'était pas censée se servir de ses dons de Jedi si Oncle Luke n'était pas auprès d'eux. Jacen encore moins. Et Anakin pas du tout. Oncle Luke leur apprenait à bien s'en servir.

Pourtant, quelquefois, il était difficile de ne rien faire. Comme maintenant.

Jacen s'assit, des brins d'herbe collés à sa chemise tissée maison et dans ses cheveux bouclés. Il fourragea dans ses mèches, comme d'habitude.

— Ça va, maintenant? demanda Jaina.

— Oui, ça va. (Il tourna la tête.) Mais on est où?

— Tu te souviens de ce qui s'est passé?

— On jouait avec Chewie et...

— ... il a sauté...

— ... Puis il est retombé...

— ... Et je me suis endormie.

— Moi aussi.

— L'esquif! lança Anakin. Jaya a oublié l'esquif!

– Quel esquif?

– Je l'ai vu!

– Mais on n'est pas dans un esquif! protesta Jacen.

Il avait raison. Tout un esquif aurait pu tenir dans cette salle.

– C'est peut-être là que l'esquif nous a emportés.

– Où ça? s'inquiéta Jacen.

Jaina haussa les épaules. Ils pouvaient être à bord d'un vaisseau spatial. Ou dans un très grand bâtiment. Il était même possible qu'ils soient encore sur Munto Codru, dans le sous-sol. Jaina et Jacen avaient exploré les soubassements du château, les caves, les tunnels et les grandes salles. Mais ils n'avaient vu aucun endroit semblable à celui-ci.

– Tu vas bien, loungaroun? demanda Jacen en se penchant sur l'animal favori de Monsieur le Chambellan et en caressant sa toison. Les poils noirs étaient brillants dans le pelage brun et dru. Le loungaroun battit des paupières et se redressa en haletant.

– Bon lounloun, dit Anakin.

Jacen regardait de tous côtés.

– Peut-être que Chewie est quelque part, peut-être qu'il est encore endormi, lui.

Il descendit du disque d'herbe.

Rien ne se passa.

– Tu vois, Jaya? s'exclama Anakin, ravi. Pas de Krakana!

Il suivit Jacen et le loungaroun trottina sur leurs talons.

Jaina se décida enfin à poser les pieds sur le sol puis elle s'arrêta. Elle était convaincue qu'aussi longtemps qu'ils resteraient sur l'herbe, ils n'auraient rien à redouter. Cependant, elle ne pouvait pas laisser ses frères seuls. C'était elle, l'aînée, après tout.

Elle retourna en courant au centre du rond d'herbe et chercha son multi-outil. Elle savait qu'il devait être là. Elle l'emportait toujours dans la prairie pour examiner les choses. Elle avait bondi quand Chewie s'était écroulé. Après, elle avait dû dormir. Elle l'avait sûrement lâché quelque part.

Oui ! Elle le tenait.

Elle l'enfouit dans sa poche. Avec l'outil, elle ne risquerait rien.

Elle rejoignit les garçons et le loungaroun.

Ses pieds claquaient sur le sol de métal. Jacen regardait le mur. Anakin ne se donna même pas cette peine : il cogna du pied droit dedans.

— Mauvais mur !

— Arrête, tu vas te faire mal ! dit Jacen.

Anakin devint tout rouge et fit semblant de continuer, mais son pied ne touchait plus le mur.

— Il doit exister une porte, réfléchit Jacen. On est bien arrivés par quelque part.

— A moins qu'il n'y ait une trappe, remarqua Jaina. Une issue secrète. (Elle tapota des poings contre le métal qui rendit un son mat. Elle leva la tête). Voilà le support.

Jacen lui aussi avait levé la tête. D'étroites poutrelles métalliques s'incurvaient vers le haut là d'où venait la lumière.

— Il faut qu'on cherche la porte, décida Jaina. Elle doit se trouver entre les poutrelles.

Elle fit le tour de la salle en cognant régulièrement contre la paroi, et repéra plusieurs points qui sonnaient le creux. Mais pas de porte. Elle sortit alors son multi-outil et déplia le foret.

— Tu ne devrais pas faire ça, remarqua Jacen.

— Mais je n'ai rien fait !

Elle pointa cependant le foret vers la paroi. Elle n'était pas censée s'en servir hors de l'atelier. Pas sur les murs ou les meubles. De toute façon, il ne perçait que le bois.

Elle essaya pourtant en titillant sa dent du bout de la langue. Mais le foret n'était d'aucun secours et elle le replia.

Quand elle aurait sept ans, on lui en donnerait un autre qui pourrait percer le métal. Si elle était devenue habile. Et responsable.

Mais ses sept ans étaient encore loin.

Elle ouvrit alors les loupes et examina le mur de très près. Peut-être qu'elle pourrait découvrir une jointure ? Une soudure ?

Une porte s'ouvrit.

Elle fit un saut en arrière en attirant instinctivement Anakin derrière elle. Dans la même seconde, elle glissa son multi-outil dans sa poche.

Elle se tenait au côté de Jacen, prête à défendre son jumeau.

Le loungaroun s'accroupit en grondant.

Anakin, en glapissant, essaya de se glisser entre ses aînés pour voir ce qui se passait.

Un homme très beau, de haute taille, venait d'apparaître. Il était tout d'or et de cuivre, avec des cheveux striés couleur cannelle, une peau très pâle et de grands yeux noirs. Son visage était mince et tendu, tout en angles. Il portait une longue robe blanche.

Il sourit à Jaina.

– Pauvres enfants, dit-il.

Il s'agenouilla devant eux.

– Malheureux enfants ! Je suis désolé. Venez avec moi, je veillerai sur vous désormais.

– Je veux Papa ! cria Anakin. Et Maman !

Jaina déclara de son ton le plus courtois :

– Excusez-nous, monsieur, mais nous ne pouvons vous suivre.

– Nous n'en avons pas le droit, appuya Jacen. Nous ne vous connaissons pas.

– Mes enfants, vous ne vous souvenez donc pas de moi ? Mais non, comment le pourriez-vous ? Vous étiez à peine nés. Je suis votre père-gardien Hethrir !

Jaina leva sur lui un regard incertain. Elle n'avait jamais entendu parler d'un père-gardien appelé Hethrir. Elle et Jacen avaient de nombreux pères et mères-gardiens. Tout comme Anakin.

– Bonbons ? demanda Anakin à cet instant, avec un accent d'espoir.

Le bel homme lui sourit.

– Bien sûr. Dès que vous aurez fait votre toilette.

Leurs parents-gardiens leur offraient toujours des jouets et des sucreries auxquels ils n'avaient pas droit d'ordinaire.

– Vous connaissez le mot de passe ? demanda Jaina.

Maman leur avait dit de ne jamais suivre quelqu'un qui ne connaissait pas le mot de passe.

Le père-gardien Hethrir s'assit devant eux en croisant les jambes.

Le loungaroun s'avachit sur le sol, les crocs découverts, les yeux fixés sur Hethrir.

— Mes enfants, il s'est produit une chose terrible. J'allais vous rendre visite, pour revoir ma douce amie Leia et mon vieux camarade Yan, ainsi qu'Oncle Luke quand il y a eu un tremblement de terre! Horrible! (Il inclina la tête en dévisageant Jaina.) Tu sais ce qu'est un tremblement de terre, non?

Elle hocha la tête, troublée.

— Je suis désolé, mes enfants. Mais le château... Il était tellement ancien! Il s'est écroulé et...

Il s'interrompit et soupira. Jaina sentait ses lèvres trembler et sa vue devenait floue. Elle ferma les yeux. Elle ne voulait pas écouter ce que leur père-gardien Hethrir avait à leur dire.

— Votre maman était dans le château. Ainsi que votre papa et Oncle Luke. Et vous, vous étiez dans la prairie, vous vous rappelez? Le sol s'est ouvert et il a avalé votre ami Chewbacca. Vous étiez sur le point de glisser dans cette abominable crevasse qui s'ouvrait dans la terre. Heureusement, j'étais là et je vous ai sauvés d'un coup d'aile. J'aurais aimé aussi sauver notre ami Chewbacca et... (Il effaça une larme de son visage avant de les regarder.) J'ai tant de peine, mes enfants, de n'avoir pu sauver votre maman, votre papa ainsi que votre oncle.

Anakin recommençait à gémir.

— Papa! Maman! Oncle Luke!

Jaina lui serra la main.

— Ne pleure pas, souffla-t-elle.

— Mais Papa et Oncle Luke... commença Jacen.

Il y avait une trace de soupçon dans sa voix tremblante.

Jaina lui donna un petit coup en esprit, et il se tut.

— Ah, plus de ça! fit le père-gardien Hethrir.

Il souriait. Il avait senti ce qu'elle venait de faire. Et même derrière son sourire, Jaina devinait qu'il était en colère. Apeurée, elle se renferma en elle-même, et nia de tout son esprit.

— Si je ne m'étais pas posé, s'il n'y avait pas eu ce séisme, votre maman et votre papa nous auraient présentés. Ils m'auraient dit quel est le mot de passe. Nous aurions donné une fête et maintenant, nous serions amis.

Il leur tendit les mains.

— Mes enfants, votre famille adorée a disparu. La République m'a demandé de vous prendre en charge, de vous garder auprès de moi, de vous protéger et de poursuivre votre éducation. Je suis... j'ai tellement de peine.

Jaina serra ses frères contre elle. Comment cela pouvait-il être vrai? Pourquoi leur mentirait-il?

— Winter. Winter est censée veiller sur nous. (Sa voix vibrait.) Si quoi que ce soit lui arri...

— Winter? Qui est Winter?

— C'est notre nurse.

— Elle est partie en voyage, ajouta Jacen.

— Vous allez nous garder auprès de vous jusqu'à son retour?

— Est-ce qu'on peut l'appeler? demanda Jacen, plein d'espoir.

— Elle va revenir bientôt, ajouta Jaina.

— Ses services ne sont plus nécessaires, dit leur père-gardien Hethrir. Mes enfants, mes enfants! Vous êtes importants! Vos capacités sont précieuses! Vous ne pouvez pas être élevés, éduqués par une servante!

— Elle n'est pas une servante! Elle est notre amie!

— Elle a sa propre vie à vivre, elle ne saurait vous élever correctement si personne ne paie plus pour vous.

— On ne mangera pas beaucoup, risqua Jacen.

Jaina aurait tellement voulu lui dire que leur père-gardien Hethrir était un menteur et qu'ils devaient s'enfuir. Mais ils n'avaient nulle part où aller. Et puis, Papa et Maman étaient peut-être revenus pendant qu'ils jouaient dans la prairie, peut-être que le tremblement de terre avait eu lieu avant que leur père ne les retrouve. En ce cas, Hethrir les avait réellement sauvés. Et Winter ne reviendrait plus. Plus jamais.

Ou encore, peut-être que leur père-gardien Hethrir ne savait pas que Papa, Oncle Luke et monsieur C3 PO étaient partis en mission secrète ? Personne n'était censé être au courant, sauf Chewbacca et Maman. Mais pourtant Jaina le savait, elle ! Elle l'avait dit à Jacen, parce qu'il était son jumeau. Peut-être qu'il ne fallait rien dire à leur père-gardien Hethrir, parce que Papa et Oncle Luke seraient en danger alors. Ce qui signifiait que Papa et Oncle Luke allaient bien. Elle faillit le crier tout haut mais se retint à temps. Elle mettrait vraiment Papa et Oncle Luke en danger si elle le disait.

Anakin se blottit contre elle en reniflant. Il s'efforçait de retenir ses larmes mais il avait déjà mouillé sa chemise. Le loungaroun de Monsieur le Chambellan s'était rapproché, lui aussi, et s'appuyait contre elle d'un air farouche.

Ou bien peut-être, se dit Jaina continuant son raisonnement, père-gardien Hethrir n'est pas celui qu'il dit être. Il a pu tout inventer, à propos de ce tremblement de terre.

Il a pu nous enlever.

Et dans ce cas, Papa, Maman, Oncle Luke et Chewbacca sont en sécurité.

Jaina leva les yeux vers le père-gardien Hethrir. Vers ses grands yeux noirs luisants de larmes. Il répondit à son regard, les mains tendues vers elle.

Elle discerna d'autres paupières. On aurait dit de la fumée. Elles balayèrent très vite les larmes avant de disparaître.

Sans pouvoir se retenir, elle se mit à pleurer soudainement.

Mais ne pleure pas ! se dit-elle furieuse. Parce que si tu ne pleures pas, ça veut dire que Maman est encore vivante !

Ses larmes s'arrêtèrent.

– Jacen, dit-elle, c'est à toi de dire que nous le croyons. Car c'est toi le plus âgé.

– Oui, le plus âgé, dit Jacen. C'est moi, père-gardien Hethrir !

– Je me souviens, dit leur père-gardien Hethrir. Je me souviens de votre naissance. Votre maman et votre papa étaient tellement heureux. Ils m'ont dit : « Voici Jacen, notre fils, le premier-né, et voici Jaina, notre jolie petite fille ! »

Un menteur ! se dit Jaina. C'est un menteur !

– Nous vous croyons, père-gardien Hethrir, déclara Jacen.

L'espace d'une seconde, Jaina pensa que son jumeau était sincère. Mais non, c'était une idée stupide. Elle avait cependant peur de lui toucher l'esprit pour le rassurer, car elle savait que leur père-gardien Hethrir la surprendrait.

Elle se remit à pleurer. En se disant que cela convenait très bien en cet instant. Je fais semblant, parce qu'il le faut, et Maman, Papa, Oncle Luke et Chewbacca sont bien vivants, tous !

Ils étaient tous les trois étroitement serrés, maintenant, et Anakin gémit :

– Papa ! Papa !

Le père-gardien Hethrir saisit la main de Jaina, puis celle de Jacen. Sa peau était froide. Il les attira vers lui et Jaina dut céder, quoiqu'elle n'en eût aucune envie.

Je ne crois pas qu'il soit un vrai père-gardien ! songea-t-elle. Je ne vais plus l'appeler par ce nom.

Hethrir referma les bras autour d'eux et elle frissonna.

– Mes pauvres enfants. Pauvres, pauvres enfants ! Je suis tellement navré que votre maman et votre papa soient morts.

Anakin pleura plus fort encore. Les jumeaux le berçaient. Il se mit à hoqueter, puis s'endormit, la joue contre l'épaule de Jaina.

– Allons, mes enfants, reprit Hethrir. Vous avez vécu une dure journée. Venez, il est temps de vous coucher à présent.

Jaina se redressa en prenant Anakin dans ses bras. Il était très lourd.

– Nous dînons toujours avant d'aller au lit, dit-elle.

Hethrir était debout. Il lui souriait de toute sa hauteur.

– Vous êtes avec moi, à présent, dit-il. Chez moi, c'est l'heure d'aller au lit.

Il les poussa vers la porte. Jaina devina une autre personne dans l'obscurité. Effrayée, elle s'arrêta net.

– Viens, Tigris, dit alors Hethrir. Ne reste pas là, caché entre les ombres.

Tigris fit un pas en avant. Il n'avait rien d'effrayant. Le garçon devait avoir douze ou treize ans et portait une robe brune. Jaina le trouva plutôt laid. Il avait besoin d'un bon bain et l'ourlet de sa robe était défait. Il avait la peau pâle et les yeux noirs d'Hethrir.

Ses cheveux étaient zébrés de noir et d'argent. Ils avaient également besoin d'un bon shampooing et d'un sérieux coup de peigne. Jaina songea que jamais Maman ne les aurait laissés sortir ainsi, elle et ses frères.

– Ne laisse pas notre nouvelle sœur porter le fardeau de l'enfant, dit Hethrir. Montre tes bonnes manières.

Est-ce qu'ils sont frères ? s'interrogea Jaina. Mais comment était-ce possible ? Hethrir était tellement vieux. Et il ne se comportait nullement en frère. Moi, se dit-elle, je ne parlerais jamais ainsi à Anakin.

Tigris s'avança pour prendre Anakin, mais Jaina recula. Jacen s'interposa pour protéger son petit frère, comme le leur avait appris Oncle Luke. Personne ne pouvait franchir la barrière qu'ils formaient grâce à la Force. Et Tigris ne s'emparerait pas d'Anakin !

La barrière scintillait autour de Jaina, à présent.

Et elle s'effondra tout à coup, tel un château de sable emporté par une vague.

– Non, non, non, les gronda Hethrir. On ne fait pas ça ! Votre oncle ne vous a donc pas dit de ne pas agir ainsi ? Vous êtes vraiment méchants.

Il s'agenouilla de nouveau devant eux.

– Je vais vous apprendre à vous servir de vos pouvoirs. Comme votre Oncle Luke. Mais vous ne le ferez que sous mon contrôle, jusqu'à ce que vous soyez grands.

Jaina serra plus fort Anakin.

– C'est bien compris ?

Elle savait ce qui allait se passer. Et aussi qu'elle ne pouvait rien y faire.

Jacen s'était placé devant Anakin. Le loungaroun gronda.

Soudain, il fut projeté sur le sol et alla rebondir contre la

70

paroi. Jaina hurla. Sur un ultime cri, le loungaroun resta sans mouvement.

— Wouf! fit Anakin qui s'était réveillé.

Hethrir saisit Jacen par les épaules et l'attira à l'écart de son frère. L'enfant ne se donna même pas la peine de se servir de la Force qu'il avait révélée. C'était inutile. Hethrir était un adulte et Jacen eut beau se démener, il ne le lâcha pas.

— C'est bien compris?

Tigris enleva Anakin des bras de Jaina. Il avait un regard triste et plein d'espoir. Elle ne lui résista pas. Elle ne pouvait plus bouger. Elle ne parvenait plus à interroger l'esprit de son petit frère qui lui renvoya un regard apeuré. Elle était au moins certaine d'une chose, lui non plus ne savait pas ce qu'elle pensait.

— Jacen! Anakin!

Elle réalisa qu'elle était capable de parler! Mais elle ne voulait pas s'adresser à Hethrir.

— Je constate que tu as compris, dit Hethrir.

Il leur prit la main et les entraîna à sa suite.

— Mais le loungaroun de Monsieur le Chambellan? cria Jacen.

— Vous êtes trop grands pour avoir un animal de compagnie, proféra Hethrir.

La porte se referma. Derrière eux, le loungaroun poussa un hurlement.

Hethrir était si grand et marchait si vite que Jaina dut courir pour le suivre. Tigris les accompagnait.

Jaina voyait à peine devant elle. Elle trébucha et Hethrir se pencha pour la relever avant de continuer.

— Stop! cria-t-elle. Non! Stop! Au secours!

— Au secours! fit Jacen en écho. Laissez-nous!

— Jaya, Jasa! hurla Anakin.

Jaina traînait les pieds, à présent. Elle se débattit pour regarder par-dessus son épaule : Anakin gigotait entre les bras de Tigris qui le serrait très fort. Au risque de lui faire mal. Et il y avait des larmes dans les yeux sombres d'Anakin.

— Laissez mon petit frère! cria Jacen qui cherchait lui aussi à échapper à la poigne d'Hethrir.

Anakin poussa l'esprit de Tigris. Qui réagit par un cri de souffrance. Il faillit lâcher brusquement Anakin mais le retint jusqu'à ce que ses petits pieds touchent le sol. Ensuite, il serra les mains, les secoua et les essuya sur sa robe sale.

Hethrir s'était arrêté. Il lâcha la main de Jacen, puis celle de Jaina.

Jaina courut jusqu'à Anakin et le prit dans ses bras. Jacen s'agenouilla auprès d'eux et Jaina reconnut le regard déterminé qu'il avait maintenant.

Hethrir se dressait au-dessus d'eux, l'air furieux. Il fixait Anakin.

– C'est bien ce que j'espérais, dit-il doucement. Comme je m'y attendais, on est digne de la lignée des Skywalker.

Il caressa les cheveux d'Anakin qui se lissèrent à son contact. Sans prévenir, il saisit alors une mèche et la tira violemment. Anakin poussa un cri de surprise, de douleur et d'offense. Furieuse, Jaina mordit la jambe d'Hethrir tandis que Jacen s'en prenait à son bras à grands coups de ses petits poings frénétiques.

Hethrir ne cilla même pas.

Anakin se déchaînait. Soudain, le couloir ténébreux s'éclaira. La lumière filtrait entre les doigts d'Hethrir, leur donnant l'aspect d'une main de squelette. Jaina étouffa un cri.

Puis la lumière d'Anakin s'éteignit brusquement.

Et elle eut l'impression qu'on venait de jeter sur eux une couverture glacée.

Tigris les écarta d'Hethrir, elle et Jacen. Jaina mordait éperdument la robe d'Hethrir et elle y laissa sa dent. Stupéfaite, elle ouvrit la bouche tandis qu'Anakin ouvrait de grands yeux en contemplant Hethrir.

– Du calme ! dit-il d'une voix effrayante qui pétrifia Anakin.

Jacen avait pris la main de Jaina, mais c'est à peine si elle sentait son étreinte.

Les yeux toujours levés vers Hethrir, Anakin eut un frisson de réelle terreur. Jaina tenta de se rapprocher de lui. Elle était l'aînée, elle était responsable de lui. Mais Tigris la retint par l'épaule.

— Fais ce qu'on t'a dit. Et personne ne te fera de mal, pas plus qu'à tes frères.

Nul ne l'avait jamais traitée comme ça. Elle ne comprenait pas.

Oncle Luke pouvait avoir une influence sur ses capacités, sur celles de Jacen ou d'Anakin. Mais c'était une bonne chose ! Anakin était encore trop petit pour savoir vraiment ce qu'il faisait. Pourtant Oncle Luke n'avait jamais encore éteint la lumière d'Anakin. Il n'avait jamais jeté une horrible couverture humide et froide sur elle. Maintenant, elle ne voyait plus rien, elle ne savait comment s'en libérer et n'arrivait pas à l'agripper. Oncle Luke, lui, savait guider ses pouvoirs afin qu'elle s'en serve utilement et en apprenne plus. Parfois, il ajoutait même un peu des siens pour lui montrer comment faire.

Mais ça n'était jamais comme ça !

— Conduis ces deux-là jusqu'à leurs chambres, dit Hethrir à Tigris. Et rejoins-moi ensuite.

— J'obéis, Hethrir.

Il y avait de la révérence dans sa voix.

— Je veux ma dent ! protesta Jaina.

Hethrir secoua sa robe et la dent tomba. Mais Tigris refusa de la lâcher pour qu'elle la récupère.

Hethrir se chargea sans peine d'Anakin, qui n'offrait plus aucune résistance.

— Je vous en prie, laissez-le-nous, demanda Jaina. Il n'a que trois...

Elle s'interrompit, s'attendant à ce que son petit frère ajoute : « Trois ans et demi. » Mais il resta silencieux.

— Nous serons gentils avec vous si vous nous le laissez, ajouta Jaina, désespérément.

Hethrir la contempla de très haut. A présent, elle savait que la douceur de son regard était mensongère, comme tout ce qu'il pouvait dire.

— Si vous êtes gentils, dit-il, il se peut que je vous autorise à rendre visite à votre frère. Dans quelques jours. Ou une semaine.

Il se détourna et, sa longue robe tournoyant autour de ses talons, il emporta Anakin dans l'obscurité. Jaina ne put qu'entrevoir les grands yeux noirs emplis de peur de son petit frère.

Tigris les poussa en avant. Ils abordèrent un tournant. Jaina ressentait encore le poids froid de la couverture d'Hethrir.

– Ça gèle ici, chuchota-t-elle.

– Mais non, c'est idiot, il fait très bon, dit Tigris.

Elle se sentait humiliée, blessée, effrayée, mais surtout en colère. Même quand elle était petite, personne ne l'avait traitée de cette manière. Elle avait toujours essayé de se servir de ses pouvoirs de façon juste. D'être responsable. Dès qu'elle avait compris ce que ce mot signifiait, elle avait su à quel point il serait important au long de sa vie.

Elle aurait tellement aimé que Maman soit là pour lui parler. On lui avait enseigné à ne jamais, jamais se servir de ses pouvoirs pour faire du mal à quiconque. Mais si elle y était obligée, si elle devait empêcher qu'on s'attaque à Jacen, si elle devait défendre leur petit frère ? Elle était censée utiliser la barrière pour se défendre. Mais elle savait déjà que ça ne marcherait pas.

Hethrir pouvait bloquer la barrière, se dit-elle. Et s'il était vraiment notre père-gardien, il ne l'aurait pas fait. Je ne crois pas qu'il connaisse Papa ou qu'il soit un ami de Maman.

Elle se dit enfin – et ce fut comme si le soleil apparaissait dans le sombre couloir – : Je ne crois pas non plus que Maman, Papa et Oncle Luke soient morts !

Et cette fois, elle le croyait vraiment.

Elle essaya de croiser le regard de Jacen pour savoir s'il savait si Maman et Papa étaient encore vivants.

Tigris posa la main sur son visage, elle était douce et chaude, et il ne faisait rien de méchant. Cependant, son intention était claire, il voulait qu'elle regarde droit devant elle.

– On se tient bien droite et on marche, lui dit-il. Et on regarde devant soi, bien sagement.

– C'est stupide ! s'exclama Jaina. Comme ça, on manque beaucoup de choses !

– Et on ne contredit pas les grands.

– C'est quoi, « contredire » ? demanda Jacen.

– C'est ne pas se montrer impertinent, dit Tigris.

– C'est quoi, « impertinent » ? fit Jaina.

Elle ne connaissait pas ces deux mots, même si Tigris essayait de leur faire comprendre qu'ils voulaient dire la même chose. Il avait l'air en colère, à présent, il ne disait plus un mot et les entraînait de plus en plus vite dans l'obscurité.

Elle se demanda si elle parviendrait à s'échapper de la couverture lourde et humide. Celle-ci restait repliée autour d'elle, invisible. Jaina ne sentait rien, sinon le contact froid de la main d'Hethrir sur son épaule. Elle faisait des efforts désespérés pour s'échapper et ça l'épuisait.

Le couloir débouchait sur une vaste salle carrée en pierre. Si la clarté était faible, il ne faisait plus aussi noir que dans le couloir. Une lumière grisâtre filtrait du plafond qui parut singulièrement bas à Jaina. Elle se dit que Tigris aurait pu le toucher du bout des doigts en se dressant alors qu'Hethrir n'avait aucun effort à faire.

La salle n'avait pas de murs, seulement des portes en bois qui se jouxtaient, toutes fermées. Il n'y avait aucune fenêtre. Jaina se demanda fugacement si elle pourrait trouver un moyen de s'enfuir.

Il va falloir que je les essaie toutes, songea-t-elle. Et il y en a au moins une centaine. Et même mille peut-être !

Mais l'une d'elles doit conduire à l'extérieur.

Pourtant, si on est dans un vaisseau spatial – ce qu'elle ne savait pas encore –, ça ne nous servira à rien de sortir.

Elle était tellement fatiguée. Elle ne voulait pas faire la sieste, c'était bon pour les petits, comme Anakin. Mais ses paupières étaient si lourdes, si lourdes...

Tigris les poussa dans la grande salle de pierre. Leurs pas éveillaient des échos de tous côtés. Puis il s'arrêta. Jaina vacilla et appuya sa tête contre lui. Elle dormait quasiment debout.

La main de Tigris sur son épaule était la seule chose tiède au monde. L'espace d'une seconde, ce fut comme un contact amical. Elle se dit qu'il allait l'emporter quelque part où elle pourrait dormir tranquillement. Il la coucherait avec la douceur de Winter, et ensuite, tout irait bien.

Elle se souvint alors de ce qui s'était passé, de l'endroit où ils se trouvaient, et Tigris aussi, sans doute, car il la secoua et la tira de sa somnolence.

– Hé! Pas question. On ne dort pas avant d'être au lit. Petite paresseuse!

– Mais je ne dormais pas! protesta Jaina, ce qui était vrai, après tout.

– Et moi non plus! ajouta Jacen.

Il avait quand même l'air aussi ensommeillé qu'elle. Jaina se dit qu'il devait être lui aussi enveloppé dans une des couvertures lourdes et froides d'Hethrir.

Tout ira bien quand on sera au lit. Il fera doux et chaud et je pourrai lui prendre la main. Et on pourra même se parler en chuchotant, se dit Jaina.

Elle avait maintenant les larmes aux yeux et sa vision devint floue. Jamais encore elle n'avait eu à imaginer des plans compliqués pour tenir la main de son petit frère. Jamais elle n'avait même eu à imaginer des plans! Elle ne se souvenait plus du dernier instant où elle avait envoyé sa pensée vers Jacen. Elle avait si froid, elle était si fatiguée, éperdue et affamée qu'elle faillit de nouveau éclater en sanglots. Mais la certitude qu'elle et Jacen pourraient bientôt parler de tout ça, et décider de ce qu'ils devaient faire, lui permit de retenir ses larmes.

Tigris les poussa en avant en direction d'une des portes qu'il ouvrit. Jaina avait cru qu'ils se trouveraient dans un autre couloir et cette seule pensée la faisait défaillir.

Or il n'y avait qu'un petit escalier menant à une petite chambre, guère plus large que la porte mais deux fois plus profonde.

Elle s'arrêta, confondue. Il y avait peut-être une autre porte à l'autre extrémité de cette pièce minuscule. Elle ne distinguait pourtant aucune poignée, aucun système de contrôle, aucune marque sur la paroi. La porte que Tigris avait ouverte était en bois massif, entaillée, et l'intérieur de la pièce avait la laideur grisâtre et luisante de la roche nue.

Tigris lâcha la main de Jacen et lui fit grimper les quelques marches qui accédaient à la chambre étroite.

Et la porte se referma sur lui avec un bruit étouffé.

– Jacen ! Jacen ! hurla Jaina.

Échappant à la poigne de Tigris, elle se précipita vers la porte, et chercha la poignée. Mais Tigris la repoussa. Elle ne put que deviner le cri de Jacen, de l'autre côté.

– Viens, dit Tigris. Ne te conduis pas comme un bébé. Ici, on ne crie pas, on ne pleure pas. Ici, on est courageux !

Furieuse, elle lui lança :

– Mais je suis courageuse !

– Il est grand temps de dormir. Tu ne te comporteras plus de cette façon stupide demain matin. Allez, viens.

Il l'entraîna loin de la chambre étroite de Jacen, traversa la salle jusqu'à une autre porte, presque à l'opposé, qu'il ouvrit.

Quand il lui lâcha la main, elle leva les yeux vers lui.

– Montre-moi à quel point tu es courageuse, lui dit-il.

Il jeta un regard dans la pièce et Jaina comprit qu'il voulait qu'elle entre sans qu'il ait à le lui dire.

Elle affronta le regard de ses grands yeux sombres.

– Je veux rentrer chez nous, dit-elle.

– Je sais. (La voix de Tigris était soudain plus douce, et il lui désigna la pièce.) Mais... Tu ne peux pas...

Elle entra. Elle n'avait pas le choix. Et Tigris referma la porte sur elle.

La pierre grise se perdait dans une semi-obscurité fantomatique. Elle chercha une autre issue. Hormis la porte, il n'y avait rien, si ce n'était la trace de quelques coups de pied violents dans le bois du chambranle.

Elle fit le tour de son étroite chambre en palpant les murs, sans rien trouver. Le son qu'ils lui renvoyaient quand elle les cognait du pied était creux. C'était désespérant.

Tout au fond de la pièce, Jaina remarqua que le sol était souple et glissant. Elle s'agenouilla pour le toucher. A cet endroit, la roche n'avait plus cet aspect fantomatique. Elle distinguait encore ses doigts, même si le sol était obscur. Elle appuya dessus et le sol s'enfonça. Le creux qu'il formait pouvait être un nid si elle s'y recroquevillait. Elle essaya. Elle avait très froid à cause de la couverture invisible d'Hethrir. Elle aurait tant voulu retrouver son vrai lit.

Et Eba, la poupée wookie, la jumelle d'Aba, celle de Jacen, que Chewbacca leur avait offertes, quand il était revenu de son dernier voyage.

La lumière s'éteignit. Dans le noir, Jaina frissonna.

Il faut que je fasse semblant, se dit-elle. On est partis en camping, seulement tout le matériel a disparu. Il est tombé dans l'eau. C'est pour ça qu'il fait tellement humide, ici. Il va falloir réparer tout ça.

Elle imaginait un bon matelas bien doux, bien sec, bien chaud. Et sa couverture de camping si intelligente qu'elle aimait tant! Elle devinait toujours quand il faisait froid, quand il fallait la réchauffer, ou encore comment l'envelopper pour la protéger du vent. Parfois, elle aimait aussi se mouiller, nager un peu. Ensuite, elle se reposait par terre, parce qu'elle n'avait pas de pieds. La couverture remuait et se secouait jusqu'à ce que sa toison soit à nouveau sèche et tiède, mais surtout douce, afin que Jaina puisse encore dormir. Quand elle était petite – elle s'en souvenait – elle dormait dans sa couverture même à la maison.

Maman est en camping, se dit-elle. Comme Papa, Winter, Chewbacca, Oncle Luke, et aussi monsieur C3 PO. Et puis, si D2-R2 n'est pas là, c'est parce qu'il a horreur de tremper ses roues dans la boue, mais il reviendra bientôt. Et on boira tous ensemble autour du feu, avec Anakin et Jacen...

Un point de lumière ténu apparut sous ses yeux. Il tremblotait. Elle tendit la main pour le saisir, et rencontra les doigts de Jacen. Elle cessa de frissonner.

Tigris regagna en hâte les appartements du Seigneur Hethrir.

C'était idiot de ma part, se disait-il. Je me suis montré aussi faible que stupide. Je ne leur ai fait aucun bien, à ces enfants, en essayant de les consoler. Je les ai affaiblis, au contraire!

Il s'agenouilla devant la porte du Seigneur Hethrir. Mais il ne frappa pas. Le Seigneur savait qu'il était là. Il lui ferait savoir selon son bon plaisir quand il serait prêt à le recevoir.

78

Tigris mettait toujours à profit ce répit pour se souvenir des erreurs qu'il avait pu commettre.

Enfin, alors que ses genoux commençaient à être endoloris, le Seigneur Hethrir ouvrit. Tigris sentit son regard peser sur ses épaules. Il leva alors la tête et regarda son maître droit dans les yeux.

— Cela t'a pris plus de temps que nécessaire, dit Hethrir.

— Oui, Seigneur Hethrir.

Un instant, et un instant seulement, Tigris songea à mentir, à accuser les enfants de l'avoir retardé. Car ils étaient vraiment impertinents et hostiles, mais cela ne pouvait excuser son retard.

— Je me suis trompé avec ces enfants, Seigneur Hethrir. Je leur ai parlé, ainsi que vous le souhaitiez, mais trop longuement. Je me suis montré... aussi faible que stupide.

Hethrir le dominait de toute sa hauteur. Il ne montrait aucune colère. Comme toujours. Et Tigris, comme toujours, se demanda si son esprit n'était pas avancé au point de ne plus avoir aucun défaut.

— Tu me déçois, Tigris, dit-il enfin.

Le jeune garçon percevait son désappointement. Lui non plus n'était pas satisfait. Il n'arrivait jamais à la hauteur des missions que le Seigneur Hethrir lui confiait.

— Mais, ajouta Hethrir, tu as confessé ton erreur, aussi je te donne une autre chance. Lève-toi.

Tigris obéit. Sur le point de regagner ses appartements, Hethrir se retourna et lui dit : « Viens ! »

Étonné, il le suivit. Il était rare qu'Hethrir l'invite à entrer. Il était toujours profondément honoré de pouvoir pénétrer dans cette somptueuse salle de réception, avec ses dalles dorées et ses tapis moelleux, ses lambris de bois poli et ses rampes lumineuses au plafond.

Le plus jeune des enfants, Anakin, était assis au milieu d'un tapis. Il semblait moins violent que la dernière fois où Tigris l'avait vu. Sa peau avait retrouvé un certain éclat palpitant.

— Tu as confessé tes faiblesses, reprit Hethrir. Ce qui t'aidera à trouver le chemin de ton pouvoir. Je te pardonne. Que penses-tu de cet enfant ?

– Son pouvoir pourrait être très grand. Il brille. Et pourtant, vous l'avez placé sous un voile.

Hethrir acquiesça.

– Bien observé.

Ce compliment alla droit au cœur de Tigris. Pour une fois, il n'avait pas désobligé son maître !

– Je vous remercie, Seigneur Hethrir !

– Je vais le soumettre à la purification.

– La purification ? laissa échapper Tigris.

Cet enfant ? se dit-il. Un Jeune de l'Empire ? Mais si mon Seigneur présente cet enfant rebelle à la purification, pourquoi ne me présente-t-il pas moi ?

– Mon Seigneur, il n'a aucune formation. Il n'est pas Censeur, même pas Assistant... !

Hethrir le dévisagea sans faire le moindre commentaire. Tigris, terrorisé, se tut.

– Je vais donc conduire cet enfant à la purification, reprit Hethrir. Porte mon message aux Assistants : qu'ils préparent mon vaisseau.

– Oui, Seigneur Hethrir, souffla Tigris.

Il se redressa, puis hésita.

Le Maître ne pouvait quand même pas avoir oublié la réception du lendemain matin. Il me teste à nouveau ? J'aimerais le servir autrement qu'en lui dépêchant des messages ! J'aimerais avoir le droit d'être purifié. Le danger ne me fait pas peur !

Mais il se pouvait aussi que le Seigneur Hethrir pense qu'il avait oublié la réception. Qu'il considère que mes espoirs sont à tel point arrogants que j'en oublie mes devoirs...

– Un membre de la Jeunesse de l'Empire séjourne-t-il parmi nous, mon Seigneur ?

– Certainement pas. Ils travaillent tous à la Résurrection de l'Empire, ils sapent les fondements de la Nouvelle République.

Le Seigneur Hethrir avait soudain un ton impatient.

– En ce cas, monsieur, puis-je demander au Premier Censeur de négocier avec nos invités ?

– Mes invités ? Le Premier Censeur ?

– Demain matin, monsieur.

Hethrir réfléchit.

– Je ne laisserai pas plus le Premier Censeur s'occuper de mes invités que toi, stupide Tigris! lança-t-il d'un ton acerbe. Je n'ai nullement l'intention de me retirer avant l'arrivée de mes invités! Comment cette idée a-t-elle pu te traverser l'esprit?

– J'ai commis une erreur, dit précipitamment Tigris. Veuillez m'en excuser.

Hethrir soupira.

– Tu passes ton temps à t'excuser, mais tu ne changes nullement ton comportement pour t'éviter d'avoir à faire des excuses. Et c'est bien là-dessus que tes efforts devraient porter!

Tigris pencha la tête. Il ne savait que dire, sinon qu'il était désolé, et il ne souhaitait nullement le répéter. Il avait conscience d'avoir profondément déçu le Seigneur Hethrir. Il contempla l'ourlet usé de sa robe brune : il n'était pas près de la remplacer par la tunique rouille d'un Assistant, encore moins par la combinaison bleu clair d'un Censeur.

Hethrir se redressa dans le froissement doux de sa robe, et Tigris eut un frisson.

La plainte grave de son sabrolaser monta dans la salle tandis que la lumière perlée de la lame projetait des ombres sur les mains ouvertes de Tigris. Il leva la tête, comme toujours, fasciné par le rayonnement de l'arme du Jedi.

La lame disparut.

– Essaie encore une fois, dit le Seigneur Hethrir en lui présentant la poignée du sabre.

Il referma les doigts sur elle. Elle était tiède au creux de sa main. Trop grande, cependant, pour qu'il la maintienne bien, mais il l'agrippait aussi fermement qu'il pouvait.

Car il savait que c'était la volonté d'Hethrir.

La lame du sabrolaser ne pouvait être activée que par la Force. Et Hethrir n'accepterait jamais dans le cercle intérieur quelqu'un qui n'aurait pas achevé le circuit en se montrant capable de maîtriser la lame.

Tigris essaya une fois encore d'établir le contact avec la Force, de se prolonger lui-même, d'aller vers la lame jusqu'à la créer.

L'enfant Anakin venait de lever la tête et l'observait avec intérêt.

Il ne se produisait rien. Le sabre demeurait froid et inerte.

– A moi! s'écria soudain Anakin en tendant les mains.

Le Seigneur Hethrir lui sourit fièrement.

– Non, petit. Tu n'as nul besoin de mon sabrolaser.

Son attention se reporta sur Tigris et il soupira encore. Il reprit son sabre, le remit à sa ceinture, sous sa robe. Tigris eut la vision fugace du second sabre qu'il portait, plus petit, et que le Seigneur n'avait jamais dégainé. Tigris était convaincu que s'il le laissait s'exercer sur ce petit sabre il réussirait, c'était sûr. Il avait essayé d'y faire allusion une fois, mais le silence abrupt de son Seigneur lui avait à jamais ôté l'envie d'oser à nouveau.

– Va, dit Hethrir.

– Oui, Seigneur.

Il avait déçu son mentor. Et il s'était déçu lui-même. Il avait peur à présent.

Les enfants qui ne pouvaient toucher la Force ne méritaient pas de rester en présence du Seigneur Hethrir.

Ce fut la faim qui éveilla Jaina. Il faisait très sombre! Où étaient les étoiles et les lunes?

C'est peut-être à cause des nuages, se dit-elle.

C'est alors qu'elle se rappela ce qui était arrivé. Elle tendit les mains devant elle. Est-ce qu'elle n'éprouvait pas encore le contact des doigts de Jacen? Elle ne le voyait nulle part et ne l'entendait pas.

Le nid mou dans le sol où elle s'était endormie se solidifia. Surprise, elle tressaillit et se redressa. Le nid avait disparu.

Elle se dirigea à tâtons vers la porte, et rencontra le même bois fendillé. Les gonds et le verrou étaient de l'autre côté.

– Laisse-moi sortir, dit-elle. (Mais la porte ne répondit pas.) Ouvre-toi. S'il te plaît.

Il ne se passa rien. Elle essaya en plusieurs autres langues sans plus de succès.

82

Jaina soupira et se dit qu'elle n'avait pas vraiment cru que ça marcherait.

Elle redoutait d'avoir à se servir de ses pouvoirs pour explorer le verrou, mais elle avait encore plus peur de ne pas essayer.

Dès qu'elle pénétra dans le verrou, la couverture froide d'Hethrir retomba sur elle.

Elle défaillit en s'écartant. Elle n'avait pu qu'entrevoir le verrou. Il était simple, mais très gros et lourd. Il y avait une main d'épaisseur de bois entre elle et le verrou.

Je pourrais essayer de le démonter, songea-t-elle. Je sais le faire. Et même le démanteler sans laisser trace d'aucune pièce.

Elle frissonna sous le poids humide et froid de la couverture invisible. Elle savait qu'elle s'en irait si elle se montrait sage. Elle glissa ses mains glacées dans ses poches. Tout ce qu'elle souhaitait, c'était retrouver un peu de chaleur.

Et ses doigts rencontrèrent son multi-outil.

Jaina le sortit.

Comment ai-je pu l'oublier? Elle déplia l'outil à bois et le pointa sur la porte. Il lui était interdit d'utiliser son outil sur les meubles. Mais là, la situation était bien différente.

Quelques fibres cédèrent.

Soudain, la porte s'entrouvrit. Une clarté terne filtra dans la pièce. Jaina recula en dissimulant son multi-outil.

– Aïe!

Il faisait tellement noir dans la pièce que la lumière était douloureuse. Elle ferma les yeux.

– Viens! dit la voix de Tigris.

Jaina ne pouvait le voir. Tout en se frottant les yeux, elle obéit et sortit.

Tigris referma la porte derrière elle.

Elle découvrit Jacen, de l'autre côté de la salle. Comme elle, il se tenait devant la porte de sa chambre, les épaules voûtées.

Elle courut vers lui, mais Tigris la retint. Elle se débattit mais il ne la lâcha pas. Il la plaqua contre la porte et, quand elle parcourut enfin la salle du regard, elle vit d'autres enfants venus de bien des mondes différents. Tous étaient absolument immobiles. Tous avaient l'air épuisés, effrayés, dans des tenues lamentables.

D'autres enfants encore, en tenue rouille, avaient formé une double file au centre de la grande salle en pierre.

– Ici, on ne court pas, dit Tigris. Ici, on attend la permission du Censeur.

Il lui désignait l'autre côté de la salle. Un jeune homme très grand en tenue bleu clair se tenait devant l'entrée, le regard vigilant, les bras croisés.

– Ensuite, ajouta Tigris, les Assistants nous montrent comment nous placer dans la file et nous allons là où on nous dit d'aller.

Les Assistants se dispersaient dans la pièce, chacun prenant sa position précise, sans la moindre expression. Ils s'écartaient au fur et à mesure qu'ils drainaient les enfants en loques. Et tous les enfants se tournaient docilement vers le Censeur. Sauf Jacen qui, de l'autre côté de la salle, restait figé sur place.

Jaina leva un regard coléreux vers Tigris sans esquisser le moindre mouvement.

– Pourquoi ça? fit-elle. Je veux retrouver Jacen! Et où est Anakin?

– Je t'ai dit de ne pas te montrer impertinente, ici!

– Je ne le suis pas. Je ne sais même pas ce que ça veut dire, d'ailleurs.

– Tourne-toi! fit Tigris d'un ton dur.

Mais elle s'obstinait à fixer le sol, comme son frère.

– Tu ne veux pas déjeuner? demanda Tigris.

– Oh si!

– Alors, fais ce que je te dis!

Il dut la pousser. Et elle vit qu'un Assistant s'occupait de Jacen.

– Et on marche! la pressa Tigris.

Les autres enfants s'avancèrent au pas et Tigris la força à suivre la file. Mais Jaina ne voulait pas prendre la cadence. Elle traînait les pieds sur le sol.

Les longs doigts de Tigris lui serraient l'épaule. Cependant, il ne lui dit pas de s'arrêter et elle continua à racler le sol. C'est alors qu'elle entendit un autre bruit de pas traînants. Comme le sien!

Elle leva la tête et rencontra le sourire de Jacen. Dans le même instant, l'Assistant de Jacen l'obligea à tourner la tête.

Mais il était trop tard, Jaina manqua quelques pas volontairement, puis sauta d'un pied sur l'autre. Tout autour d'elle, les autres enfants l'imitèrent. Ils sautaient, dérapaient et bondissaient en une ribambelle désordonnée.

Une fillette centauriforme à la peau d'or cuivré se mit à danser sur ses petits sabots en agitant en cadence sa longue queue sur ses flancs tachetés. Elle leva la tête avec un ululement de joie, et les jumeaux lui firent écho.

Tigris tira Jaina en arrière.

– Assez! On reste tranquille!

Il enfonça ses ongles dans sa peau.

Elle pouvait faire semblant de ne pas avoir mal, mais l'offense était insupportable.

– Arrêtez! C'est très méchant!

Un bref instant, il relâcha son étreinte, puis serra plus fort encore. Elle s'immobilisa. Ses pouvoirs étaient sur le point d'exploser, mais elle réussit à se maîtriser. La domination d'Hethrir s'atténuait. Et elle avait tellement peur qu'elle ne revienne.

Les autres enfants s'étaient immobilisés eux aussi. De l'autre côté de la salle, un Censeur agrippa Jacen.

– Nous devons tous accepter la discipline, dit Tigris. Tu es une enfant. Tu ne peux pas savoir ce qui est juste pour toi. Tu dois m'obéir, tout comme j'obéis aux Censeurs et au Seigneur Hethrir.

– Mais pourquoi je ne peux pas sauter? Pourquoi je ne peux pas courir, ni crier?

– Parce que la discipline, ce n'est pas ça. Il faut que tu apprennes à te contrôler.

Elle s'arrêta net. Oncle Luke lui apprenait la plupart du temps à contrôler ce qu'elle pouvait faire.

– Mais Oncle Luke me laisse jouer, lui! Ça n'a rien à voir avec...

– Luke Skywalker est mort, dit Tigris.

– Mais...

– On ne discute plus. On se met bien gentiment dans la file et on suit les autres enfants.

Elle fut soulagée que Tigris l'interrompe. Elle avait failli lui dire qu'elle savait qu'Oncle Luke était vivant!

Et Maman aussi, se dit-elle. Et Papa...

Tout à coup, Hethrir se dressa à côté d'elle. Elle imagina qu'elle pouvait voir les symboles d'argent sur son torse et ses épaules, à travers sa robe blanche.

— Seigneur Hethrir! s'écria Tigris en tombant à genoux.

— Pourquoi cette agitation? demanda Hethrir.

— J'expliquais nos usages à cette enfant, dit Tigris, sans oser lever les yeux.

— N'explique pas. Ordonne.

— Où est mon frère? demanda Jaina. Où est Anakin?

— Tu t'es très mal conduite, dit Hethrir. (Il haussa soudain le ton, de façon à ce que les enfants et les Assistants l'entendent.) J'ai annulé votre petit déjeuner à cause du comportement de cette enfant. Vous allez donc tous vous diriger vers la salle d'étude!

— Ça n'est pas juste! cria Jaina. Pas de petit déjeuner, parce que j'ai sautillé? Rien que pour ça?

— Chut! fit Tigris.

Hethrir quitta la salle sans ajouter un mot.

Jaina était tellement affamée que son estomac gargouillait. Elle et Jacen n'avaient rien mangé depuis la veille. Elle eut l'eau à la bouche en se souvenant du potage et des sandwiches qui les avaient attendus sur Munto Codru, et de tous ces fruits pour le dessert...

— Ça n'est pas juste! répéta-t-elle.

— Tu as enfreint les règles, dit Tigris. Tu fais partie du groupe. Et les règles s'appliquent à tous!

— Mais...

— On se calme. Le Seigneur Hethrir n'a pas encore annulé le déjeuner. Pas jusqu'à présent...

Jaina se tourna vers les autres enfants. Ils allaient lui en vouloir. Mais ils ne disaient rien et ne la regardaient même pas. Elle remarqua pour la première fois leur maigreur, leurs vêtements usés, déchirés, et elle lut la famine sur tous les visages. Elle aurait tellement voulu leur dire à quel point elle était désolée. Mais elle avait peur de leur adresser la parole, parce qu'Hethrir pouvait aussi annuler leur déjeuner.

Elle se tut et rejoignit la file comme tous les autres. Cependant, elle ne marqua pas vraiment le pas comme les autres.

L'enfant était tellement affamée qu'elle avait de la peine à penser, et beaucoup de mal à lutter contre le sommeil et l'ennui. Elle ne comprenait pas pourquoi elle devait rester là, assise dans ce minuscule cubicule sans soleil, dans l'air stagnant, à mémoriser des informations qui se matérialisaient hors du néant. Elle les connaissait pour la plupart, aussi bien que son alphabet ou ses tables de multiplication. Quant à ce qu'elle ne connaissait pas, elle ne voyait aucune raison de l'apprendre. Elle cessa de se préoccuper de mémoriser ce genre de chose. Le score de mauvaises réponses flottait au-dessus de sa tête et elle ne s'en souciait pas le moins du monde.

Jaina s'endormit.

— Je te le dis, tu es une petite fille particulièrement stupide!

Elle sursauta. Elle n'avait pas entendu Tigris approcher. Elle lui décocha un regard venimeux.

— Non! Je suis intelligente! Mais toi, pourquoi es-tu aussi méchant?

Il pointa le doigt vers les chiffres qui flottaient dans le noir, comme des signes fantômes, et elle vit qu'il avait les ongles sales et rongés.

— Tu as tort de me considérer comme un méchant. J'essaie seulement de t'apprendre la discipline.

— Tu te conduis comme un méchant!

— Dans ce cas, tu dois répondre à ces questions et je ne serai plus méchant.

— Elles sont stupides!

— Tu es une petite impertinente. Tu crois savoir mieux que le Seigneur Hethrir ce qui est bon pour toi? Quelle ignorante!

— Non, non et non! J'aime apprendre des choses! Mais celles-là sont idiotes!

— Quelle est la hauteur de la plus grande chute d'eau sur la planète Firrere?

— Je ne sais pas. Voilà vraiment une question idiote. Qui

s'en soucie? Je peux aller chercher cette information n'importe où.

– Elle mesure 1 263 mètres. Le Seigneur Hethrir considère qu'il est essentiel que des gens cultivés connaissent la réponse. Assieds-toi devant ton écran et vois ce qu'il te propose.

Elle n'avait pas le choix.

– Mais c'est quand même une question idiote, chuchota-t-elle.

4

Dans le rêve de Leia, il y avait des sons. Elle était cernée par les ténèbres, mais, dans ces ténèbres, des trilles et des gazouillis lui venaient de tous côtés. Elle poussa un cri en essayant de toucher les ombres qui l'entouraient : trois petites silhouettes fragiles et si précieuses...

Elle s'éveilla brutalement. Elle s'était endormie dans le fauteuil. En détectant ses mouvements, la pièce s'illumina.

Quel horrible cauchemar, se dit-elle.

Et puis, elle se souvint : ça n'était pas un cauchemar. Tout près d'elle, D2-R2 trillait ses notes plaintives.

– Oh, tu m'as fait peur ! Que se passe-t-il ? Est-ce que l'on a des nouvelles ? (Non, apparemment.) Tu m'as réveillée pour m'accompagner jusqu'à mon lit ? (Elle eut un sourire triste.) Tu sais, peu importe où je me trouve en ce moment.

Elle se leva, le dos et le cou douloureux.

Elle était dans un état léthargique. C'était le milieu de la nuit et l'aube ne pointerait pas avant plusieurs heures.

– Mr. Iyon m'a droguée ! s'exclama-t-elle. (Elle secoua la tête, en essayant d'échapper à la somnolence.) Je vais le... !

Elle se rappela alors que le chambellan Iyon avait bu le thé en sa compagnie. Ce qui expliquait qu'il ait bâillé et titubé en regagnant la porte. Il s'était probablement glissé jusqu'à sa chambre pour sombrer dans le sommeil.

Elle était furieuse d'avoir été ainsi abusée. Pourtant, si

l'on considérait les idées et les peurs du chambellan, elle ne pouvait lui en vouloir vraiment.

D2 roulait vers la porte.

— Bonne nuit, lui dit Leia.

Il revint vers elle avant de repartir.

— Mais qu'y a-t-il?

Il lui répondit par un gazouillis péremptoire. Il l'attendait sur le seuil.

— Tu comptes aller où? Tu veux que je vienne avec toi?

D2 sortit et Leia le suivit.

— Tu vas où comme ça? Chewbacca s'est réveillé, c'est ça?

Elle prit le corridor avec D2. Le château était silencieux et plongé dans la pénombre. Elle devinait, à la limite de son regard, les figures sculptées qui brillaient et semblaient bouger sur leur passage pour raconter leur histoire. Mais lorsqu'elle les fixait, elles s'immobilisaient pour n'être plus que des sculptures dans la pierre.

D2 ne prenait pas du tout la direction de l'aile de chirurgie.

— C'est par là! souffla-t-elle.

Le droïd continua à rouler comme si elle n'avait rien dit. Intriguée, déconcertée, elle le rejoignit.

Ils quittèrent le château dans l'air doux de la nuit. Elle n'avait encore jamais remarqué cette issue. Le château était tellement grand et labyrinthique qu'elle n'avait mémorisé que quelques endroits.

Dans le ciel, les lunes de Munto Codru valsaient lentement. Les créatures de la nuit appelaient de tous côtés.

— Où allons-nous? chuchota Leia.

Brusquement, tous les sons s'éteignirent. La princesse s'arrêta, inquiète de ce retour du silence. Elle attendit un instant. Les bruits de la nuit revinrent lentement, d'abord les plus lointains, puis les plus proches, jusqu'à ce qu'elle distingue les plus infimes crissements autour d'elle. Presque à ses pieds.

D2 émit un trille qui se fondit dans les multiples signaux des créatures nocturnes et peu farouches.

D2 s'engagea dans les bois, suivant la piste qui condui-

90

sait à la prairie. A la lisière de la clairière où ses enfants avaient disparu, Leia hésita un moment. Quand ils retrouvèrent les bois, de l'autre côté, elle inspira profondément et prit conscience qu'elle avait retenu son souffle durant de longues secondes.

Tu te comportes comme une petite fille effrayée, songeat-elle. Ou alors... comme une mère terrifiée.

Très vite, elle comprit où D2 se dirigeait. Elle le rejoignit.

– Qu'est-ce qu'il y a sur le port? Tu sais où sont les enfants? Ils sont cachés dans un vaisseau?

Sur les terres du château, il n'y avait que quelques rares vaisseaux. Les bâtiments plus importants devaient se poser dans le port spatial car, ici, les services étaient réduits au minimum. Si les ravisseurs avaient eu accès à un vaisseau planétaire, ils avaient fort bien pu se cacher près du château. Là où personne ne penserait à les chercher, puisqu'ils ne pouvaient pas décoller. Du moins, sans l'accord du port spatial qui était désormais bloqué.

– Dis-moi, D2!

Le droïd restait muet.

Ils étaient en vue de trois vaisseaux. L'un était le courrier qu'elle avait voulu envoyer à la poursuite de Yan et Luke. Non loin, il y avait un engin local au design tourmenté : le vaisseau personnel du chambellan. Le troisième était l'*Alderaan*, la fierté et le bonheur de Leia. L'*Alderaan* avec ses lignes élancées et ses moteurs hyperdrive. Luke l'avait si souvent grondée de passer son temps à apprendre à le piloter au lieu de perfectionner ses pouvoirs Jedi. Mais il était tellement plus facile et plus rapide d'apprendre à voler dans l'espace avec l'*Alderaan* que de peaufiner ses dons de Chevalier Jedi. Et tellement plus amusant. Ce qui expliquait sans doute l'amour intense qu'elle portait à son petit vaisseau qui la distrayait tant des tâches pénibles de la République.

Tous ceux qui l'entouraient vivaient ainsi. Luke travaillait jusqu'à l'épuisement. Elle se disait parfois qu'il allait même au-delà, pour s'éprouver ou parvenir à un autre niveau de perfectionnement. Par certains côtés, il lui faisait peur.

Yan, lui, n'essayait pas de dépasser son seuil d'endurance. Pourtant il lui arrivait d'aller à la limite de ses forces sans raison précise. Souvent Leia, de retour d'un meeting interminable avec ses conseillers, le retrouvait ronflant à son bureau. Il lui était même arrivé de s'endormir dans son bain. C'était pour cette raison qu'il était parti avec Luke en quête de Jedi. Ils avaient presque épuisé leurs réserves et avaient besoin de prendre du recul.

Elle doutait que leur mission débouche sur un succès. Ils ne trouveraient sans doute aucun Chevalier Jedi, mais ils se détendraient un peu, du moins l'espérait-elle. Surtout Yan.

D2 s'avançait maintenant sur le terrain. Elle s'était attendue à ce qu'il s'arrête devant le courrier mais, quand il le dépassa, elle poussa un soupir de détresse. Était-il possible que D2 se dirige vers le vaisseau du chambellan? Mr. Iyon s'était constamment montré courtois et prévenant. Même s'il l'avait droguée, il n'avait pas eu de mauvaises intentions. Mais s'il avait capturé ses enfants pour accroître son prestige sur Munto Codru...

D2 venait de passer le vaisseau bizarre du chambellan et roulait tout droit vers l'*Alderaan*.

Elle courut derrière lui. Personne ne pouvait accéder à l'*Alderaan* sans son consentement! Personne! Même pas Yan. Et certainement pas les jumeaux ou Anakin! Les ravisseurs n'avaient pas pu les obliger à ouvrir le sas du vaisseau parce qu'ils ignoraient comment s'y prendre.

Les palpitations de son cœur s'étaient accélérées. Un pratiquant de la Force particulièrement doué pouvait s'être introduit dans le vaisseau sans déclencher l'alarme.

Elle tenta de se calmer. Il fallait attendre et voir.

D2 venait de s'arrêter près de l'*Alderaan*.

Elle posa la main sur le flanc du vaisseau. Impeccable, immaculé, il était comme une laque de mercure. L'*Alderaan* était enregistré au nom d'une personne qui n'existait pas, une seconde identité que Leia avait adoptée dans l'espoir de pouvoir parfois s'évader quelques jours ailleurs, dans des mondes agréables, sans être reconnue. Le vaisseau ne portait même pas son paraphe, seulement un numéro. Son nom, *Alderaan*, en aurait dit trop quant à la véritable identité du propriétaire. La majorité des habitants d'Alderaan avaient disparu durant l'attaque de l'Étoile Noire. Leia faisait partie des rares survivants.

– Il y a quelqu'un à bord ? chuchota-t-elle.

Le droïd émit un bourdonnement sourd, le son exact que faisait l'*Alderaan* lorsqu'on lançait les moteurs pour le décollage.

Elle composa la séquence d'ouverture de l'écoutille et, sans le moindre bruit, monta à bord et prit la coursive.

Elle n'avait aucune sensation d'intrusion ni de présence étrangère. D2 la suivait sur ses chenillettes silencieuses. Elle n'alluma pas. Elle était capable de circuler dans le vaisseau les yeux fermés s'il le fallait. Elle jeta un coup d'œil dans sa cabine. Rien. Rien non plus dans l'autre cabine, à la proue, dans le magasin ou la cambuse. Elle se glissa jusqu'au cockpit. Son cœur battait plus fort.

Le cockpit était désert.

Quelqu'un avait pu se cacher dans les moteurs ? C'était la dernière éventualité.

Elle s'arrêta devant l'écoutille et guetta le moindre son. Rien. Pas de plaintes d'enfants, pas le moindre cri d'Anakin dans une de ses crises de colère. Ou alors, ils dormaient tous profondément.

Le bourdonnement soudain la surprit.

Elle regarda par-dessus son épaule, s'attendant à voir D2 dans une nouvelle imitation de décollage.

Il n'était plus là.

Le bourdonnement s'intensifia. Quelqu'un venait de lancer la procédure de décollage.

Elle referma violemment l'écoutille et retourna en courant jusqu'au cockpit.

D2 s'était connecté aux divers systèmes du vaisseau et il avait lancé la propulsion de l'*Alderaan*.

– Arrête immédiatement ! Qu'est-ce que tu fais ? Je ne peux pas...

Un voyant se mit à clignoter.

Elle vit les couloirs spatiaux de Munto Codru. La circulation était fluide autour de l'antique planète. Aucun vaisseau n'était arrivé ou reparti depuis plusieurs jours.

Sauf un.

Sa trace était évidente. Il avait atteint la vitesse de libération et rallié l'hyperespace pour disparaître.

– C'est quoi, ça, D2?

Le droïd répondit par un court trille.

Abasourdie, elle s'assit dans le siège de pilotage.

Elle avait devant elle la trace laissée par un vaisseau qui pouvait être celui des kidnappeurs.

– Pour quelle raison personne ne m'a montré cela?

D2 lui dit que l'information avait été effacée des données du port spatial. Lui seul l'avait conservée dans son intelligence blindée.

– Ils se sont enfuis, souffla Leia. Mais comment le savais-tu? Comment l'as-tu découvert?

Il chantonna une explication. Le droïd était censé naviguer dans l'espace local à tout moment, et c'était devenu chez lui une habitude – et même un instinct – de mémoriser le trafic spatial. Quand les kidnappeurs avaient frappé, D2 avait comparé ses données à celles du port et remarqué la disparité qu'il attribuait aux kidnappeurs.

Leia était d'accord avec cette conclusion logique. Il y avait peu de trafic interstellaire entre Munto Codru et les autres systèmes. Ce blanc dans les données du port au moment précis de l'enlèvement des enfants était bien trop suspect.

Le bourdonnement de décollage monta d'une octave.

Leia se dit qu'elle devait couper les moteurs et retourner au château pour s'entretenir avec ses conseillers. Il leur faudrait de longues heures pour décider de ce qu'il convenait de faire, de ce qui était prudent ou non, se soumettant ainsi au bon vouloir de ceux qui lui avaient pris ses enfants.

Il lui faudrait aussi discuter avec le chambellan Iyon pour qu'il accepte le fait qu'il ne s'agissait pas d'un enlèvement propre aux coutumes de Munto Codru...

– Tu comprends bien, n'est-ce pas? dit-elle autant pour D2 que pour elle-même. Si nous nous trompons, s'il s'agit vraiment d'un coup de Munto Codru, nous allons mettre en péril la vie du loungaroun de Mr. Iyon.

D2 émit un trille discret.

Est-ce de l'incertitude? se demanda-t-elle. Ou bien un écho de ce que je ressens?

Elle ne croyait pas qu'un clan de kidnappeurs avait pu monter un coup pareil en échappant à la vigilance de Chewbacca. Non, ils étaient plus forts, et bien plus redoutables.

Ils avaient blessé Chewbacca et lancé une bombe à pression afin de masquer leurs véritables motifs. Ainsi, ils s'étaient donné deux heures d'avance. Ils avaient enlevé le loungaroun de Mr. Iyon pour brouiller un peu plus les pistes.

Si cela s'était passé ainsi, les enfants étaient loin de Munto Codru et couraient un danger mortel.

Elle posa doucement la main sur la carapace de D2.

– Oui, tu as raison. Il faut que j'accepte ce risque.

D2 eut un bref sifflotement approbateur.

– Mr. Iyon, souffla Leia, je suis navrée. J'espère ne pas me tromper.

Elle s'installa au poste de pilotage, boucla le harnais de protection et lança les commandes. Elle accéléra le compte à rebours à la limite des marges de sécurité et le vaisseau vibra tout autour d'elle.

Activation.

L'*Alderaan* quitta le sol.

Dès qu'il eut franchi la couche des nuages, les senseurs du port spatial réagirent. Elle entendit la voix ensommeillée d'un contrôleur.

– Port Spatial de Munto Codru à WU-9167 : suspendez la procédure.

Si elle répondait, on saurait dans la seconde qui pilotait ce vaisseau. Elle devrait donner des explications, se justifier – ce qu'elle ne pouvait faire. Elle n'avait pas le choix.

Cependant, il ne fallait pas qu'ils puissent penser que le Chef d'État de la République avait un comportement incohérent.

– Port Spatial de Munto Codru à WU-9167 : regagnez votre base. Vos systèmes de supervision hyperespace sont en réparation. Vous mettez votre vie en danger!

– Dis-leur que nous n'avons pas de systèmes de supervision, fit-elle à D2.

L'*Alderaan* fendait l'atmosphère et sa coque s'échauffait.
D2 gazouilla la réponse.

– Port Spatial de Munto Codru à WU-9167 : votre réponse est inacceptable. Vous risquez une interdiction, une amende pénale ainsi que la confiscation de votre vaisseau.

D2 se lança dans une explication apaisante.

Le sens du secret qui caractérisait Mr. Iyon se retournait contre lui. Pour les autorités portuaires, elle ne faisait que transgresser une règle administrative. Ils pouvaient très bien lui infliger une amende. Et même décider de lui confisquer son vaisseau et de lui retirer sa licence quand elle reviendrait – si elle revenait – mais la police n'était pas dans l'affaire, ils ne pouvaient la soupçonner de kidnapping puisque kidnapping il n'y avait point.

– Port Spatial de Munto Codru à WU-9167 : si vous êtes en difficulté, nous pouvons vous envoyer un remorqueur.

– Oh, écoute ça, D2 !

La dernière chose qu'elle souhaitait était bien de se retrouver dans le rayon tracteur d'un remorqueur.

D2 émit un bruit électronique grossier et coupa la communication.

– C'est Yan qui t'a appris ça, hein ?

L'*Alderaan* émergea de l'atmosphère et se refroidit très vite dans le ciel indigo, puis violet, avant d'atteindre l'espace noir et les étoiles.

Elle repéra immédiatement une étoile mouvante : le tracteur bosselé venant à peine de quitter son orbite pour les intercepter.

Il lança son rayon tracteur entre l'*Alderaan* et le point précis de l'hyperespace par lequel les ravisseurs s'étaient enfuis.

– Quelle est sa force ? demanda Leia. Est-ce que nous devrons aller loin pour l'éviter ?

D2 esquiva les questions.

– Moi qui croyais que tu étais parfait !

Plutôt que de modifier le cap de l'*Alderaan*, elle accéléra.

D2 claironna un avertissement.

– Peu importe. Nous avons suffisamment de puissance. Si nous tombons dans son faisceau, nous n'aurons qu'à le faire sauter.

– Port Spatial de Munto Codru à WU-9167 : nous sommes sur votre vecteur. Restez calme. Nous pensons pouvoir compenser votre accélération. Pilote, êtes-vous blessé? Si vous pouviez désactiver vos moteurs, ça nous faciliterait sérieusement le travail.

Le contrôleur gardait un ton paisible. Si l'*Alderaan* avait été en péril, se dit-elle, elle aurait certainement apprécié sa maîtrise.

Le vaisseau accélérait toujours, droit sur le faisceau tracteur.

Leia observa son image sur l'écran. Dans quelques minutes, l'*Alderaan* se retrouverait englué dans le flux d'énergie dense. Elle augmenta la puissance des moteurs.

Au moins, nous ne sommes pas dans un combat spatial, songea-t-elle. Ils ne courent aucun risque à essayer de m'arrêter. Je n'ai pas à me soucier de leur sécurité.

Quant à la sienne, elle ne la prenait pas en considération pour l'instant.

– Port Spatial de Munto Codru à WU-9167 : préparez-vous à la prise en charge. Ça va secouer dans cinq, quatre...

D2 bloqua ses chenilles dans l'alcôve de sécurité en se recroquevillant et elle le foudroya du regard.

– Je me demande si tu ne connais pas leur puissance, en fait?...

– ... Trois, deux, un! Activé!

L'*Alderaan* fut violemment secoué. Leia poussa les moteurs à la limite extrême. Toute la coque frémissait soudain et elle souffrait avec son vaisseau.

Les boucliers tenaient bon sous le rayon tracteur. Un instant, le petit vaisseau esquiva et se libéra. Mais le remorqueur, avec une vitesse étonnante pour un bâtiment aussi ancien, relança son faisceau. L'*Alderaan* se cabra sous le flux d'énergie et ses boucliers hésitèrent, au seuil de la surpression.

L'*Alderaan* avait ralenti, se frayant un chemin difficile dans le faisceau qui était maintenant comme un torrent irrésistible.

Si j'avais des problèmes, se dit Leia, je crois que je serais immensément reconnaissante envers celui qui entretient aussi bien ce vieux machin...

Les boucliers reprenaient de la puissance. Le vaisseau gagna de la vitesse, toujours plus proche du point de fuite.

L'*Alderaan* frémit. Le rayon tracteur fut arraché. Le virage brutal écrasa douloureusement Leia dans son siège. A demi aveuglée, elle réussit à rétablir le cap. Le vaisseau réagit, reprit sa trajectoire et plongea dans l'hyperespace.

— Non! cria le contrôleur de Munto Codru, craquant enfin. Je suis désolé mais...

Toutes les étoiles se changèrent en lignes multicolores.

— On a réussi! s'écria Leia.

Une plainte de détresse et de soulagement lui fit écho.

— C'est quoi, ça?

Elle déboucla son harnais et courut vers la poupe.

Dans la seconde cabine — celle qu'elle avait trouvée vide quand elle avait exploré le vaisseau la première fois — Chewbacca était allongé sur la couchette.

— Mais... Comment?...

Les mots ne lui venaient pas.

D2 passa près d'elle et s'arrêta devant Chewbacca avec un gazouillis ravi.

— Parce que tu l'as laissé entrer? fit-elle, outrée. Comment as-tu pu faire une chose pareille? C'est pour ça que tu m'as fait croire un moment que mes enfants pouvaient être cachés sous les moteurs, hein? Ainsi, tu as eu le temps de le faire monter. Il est blessé! Comment va-t-il pouvoir guérir maintenant? Qu'est-ce que je vais bien pouvoir faire d'un Wookie blessé?

Elle se tut et essaya de se dominer. Mais sa colère était telle qu'elle était incapable de s'exprimer de façon cohérente.

Chewbacca gronda.

Elle devait toujours se concentrer pour le comprendre. Quand elle y parvenait, elle était en revanche toujours incapable de formuler une réponse dans le langage des Wookies.

Chewbacca venait d'exprimer toute la détresse, tout le

remords et le chagrin qu'il ressentait pour n'avoir pas su défendre les enfants. Mais, apparemment, il ne s'excusait pas du tout de s'être introduit à bord.

— Je n'ai pas l'intention de retourner sur Munto Codru, dit-elle enfin à D2. Ni de le restituer au docteur Hyos. J'espère que tu as de quoi le soigner !

Il y avait bien une infirmerie de secours à bord, mais la blessure de Chewbacca était sérieuse. Leia avait une expérience médicale mais rudimentaire acquise autrefois.

Elle se pencha sur Chewbacca, qui émit une plainte.

— Je suis désolée que tu sois blessé, lui dit-elle. Je sais que tu veux te rendre utile. J'aurais pourtant préféré que tu restes sur Munto Codru. Tout le monde peut te reconnaître, et c'est bien pour cette raison que tu n'as pas accompagné Yan ! Alors je te préviens : même quand tu seras rétabli, tu devras rester à bord.

Chewbacca grommela une brève réplique.

— Oui, je suppose que tu as raison, acquiesça-t-elle avec réticence. Les gens te reconnaîtraient facilement avec Yan, peut-être moins avec moi. Il faut que je réfléchisse.

Ses doigts se refermèrent sur son poignet, doux et chaud. Elle recula brusquement, sachant qu'elle avait perdu.

— Maintenant, dors. En fait, tu devrais déjà dormir.

Elle quitta la cabine avant de laisser exploser sa colère et de faire de la peine à Chewbacca.

Dès qu'elle eut regagné le siège de pilotage, elle essaya de se calmer en inspirant profondément, lentement. Elle y arriva avec peine, car elle était encore trop perturbée. Le rituel de relaxation était l'une des rares disciplines Jedi qu'elle commençait à vraiment bien connaître, même si Luke lui avait fait remarquer que nul ne connaissait à fond les techniques Jedi.

Peu à peu, son pouls s'apaisa. Pour la première fois depuis le matin, elle éprouvait une vague trace d'étincelle. L'infime lueur de la présence de ses enfants vers lesquels elle focalisait tout son être.

D2 entra dans le cockpit.

L'étincelle s'éteignit.

— Je n'ai rien à te dire.

D2 se retira avec un sifflement douloureux.

Il fallait qu'elle reprenne son exercice. Calme ou excitée, elle devait essayer d'utiliser ses pouvoirs potentiels. Sa maîtrise était plus efficace quand elle était calme, plus forte quand elle entretenait la colère en elle. Mais la colère présentait un danger absolu.

L'hyperespace scintillait au-delà de la verrière du cockpit. Quelque part dans les tracés des étoiles, elle pourrait discerner une piste.

Il le fallait.

Elle crut l'entrevoir fugacement, tenta de la saisir. Mais la piste s'esquiva et disparut.

Du calme. Tu vas peut-être les trouver si tu te calmes, se dit-elle.

Mais c'était comme si elle cherchait à chasser son inquiétude : impossible.

Elle abandonna toute idée de retrouver l'apaisement.

Tout au fond d'elle-même, Leia libéra sa rage, sa terreur et son chagrin. Les larmes lui brouillèrent la vue, roulèrent sur ses joues. Sa colère tel un dard aiguisait sa terreur. Elle cogna des poings sur les accoudoirs et se mit à sangloter et à gronder les pires jurons qu'elle avait entendus dans la bouche des amis contrebandiers de Yan.

Elle lança un cri.

Le chagrin et la terreur se brisèrent soudain et disparurent. La puissance de son amour et de sa douleur se transmuèrent en une réalité d'un blanc-bleu intense.

Une ligne écarlate se matérialisa, s'insinuant dans l'arc-en-ciel de l'hyperespace. Elle la vit, la sentit et l'entendit dans la même fraction de seconde. Elle la goûta, la huma.

Et bascula immédiatement les commandes, droit sur cette trace couleur sang.

D2 ne s'était pas trompé. Ses enfants avaient pris ce chemin à travers les étoiles. Ça n'était pas un coup des kidnappeurs de Munto Codru.

Elle eut un long frisson de soulagement et de peur. Elle avait fait un choix judicieux. Mais ses enfants couraient un danger pire que le loungaroun de Mr. Iyon.

Derrière elle, sur le seuil du cockpit, D2 roulait nerveusement d'avant en arrière en sifflotant son inquiétude et son désarroi.

L'étoile naine cristalline descendait sur la Station Crseih, plongeant vers le trou noir. Les deux astres se levaient en opposition, créant des jours longs et des nuits très brèves.

Ils auraient quelques heures de relative fraîcheur, se dit Yan en entrant dans leur logis, situé le long des bassins clairs et des ruisseaux paisibles.

La chambre était à peine éclairée par le reflet des lumières sur la grève du lac du cratère.

Il ôta son blouson et ses bottes, et se jeta sur le lit. Le chemin avait été long depuis le premier dôme de la Station Crseih. Il était fatigué mais néanmoins détendu.

Le ronflement du sabrolaser le fit sursauter. Il pivota. La lumière bleue de la lame avait chassé les ombres de la pièce.

— Tu étais où?

Luke était accroupi sur un divan dans un coin de la pièce, enveloppé dans sa robe. Il éteignit son sabre et l'obscurité revint.

— J'étais sorti pour profiter un peu de mes vacances, dit Yan, désinvolte. Et toi?

Le vrombissement de la lame revint et fendit son cerveau embrumé par la boisson.

— Arrête, ça me fait mal à la tête, protesta-t-il.

Luke porta quelques coups dans l'air : une feinte, une attaque, une esquive. Il faillit taillader le mur, les tentures et les montants de son divan.

Dans la lueur de son arme, il avait l'air anxieux et menaçant.

— Tu as fait quoi au juste? demanda-t-il.

— J'ai rétabli nos finances.

Yan augmenta la lumière dans la chambre, prit son blouson et brandit une liasse de crédits qu'il dispersa sur le divan, tout autour de Luke.

Mais Luke regarda les billets sans passion.

— Nous n'avions pas besoin de rétablir nos finances.

— Mais nous sommes sur la frontière! Tu m'as montré

une lettre de créance qui fait rire tout le monde ici. Tout ce qu'ils peuvent en faire, c'est essayer de t'assommer dans une ruelle pour l'utiliser ailleurs.

– En revanche, tout le monde sait que les jeux de hasard ne présentent aucun danger! rétorqua sèchement Luke.

– Écoute, gamin, je ne pouvais pas perdre ce soir. Ils se sont dit qu'ils pouvaient m'arnaquer, mais franchement, il était impossible que je perde. On aurait pu être riches, ou juste à l'aise, mais je me suis dit : pourquoi cette voracité? Pourquoi courir autant de risques? J'ai récupéré mes gains, je les ai tous remerciés – y compris pour la bière, qui était bonne d'ailleurs – et me voilà. En parfaite forme, avec un bon paquet de crédits.

– Mais je me suis inquiété pour toi! Tu as disparu sans m'avertir...

– Je ne tenais pas à ce qu'on se dispute, dit Yan à son beau-frère. Tu ne m'aurais pas suivi de toute façon.

– Comment tu le sais? Tu ne me l'as même pas demandé.

– Tu m'aurais vraiment suivi?

– Non.

– Tu vois?

– Ça n'est pas la question! Je suis en mission ici, j'ai un but précis et je...

– Qu'est-ce qui ne va pas? s'inquiéta soudain Yan. Pourquoi tant d'anxiété?

– Il se passe quelque chose d'étrange à la Station Crseih, fit Luke, d'un ton crispé, tendu. Quelque chose de très étrange et j'ignore ce que ça peut être. Je crois que nous devons être prudents.

– Je suis en vacances, insista Yan pour détendre son ami. La prudence, c'est vraiment la dernière chose qui me vienne à l'esprit.

Luke fixait l'obscurité, au-dehors.

– Et puis, je suis fatigué, ajouta Yan. Je vais dormir un peu. Demain, grasse matinée et breakfast au lit, peut-être même le lunch aussi. Et ensuite, retour à la taverne. (Il bâilla.) Fais la même chose, gamin. Relaxe-toi. Si tu dois trouver quelqu'un dans le coin, tu le trouveras tôt ou tard. Ou bien, c'est lui qui te trouvera.

Il réussit à enlever sa chemise, mais il était trop las pour le reste et se laissa tomber sur le lit.

– Et puis, demain, tu pourras essayer de retrouver C3 PO.

– J'ai déjà tenté de le faire, dit Luke, sans émotion.

– Ah oui? marmonna Yan, déjà presque endormi. Il est où?

Il tira sur les couvertures à tâtons.

– Ici, gén... Monsieur.

C3 PO s'avança dans la chambre, presque invisible sous sa nouvelle enveloppe violette.

– Très bien, parfait. Comme ça, tu pourras accompagner Luke pour essayer de retrouver notre mystérieux informateur.

Il s'entendit lui-même ronfler avant de basculer dans le sommeil.

– C'est chose faite, dit le droïd. Elle est ici.

Yan se redressa en grognant.

– Elle? Ici? Mais pourquoi l'as-tu amenée?

Il luttait pour échapper au sommeil et repensa soudain à ce qu'ils s'étaient dit. Il avait trouvé Luke en train de jouer avec son sabrolaser – est-ce qu'il n'avait pas non plus son déguisement mental? – et Yan n'avait pas su retenir sa langue. L'informatrice de C3 PO savait peut-être déjà que Luke Skywalker et Yan Solo étaient venus enquêter sur les rapports bizarres en provenance de la Station Crseih.

– Parce qu'il faut que nous parlions, entendit Yan sans savoir qui parlait.

Cette nouvelle voix était douce et légère, mais très grave aussi.

Il s'enroula dans ses couvertures avec un grognement de fatigue.

– Revenez demain matin. Non, tenez : disons dans l'après-midi, ça va?

– Nous n'avons pas de temps à perdre, Solo, reprit l'inconnue.

Il bondit en rejetant les draps de son visage. Elle savait qui ils étaient!

Dans un bourdonnement sourd, la lame du sabrolaser

taillada la pénombre de la chambre. Yan devina alors le visage de leur informatrice. Sans pour autant réussir à mettre un nom dessus.

– Tu ne me reconnais plus, Solo, fit-elle d'un ton résigné. Je ne devrais pas être surprise, mais je suis quand même déçue de voir que tu m'as effacée de ta mémoire.

Il se souvint de cette voix. Et il retint son souffle.

– Permettez-moi de vous présenter... commença C3 PO.

– Xaverri ? Xaverri ! s'exclama Yan. Nous avons déjà été présentés.

Luke éteignit son sabrolaser. La chambre était maintenant baignée par la pâle clarté du tourbillon de feu qui montait à l'horizon.

Yan quitta son lit, le cœur battant follement comme s'il venait de courir longtemps.

Xaverri se tenait en face de lui. Elle avait presque sa taille. Il se souvint qu'elle le regardait toujours droit dans les yeux, mais elle ne portait pas les bottes à hauts talons qu'elle avait eues. Les longs cheveux lourds à la coiffure élaborée qu'il lui connaissait étaient à présent coupés en petites mèches courtes et denses. Elle avait troqué ses jupes de soie fendues pour un pantalon et une chemise tricotée main.

– Oui, je me souviens de toi, Xaverri, dit-il doucement. Bien sûr. Je n'ai jamais réussi à t'oublier.

Lorsqu'ils s'étaient connus, elle avait agi avec désinvolture, avec insouciance, en évitant toute responsabilité, n'obéissant qu'à son caprice. Elle prenait des risques extravagants. Longtemps, Yan avait pensé qu'elle ne cherchait qu'à en retirer une certaine excitation, parce qu'elle aimait ça. Ensemble, exultants, ils avaient connu les mêmes dangers et les mêmes moments intenses.

Et puis, il avait pris conscience qu'il importait peu à Xaverri qu'elle meure ou survive. Il n'avait pas compris alors pourquoi.

Mais il comprenait maintenant.

Xaverri avait mille fois risqué son existence pour tromper les officiers de l'Empire, pour les abuser et les vaincre. Et elle avait toujours gagné.

104

Dans ces années de peur et de frénésie, il s'était souvent demandé si elle ne gagnait pas simplement parce que perdre lui importait peu. Perdre, pour elle, c'était mourir, ce qui signifiait la fin de ses chagrins. Gagner ne faisait que les soulager un peu.

Elle avait changé. Jadis, elle était toujours maquillée, richement vêtue et elle portait des bijoux de grande valeur. Elle rehaussait l'éclat doré de sa peau et atténuait les traits arrondis de son visage. De même, elle cachait la douceur de ses yeux bruns sous des masques d'iris en argent opaque, en vert étincelant et en diamants à facettes dont l'éclat était sinistre.

Pourtant, sa beauté et l'intensité de son charme avaient toujours percé sous ce vernis sophistiqué. Mais là, elle ne se cachait plus tandis que Yan éprouvait les effluves de son esprit avec la même force. Il ne l'aurait pas reconnue en photo, mais sa voix était la même, et sa force inchangée.

– Comment savais-tu que c'était moi? demanda-t-il.

– Comment aurais-je pu me tromper? C'est moi qui ai envoyé le message.

– Et pourquoi ne l'as-tu pas dit? En te servant d'un langage que je pouvais déchiffrer?

– Parce que je ne souhaitais pas qu'on puisse le lire facilement. (Elle hésita.) Et puis... Je n'étais pas certaine que tu répondrais si tu savais que le message venait de moi.

Il faillit protester.

Mais elle avait sans doute raison, se dit-il. Oui, j'en ai honte, mais elle a raison.

– Dans un premier temps, fit-elle en lui touchant la barbe, je n'ai pas cru que c'était vraiment toi, mais dès que tu as parlé...

Il revivait les jours anciens. Xaverri était alors le miroir de ses pensées, d'une précision mystérieuse, effrayante.

– Qu'est-ce que tu es devenue, depuis toutes ces années? demanda-t-il. Comment vis-tu dans la République, maintenant que tous les officiers de l'Empire ont disparu?

– Ils n'ont pas tous disparu, Solo, le contredit-elle.

Elle l'avait toujours appelé Solo. Dans la société où elle

était née, le prénom venait en dernier, après une longue liste de références ancestrales. Elle en avait donc déduit qu'il s'appelait Solo, qu'il venait des classes les plus humbles ou d'un orphelinat et qu'il ne portait qu'un seul prénom.

– Ils n'ont pas tous disparu, répéta-t-elle. Certains – ceux que tu as combattus – sont morts, oui. Mais il y en a encore beaucoup d'autres qui se dissimulent sous des identités respectables. Ils se préparent et travaillent contre votre gouvernement en attendant qu'il s'affaiblisse et cède. Ils guettent une nouvelle chance, Solo.

– Dans ce cas, ils vont attendre longtemps! s'exclama Yan.

– Je l'espère. Mais, pour l'heure, ils sont toujours aussi voraces et avides qu'ils l'étaient. Quand je leur offre la richesse, ils sont prêts à céder à la tentation. (Elle eut un sourire enjoué et impitoyable.) Ils sont encore plus vulnérables depuis qu'ils ont perdu le pouvoir. Ils n'osent pas attirer l'attention sur eux. Je leur ai fait très peur. Et ils ne peuvent même pas s'en plaindre!

Yan se mit à rire en imaginant les arrogants officiers de l'Empire qu'il avait connus rampant devant Xaverri. Puis il se reprit.

– Tu pourrais me donner leurs noms, dit-il. Ou du moins leurs fausses identités. La Nouvelle République pourrait les traîner devant la justice.

– Ma justice est plus dure et plus gratifiante. Mais il se peut que lorsque j'aurai épuisé ma vengeance, je te donne les noms de ceux que j'ai suffisamment humiliés et défaits. Ensuite, j'en humilierai et j'en écraserai d'autres encore et je te donnerai aussi leurs noms. Comme ça, ma justice sera satisfaite ainsi que celle de la République.

Yan aurait bien aimé soulager les souvenirs de Xaverri et effacer sa soif de vengeance. Mais il ne pouvait pas plus l'aider à présent qu'il ne l'avait pu auparavant. Il fit un pas en arrière en cherchant ses bottes. La fatigue s'était envolée.

– Je crois que tu as déjà fait la connaissance de Luke et C3 PO.

Il s'assit sur le lit pour enfiler ses bottes.

– Oui. (Xaverri inclina la tête vers C3 PO.) On ne me reçoit pas souvent avec de tels égards diplomatiques. (Puis elle regarda Luke.) Je n'avais pas non plus espéré que la Nouvelle République m'enverrait des enquêteurs aussi prestigieux.

– Nous avons décidé...

– ... Que le rapport méritait une attention toute spéciale, acheva rapidement Yan, interrompant Luke.

Certes, Luke aurait pu dire la même chose. Mais en évoquant aussi le fait que ce rapport bizarre avait été une occasion rêvée pour prendre des vacances. Il ne tenait pas du tout à ce qu'elle sache qu'il n'avait pas pris lui-même le message très au sérieux.

– A propos de votre rapport, dit Luke. Vous n'avez pas voulu nous révéler la source de cet étrange phénomène. Pouvons-nous le savoir à présent?

– Non.

Luke se redressa brusquement.

– Mais vous devez répondre! Qui?...

– Je vais vous la montrer, ajouta Xaverri.

– Non, vous allez d'abord nous le dire!

– Vous ne me croirez pas. Il faut que vous voyiez par vous-même.

Jaina traînait les pieds en suivant la longue file des autres enfants. Les Assistants veillaient à ce que tous restent alignés et un Censeur surveillait le groupe. Tigris se tenait à proximité.

C'est comme ça pour tous les déjeuners? s'interrogea-t-elle.

Elle avait encore le goût rance de la soupe sur sa langue. Elle n'en avait pris qu'une cuillerée avant de déclarer – poliment, ainsi qu'on le lui avait appris, car elle avait de bonnes manières en dépit de ce qu'Hethrir et les Censeurs avaient pu lui reprocher – que cette soupe était immangeable. A vrai dire, avait-elle ajouté, elle n'avait pas seulement mauvais goût mais elle était également avariée.

Contrairement aux autres enfants, elle n'en avait pas

mangé. Elle avait donné son assiette à l'enfant-centaure à la peau de bronze doré. Mais un petit garçon turbulent qui s'appelait Vram la leur avait arrachée et jetée par terre en les insultant. Les Assistants lui avaient donné une tranche de fruit pour le récompenser. Ils aimaient bien Vram.

L'estomac de Jaina gargouillait. Elle avait très faim.

Quelqu'un lui toucha l'épaule et elle tourna la tête.

– Bientôt, jouer, lui dit la petite centauriforme dorée. Jouer maintenant.

Elle avait un accent prononcé mais Jaina la comprenait.

Elle fit un bref galop, tout comme lorsque Jaina avait trébuché, et ses mignons sabots claquèrent sur la pierre.

Tigris se retourna. Mais la fillette dorée avait rejoint les autres, à présent. Elle agita capricieusement sa longue queue.

Jaina se demanda ce qu'elle voulait.

Jouer ? songea-t-elle. Je doute que le mauvais Tigris nous laisse jouer. Comment ose-t-il me dire ce qu'il faut faire ? Il n'est pas Censeur et peut-être même pas Assistant !

Les enfants suivaient lentement l'interminable couloir. Jaina se demanda pourquoi il y avait d'aussi longues distances entre les divers lieux, tous reliés par des tunnels qui se succédaient sans cesse. Elle pensa que leur construction avait dû être difficile. Dans le château de Munto Codru, il y avait aussi des tunnels partout, mais ils étaient reliés à des centaines de salles, de chambres, de hangars et débouchaient sur des lieux secrets, des meurtrières et des fenêtres dérobées. Ici, il n'y avait aucune ouverture, aucune porte, et les couloirs ne tournaient jamais. Ils se succédaient l'un après l'autre, tout droit, s'infléchissant sensiblement parfois.

Jaina distingua de la lumière ! De la vraie lumière, blanche et à la fois colorée, loin par-delà la grisaille fantomatique qui projetait les silhouettes des enfants qui se trouvaient devant elle. La petite fille aurait voulu courir en criant sa joie soudaine.

Les enfants montaient des escaliers, à présent, et débouchaient dans la lumière qui les enveloppait de ses rayons. Mais ils ne s'arrêtaient pas. Jaina s'imaginait déjà en train

108

de lever le visage vers le soleil et se laisser envelopper tout entière. Ensuite, elle courrait...

— Stop!

Tous les enfants se figèrent. Le Censeur venait de donner un ordre. Jaina n'était plus qu'à quelques pas de la lumière qui se répandait jusqu'au bas des marches. Elle retint sa respiration. Elle avait tellement peur qu'ils la ramènent dans l'obscurité.

Le Censeur fit un signe à Tigris. Jaina tendait le visage vers la lumière, éperdue, certaine que le garçon, dans l'instant suivant, allait la repousser, la ramener vers la noirceur du cubicule d'étude, ou encore dans sa cellule de sommeil.

Il lui prit le menton et l'obligea à rencontrer son regard.

— Tu vas pouvoir marcher dans la cour de récréation, lui dit-il. Tu pourras tranquillement y parler. Tu pourras crier, courir. Mais il ne faut pas creuser le sable. Il ne faut pas ramasser les feuilles. Tu comprends?

Elle hocha la tête. Les doigts rudes de Tigris lui pincèrent le menton et il la laissa aller.

— Et tu ne devras pas t'approcher de la clôture! ajouta-t-il.

— Pourquoi avez-vous tellement de règles?

— Ça n'est pas une règle. Si tu t'approches de la clôture, le dragon te dévorera!

Un dragon! Jaina était subjuguée.

Les Censeurs leur permirent d'avancer et Jaina sortit du tunnel pour émerger dans le soleil.

Il était brillant, brûlant, plus intense que tous les soleils qu'elle avait connus. Elle cligna les yeux le temps de s'habituer à la lumière, puis se mit en quête de Jacen, inquiète, et en même temps curieuse de savoir où ils se trouvaient et s'il y avait un moyen de s'échapper.

Le loungaroun de Monsieur le Chambellan arrivait droit sur elle. Jaina se mit à genoux pour le prendre par le cou.

— Oh, tu vas bien! Est-ce qu'ils t'ont laissé tout seul? En tout cas, tu as de la chance: au moins, tu n'as pas eu à subir toutes ces stupides leçons!

Les longs poils noirs et drus qui se mêlaient à son pelage brun lui piquèrent le visage. On avait mis un lourd collier de cuir et de métal à son cou et Jaina essaya de le lui enlever.

— Je suis désolée, dit-elle après quelques efforts. Je n'y arrive pas.

Il geignit en se couchant près d'elle.

— Écoute, on va explorer les lieux. Rien que pour voir s'il y a un moyen de sortir d'ici.

La cour de récréation se trouvait au fond d'un canyon. Il n'était pas très profond mais les parois en étaient abruptes et lisses. L'escalade risquait d'être pénible.

Il y avait certainement un moyen de parvenir en haut. Sur le rebord de la falaise, les Censeurs en uniforme bleu s'exerçaient. Elle voyait tournoyer leurs sabrolasers. Elle les observait avec incrédulité. Était-il possible que toutes ces mauvaises gens aient des sabrolasers? Le sabrolaser était réservé à ceux qui étaient bons : les Chevaliers Jedi. Elle voulait en être un plus tard. Quand elle saurait construire elle-même son sabre et apprendre à le manier. Jaina rêvait aussi de devenir mécanicienne, championne de course spatiale et de jouer de la batterie.

Sans quitter du regard les Censeurs qui portaient leurs attaques ou se mettaient à la parade, elle réfléchissait à un possible chemin de fuite. Le loungaroun de Monsieur le Chambellan la suivait en trottinant.

Il y avait effectivement une clôture tout au bout de la cour. Jaina se dit qu'elle ne serait pas difficile à franchir, au contraire des parois du canyon.

Elle n'était plus sur Munto Codru. Elle ignorait tout de ce monde-là. Il était très petit, c'était évident : passé la clôture, l'horizon se révélait très bas. Et incurvé. Le minuscule soleil torride se déplaçait très vite dans le ciel et les ombres bougeaient.

Ce n'est pas un vrai monde, conclut-elle. Il est bien trop petit. Il doit être artificiel, construit par quelqu'un. Sinon, la gravité serait différente. Il tourne bien trop vite : en deux heures, je parierais!

Elle vit quelques maigres plantes épineuses dans le sable et ne put même imaginer que quelqu'un ose les cueillir!

Ici, il n'y avait rien pour jouer. Rien que le canyon lisse, l'escalier qui descendait vers le tunnel, et la clôture qui les séparait du reste.

La fillette centauriforme l'effleura et se mit à danser devant elle, sa peau dorée luisant sous le soleil nain. Jaina remarqua des taches blanches sur ses côtes et dans le dos ainsi que des zones de velours qui marquaient ses cheveux drus et bouclés, au-dessus de ses tempes.

– Tu es différente, dit la fillette.

– Je m'appelle Jaina.

– Moi, c'est Lusa. (Elle risqua un regard en biais sur le loungaroun.) Est-ce qu'il mord?

– Non. Il a juste de grandes dents. Est-ce que tu aurais vu mes frères?

Jaina regardait de tous côtés, mais il y avait autant d'enfants dans la cour de récréation qu'il y en avait eu dans la salle de rassemblement.

Lusa lui prit la main.

– Tous les jours, ils nous mélangent. Tous les jours, c'est différent. Demain, tes frères seront dans un groupe, et moi, je n'y serai plus. Demain, tu seras dans leur groupe, toi aussi. Et moi aussi, j'y serai.

Jaina s'habituait lentement au discours de Lusa. Elle m'explique que bien des choses différentes peuvent se produire. Mais ça va : ce ne sont pas des choses affreuses. Si ce n'est que je veux voir Jacen tout de suite, pas demain ou après-demain. Je dois savoir comment va Anakin, pensa-t-elle.

Main dans la main, elles traversèrent la cour. Régulièrement, Lusa faisait un bond avant de retomber sur ses quatre jambes.

– Je voudrais courir, dit-elle en rencontrant le regard curieux de Jaina. Je voudrais galoper, sauter.

La cour de récréation s'arrêtait à dix pas de la clôture. Aucun des enfants qui jouaient n'osait s'aventurer au-delà.

Jaina fit un pas en avant.

– Non! s'écria Lusa en lui serrant fort la main. Le dragon te dévorerait!

– Je veux le voir.

Et Jaina se demanda : Pourquoi devrais-je croire qu'il y a

un dragon, d'abord? Hethrir m'a dit que Maman est morte. Et je ne le crois pas. Je ne crois à rien de ce qu'il dit. Pas plus qu'à ce que raconte ce sale méchant de Tigris.

Elle le chercha du regard, mais il avait disparu. Il ne restait que quelques Assistants fatigués qui bavardaient sans se préoccuper des enfants.

— Il n'y a pas de dragon, déclara Jaina.

— Mais si, insista Lusa. Il y en a vraiment un. On ne le voit pas parce qu'il vit dans le sable!

De l'autre côté de la clôture, le vent avait dessiné des dunes.

— Mais il n'y a pas assez de place pour qu'un dragon puisse se cacher, expliqua Jaina.

Elle avança encore d'un pas.

Un gros lézard surgit du sable. Il gronda. Comme le vent, comme le tonnerre.

Il lança du sable autour de lui, sur la clôture et dans les cheveux de Jaina.

Elle lança un cri de frayeur et de ravissement. Le loungaroun glapit. Les autres enfants coururent se réfugier en haut de l'escalier. Jaina n'avait pas l'intention de bouger. Elle voulait voir ce que le dragon allait faire. Lusa la tirait par le bras, mais elle résista et elles restèrent toutes deux sur place.

Face au dragon.

C'était comme si Jaina était devenue invisible. Le dragon s'était accroupi sur ses pattes en agitant sa lourde queue. Il grommela et pencha la tête. Jaina le trouva magnifique, non pas gracieux ou élégant, mais puissant. Avec ses pattes musclées, sa queue courte et épaisse et ses écailles pointues qui garnissaient son échine. Elles étaient comme des perles rutilantes, noires, beiges et roses. Il avait une gueule énorme et béante, et la salive ruisselait entre ses crocs.

— C'est à cause de ses écailles qu'il se cache dans le sable, dit Lusa.

Le dragon renifla en clignant de ses grosses paupières. Il recula jusqu'à une cuvette et se servit de ses pattes pour se recouvrir de sable. A présent, lové entre deux dunes basses, il était fondu dans le désert.

– C'est splendide! souffla Jaina.

Elle aurait tant aimé que Jacen voie ce spectacle.

Je vais peut-être pouvoir lui dire. Ça ne prendra qu'une seconde.

Il lui suffisait de penser au dragon. Mais, instantanément, elle se souvint du contact glacial de la couverture d'Hethrir.

Elle décida donc de patienter.

– Qu'est-ce qu'il mange?

– Des enfants, lui répondit Lusa d'une voix lugubre. Quand on est méchant, il nous dévore.

– Mais c'est idiot. Tu l'as déjà vu manger quelqu'un?

– Non, mais on nous l'a dit. (Lusa leva vers elle ses yeux de cuivre.) Et ils l'ont même fait gronder. Il ne nous a pas dévorés, mais il a grondé.

La queue de Lusa fouetta l'air tandis qu'elle rejetait en arrière ses longs cheveux emmêlés.

– Oui, il a grondé! insista-t-elle.

Jaina sourit.

Les autres enfants étaient prudemment ressortis du tunnel pour se rapprocher d'elles.

– Je suis sûre qu'il ne dévore même pas les enfants, dit Jaina. A mon avis... il doit manger des insectes, des poissons, des plantes... Ce genre de choses.

– Il n'y a pas de poissons ici! lança Vram, têtu.

– Des poissons des sables! Tu n'as jamais entendu parler des poissons des sables? Tu n'as pas dû beaucoup voyager!

Les enfants hochèrent la tête, sans toutefois se risquer sur la bande de sable interdite. Jaina devait admettre que le dragon était assez effrayant quand il surgissait des dunes, comme ça, tout à coup.

Soudain, trois vaisseaux plongèrent du ciel en sifflant, à la verticale du canyon.

– Regardez! cria Jaina.

Brusquement, elle savait. Elle savait que Papa arrivait avec le *Faucon Millenium* et Maman avec l'*Alderaan*.

Le loungaroun dressa le museau et ulula.

Mais Jaina n'avait reconnu aucun des trois vaisseaux.

Deux d'entre eux étaient sombres comme le *Faucon*, et le troisième clair et brillant comme l'*Alderaan*, mais leurs formes ne lui étaient pas familières, et le plus clair avait un éclat doré plutôt qu'argenté.

Tous les enfants avaient levé la tête. Tous étaient effrayés, et silencieux. Jaina s'était attendue qu'un Assistant vienne la faire taire d'une seconde à l'autre. Ou bien qu'ils les envoient tous au lit sans dîner. Elle avait maintenant tellement faim qu'elle aurait même pu avaler cette épouvantable soupe. Elle regrettait de s'être mise en colère.

Apparemment, tous les Assistants, et même le Censeur, avaient disparu.

– Est-ce qu'ils ne sont pas supposés nous garder pendant que nous sommes là ? demanda-t-elle.

Les autres enfants tournaient la tête de tous côtés et elle percevait leurs murmures de crainte.

– Qu'y a-t-il donc ?

En silence, les enfants se rapprochaient les uns des autres. Lusa s'agita nerveusement.

– Lusa, que se passe-t-il ?

La fillette centauriforme lui lança un regard apeuré. Sa crinière fouettait son visage.

– Ils viennent nous chercher, ils vont nous emmener... (Elle porta la main à ses petites cornes de velours naissantes sur son front.) Ils nous les coupent !

– On va vous expédier ! gloussa Vram d'un ton venimeux. (Il pointa le doigt sur elles en chantonnant.) Ils vont vous expédier ! Vous ex-pé-dier ! Quand les vaisseaux arrivent, le Seigneur Hethrir leur donne les plus méchants !

Qu'est-ce qui peut nous attendre de pire ? songea Jaina. Pourquoi Lusa a-t-elle aussi peur ?

– Écoute, qui voudrait rester dans cet endroit tout pourri ? (Elle agrippa la main de Lusa.) On va partir ensemble, et mon papa viendra à notre secours !

– Mais tu ne sais pas ! hurla Vram. Tu vas aller dans des endroits différents ! Tu seras toute seule !

Jaina eut peur. Lusa tremblait. Ils pouvaient l'envoyer ailleurs. Et Jacen et Anakin aussi !

Vram pointa un doigt véhément sur Lusa.

– Ils l'ont dit : ils vont t'emporter et te couper les cornes ! Tu n'en auras jamais plus ! Et ce sera bien fait !

Lusa s'écarta de lui, craintive.

Mais je n'ai pas de cornes à couper, moi, se dit Jaina. Alors, qu'est-ce qu'ils vont me faire ?

Elle serra plus fort la main de Lusa. Et le loungaroun se pressa contre elle.

Lusa les entraîna vers le groupe des autres enfants jusqu'à ce qu'elles se retrouvent au centre.

Les doigts de Lusa étaient chauds et doux. Elle tremblait, la tête inclinée. Elle laissa retomber sa crinière sur son front, mais même ainsi elle restait toujours plus grande que les autres enfants. Et ses petites cornes pointaient entre ses bouclettes.

– Ils ne vont rien te faire, chuchota Jaina. Pourquoi est-ce qu'ils te couperaient les cornes ? Elles sont si jolies !

– Ils les coupent pour nous rendre laides, lui confia Lusa d'une voix tremblante. Pour qu'on obéisse. Mais les miennes n'ont pas encore percé le velours. (Elle jeta un regard plein d'effroi sur Jaina.) S'ils découpent le velours, je mourrai !

Jaina la serra contre elle. Elle aurait bien voulu cogner sur Vram parce qu'il avait fait peur à Lusa, et à tous les autres. Mais Maman leur disait toujours de ne pas frapper les gens.

Peut-être, en formant un grand cercle autour de Vram et en le regardant tous à la fois, pourraient-ils le dominer ?

Mais avant qu'elle ait pu essayer son idée, une double file d'Assistants émergea de l'escalier. Un Censeur les suivait. Les Assistants se déployèrent autour des enfants, exactement comme Jaina aurait souhaité qu'ils le fassent pour Vram.

– Mettez-vous en ligne ! dit le Censeur. Et tenez-vous droits !

Vram poussa violemment une fillette qui trébucha.

– Il a dit : en ligne ! gronda-t-il.

Jaina allait se précipiter au secours de l'enfant, mais Lusa la retint. Elle se dégagea et courut jusqu'à la fillette. Vram avait déjà la main levée pour la frapper quand elle arriva derrière lui. Elle fit passer la main du garçon par-dessus son épaule et il s'effondra de toute sa hauteur. Elle recula d'un bond.

Lusa était maintenant à ses côtés avec le loungaroun qui gronda. Vram restait collé au sol.

Il a peur de nous ! se dit Jaina.

Elle ajouta : Moi aussi, j'aurais peur si le loungaroun de Monsieur le Chambellan me montrait ses dents !

La peau blême de Vram était devenue grisâtre et ses cheveux hirsutes étaient aplatis sur son crâne. Il se traîna craintivement. Et la fillette rejoignit les autres.

Vram se redressa enfin en titubant et retrouva quelque couleur.

– Vous feriez bien de vous mettre dans la file, dit-il.

– Les enfants, obéissez !

Jaina frémit en reconnaissant la voix d'Hethrir.

Il venait d'apparaître en haut de l'escalier. Si sa voix était douce, son ton ne laissait pas de place au doute. Effrayées, les deux enfants rejoignirent les rangs d'un pas traînant sans pour autant s'aligner.

Vram courut jusqu'à Hethrir.

– Je m'activais à les faire aligner, Seigneur Hethrir !

– Je l'ai bien vu, fit Hethrir, aimable, en passant la main dans les cheveux de l'enfant.

Le soleil, dans sa course rapide, effleurait déjà la paroi du canyon. Il disparut dans la minute suivante et des projecteurs s'allumèrent, si lumineux que Jaina battit des cils, éblouie.

Hethrir s'avança. L'ourlet de sa longue robe blanche bruissait sur le sable.

Les Censeurs, dans leurs uniformes bleu clair impeccables, le suivaient, leurs médailles et leurs épaules rutilaient. Chacun avait son sabrolaser à la ceinture.

D'autres Assistants venaient ensuite, guidant le premier groupe d'enfants. Celui de Jacen. Jaina résistait à l'envie de courir vers lui, mais elle savait qu'ainsi elle mettrait en danger la vie de tous.

Finalement, Tigris apparut en haut des marches avec Anakin endormi sur son épaule.

Ce n'était pourtant pas l'heure de sa sieste!

Qu'est-ce qu'il a? se demanda-t-elle. Ils lui ont fait du mal? J'espère qu'ils se sont contentés de l'endormir. Comme quand ils nous ont pris dans la prairie.

Les Assistants firent aligner les deux groupes face à face. Les Censeurs se placèrent devant Hethrir, les Assistants derrière eux.

Au centre de la cour, Hethrir se tourna vers Jaina, Lusa et le loungaroun de Monsieur le Chambellan. Vram leur fit un sourire mauvais. Lusa répondit par une petite ruade et Vram courut s'abriter derrière Hethrir.

— Alignez-vous, rejoignez le rang, dit Hethrir d'une voix qui effraya Jaina.

— Non!

Elle voulait qu'il se mette vraiment en colère contre elle, pour qu'il finisse par les renvoyer, elle et ses frères.

Mais soudain, elle se retrouva avec les autres. Comme si quelqu'un l'avait envoyée d'une simple tape à travers les airs. Non, je ne vais pas pleurer! se dit-elle, furibonde. Non! Non et non!

Anakin gémit du fond de son sommeil puis redevint silencieux. Jaina songea une brève seconde à le rejoindre, mais elle était incapable de bouger.

Le loungaroun de Monsieur le Chambellan gronda puis brusquement jappa. Il rabattit ses oreilles et se tapit dans le sable.

Il ne restait plus que Lusa. D'un seul regard, Hethrir figea de peur la petite centaure.

— Tu regretteras peut-être de m'avoir défié, jeta-t-il avant de se détourner.

La petite centaure trotta vers les autres enfants en tremblant. Le loungaroun vint se coller contre Jaina.

Hethrir, alors, fit un signe de la tête à l'intention des Censeurs. Un jeune s'avança fièrement.

— Tu as fait tes preuves, proclama Hethrir. Tu mérites de te joindre à mon unité d'élite. Tu mérites de faire partie des Jeunesses de l'Empire.

Deux Censeurs s'avancèrent alors avec une cape qu'ils présentèrent au Jeune. Il n'était pas vraiment blanc, plutôt d'un bleu très pâle. Le Jeune l'enfila et, rayonnant, caressa le col de fourrure.

– Merci, mon Seigneur! Vive l'Empire Ressuscité!

– Vive l'Empire Ressuscité! crièrent les Censeurs en réponse, si fort que Jaina en sursauta.

L'Empire Ressuscité? se demanda-t-elle, choquée. Qu'est-ce que cela voulait dire?

Elle savait que l'Empire avait été une très mauvaise chose. Pourquoi pouvait-on souhaiter qu'il ressuscite?

Hethrir adressa un signe à l'un des Assistants et posa sa main sur la tête du jeune garçon.

– Tu mérites la purification. Désormais, tu es un Censeur. Je ferai en sorte que tu renaisses au service de l'Empire.

Trois Censeurs entourèrent le garçon. Quand ils s'en écartèrent, chacun put voir qu'il portait l'uniforme bleu clair de Censeur.

Enfin, Hethrir posa sa main sur la tête de Vram.

– Un bon garçon. A partir de cet instant, tu deviens l'un de mes Assistants.

Un Assistant accourut, portant une tunique rouille. Deux autres s'activèrent à débarrasser Vram de sa chemise tachée et de son pantalon en loques et ils l'habillèrent.

Vram se pavanait avec un sourire vaniteux.

Hethrir se tourna vers la file de Jaina. Son regard s'était soudain fixé sur Lusa. La petite centaure recula, apeurée.

Malgré sa terreur, elle dut trottiner vers lui quand il la désigna.

Il brandit un sabrolaser. Mais, à la différence des autres, il n'avait pas de lentille à son extrémité, seulement une petite ampoule de verre. Jaina se demanda pourquoi il détenait un faux sabre.

– Regarde, dit Hethrir.

L'ampoule s'alluma, puis s'éteignit.

– Prends-le, dit Hethrir en le tendant à Lusa.

L'enfant-centaure obéit.

– Fais comme moi, lui intima Hethrir. Allume-le, comme je l'ai fait.

Lusa examinait le sabre, essayant de comprendre comment il avait pu faire.

– Sers-toi de ton esprit, insista Hethrir. Regarde encore.

Il inclina la tête à l'intention du nouveau membre des Jeunesses de l'Empire. Ce dernier leva son sabrolaser dans le bourdonnement de sa lame.

Son sabre, remarqua Jaina, était différent de celui d'Oncle Luke. Il devait l'activer en se servant de la Force. Et c'était bien ce qu'Hethrir attendait de Lusa avec le faux sabrolaser qu'il lui avait confié.

Lusa en était capable! Une fraction de seconde, Jaina sentit que sa nouvelle amie pouvait toucher la Force et l'utiliser. Elle n'avait pas été éduquée dans la Force et n'avait aucune expérience, mais elle pouvait le faire. Jaina s'imagina avec elle, nouveaux Chevaliers Jedi traversant la galaxie pour châtier les méchants.

Les méchants comme Hethrir, avec son Empire Ressuscité.

Le pouvoir d'Hethrir se répandit sur Lusa et bloqua son talent naissant. Et l'ampoule du sabre ne s'éclaira pas.

– Ça n'est pas juste! lança Jaina.

La couverture froide et humide d'Hethrir se referma sur elle. Elle étouffa un cri. Lusa lâcha le sabre d'épreuve et sauta vers son amie. Mais, à mi-bond, Hethrir la cueillit grâce à la Force et la projeta au sol. Elle se débattit en gémissant pour tenter de se relever.

– Tu as échoué! tonna Hethrir.

Deux Assistants entraînèrent la petite centaure.

– Non! cria-t-elle. Non!

– Cesse de me défier! Je fais cela pour ton bien.

Jaina réussit à échapper à l'étreinte de la couverture et courut prendre Lusa dans ses bras. Le loungaroun dansait autour d'elles en ronflant, déconcerté, inquiet. Des larmes chaudes roulèrent sur les joues de Jaina quand elle sentit les petites cornes douces de son amie contre son front.

Lentement, très lentement, la puissance d'Hethrir les séparait. En dépit des efforts de Jaina, il triomphait déjà d'elle. Elle eut l'impression de basculer du haut d'une falaise. Lusa s'accrochait à son amie de ses quatre jambes. Elle rivait ses petits sabots dans le sable tandis qu'Hethrir tentait de l'entraîner loin de Jaina qui ne lâchait pas prise.

Aussi longtemps que je la tiendrai, se dit-elle, tout se passera bien...

Mais leurs doigts cédèrent. Lusa perdit l'équilibre tandis que la puissance d'Hethrir retombait sur Jaina en un manteau de sable. A cet instant, elle ne sentit plus l'esprit de Lusa.

Jaina tomba et ne parvint pas à se redresser. Elle s'abandonnait dans le sable en pleurant. Jacen voulut se précipiter vers elle mais Hethrir l'écrasa, lui aussi.

Hethrir les laissa cloués sur place tandis qu'il faisait passer l'épreuve du sabre à tous les autres enfants. Quelques-uns parvinrent à allumer l'ampoule, mais, dans l'ensemble, ils échouaient. Incapable de bouger, Jaina ne pouvait savoir si Hethrir trichait.

Grâce à ce test, il avait départagé les enfants en deux groupes. Dans le premier, il y avait Jaina et Jacen, Lusa, elle, se retrouvait dans le second. La tête inclinée, elle restait là, frissonnante. Le loungaroun de Monsieur le Chambellan montait la garde à ses pieds, haletant. Hethrir ne le mit pas à l'épreuve. Il se contenta de le désigner, et deux Assistants accoururent avec des chaînes et un lourd collier. Très vite, ils entraînèrent le loungaroun avec eux. Les enfants étaient terrifiés. Ils hurlaient, montraient selon leur race leur frayeur. Certains secouaient leur carapace. D'autres faisaient trembler leur pelage. Tous en signe de chagrin et de terreur.

Tous les enfants du groupe de Jaina étaient des humains. Il y en avait aussi dans le groupe de Lusa mais, en majorité, il était composé d'autres races. Jaina trouvait cela bizarre. Tous les Censeurs et leurs Assistants étaient humains également. Ce qui rendait la chose encore plus étrange.

Lusa lui jeta un regard par-dessus son épaule.

– Prenez-moi à sa place! lança Jaina à Hethrir. Laissez-la, elle! Ne lui coupez pas les cornes!

Il l'ignora. Les Censeurs descendaient les marches dans le scintillement de leurs épaulettes et de leurs médailles. Quelques Assistants escortaient le groupe de Lusa, deux d'entre eux s'étant chargés du loungaroun furieux.

La plainte de Lusa monta du tunnel, renvoyant des échos.

– Lusa! cria Jaina.

Vram pointa le doigt sur elle.

– Toi, tu es stupide! Vraiment stupide!

Peut-être qu'ils vont tous partir! songea Jaina désespérément. Et Hethrir va me renvoyer – avec Jacen, et Anakin aussi! Parce qu'on lui crée trop d'ennuis. On n'a même pas de cornes pour qu'on les coupe. Si Lusa reste ici et si on repart, elle sera sauvée!

Hethrir s'approcha d'elle et la toisa. La chape de sable humide quitta ses épaules. Elle se redressa en même temps que Jacen. Ils s'enlacèrent. Jaina se sentait lourde et très lasse.

– Maintenant, lança Hethrir, vous allez regagner vos chambres. (Il s'adressait à tous les enfants du groupe.) Vous allez étudier, durement. Les autres enfants s'en vont parce qu'ils ne sont pas aussi bons que vous. Si vous restez avec moi, c'est parce que j'espère que je serai fier de vous.

– Jamais! hurla Jaina. Jamais. Lusa est aussi bonne que moi et je ne ferai jamais rien qui puisse vous rendre fier!

5

L'*Alderaan* surgit de l'hyperespace. La piste écarlate piquait droit sur une région froide et déserte de l'espace. L'étoile la plus proche était à des années-lumière.

La piste portait l'empreinte de la peur et de la souffrance.

Leia lança un cri. S'ils ont fait du mal à mes enfants... S'ils ont touché un seul de leurs cheveux... S'ils ont...

La trace de souffrance s'évanouit.

Je n'ai pas éprouvé la mort, se dit Leia. Ça n'était pas la mort ! Si ce n'était pas Jaina, Jacen ou Anakin, qui était-ce ?

La peur qu'elle avait sentie n'était pas celle de la mort, mais celle d'une vie qui se continuait. Elle frissonna en essayant d'imaginer ce qui pouvait susciter pareille terreur de vivre chez un être.

Baignée de sueur, fatiguée, elle exhala un long souffle rauque. Puis elle déploya les senseurs du vaisseau vers l'extérieur. Leia observa et écouta un moment.

Soudain, elle détecta un vaisseau.

– C'est lui ! s'écria-t-elle. Je te tiens !

Elle dut réprimer l'envie violente de se lancer aussitôt à sa poursuite. Ce serait une erreur que de retrouver ses enfants pour tomber immédiatement dans un piège.

D2 entra en trombe.

– Je refuse toujours de te parler ! lui dit-elle.

Le droïd releva l'identification du nouveau vaisseau que donnaient les senseurs et la traça dans les airs. Puis il en dessina une autre, celle du vaisseau des kidnappeurs.

Les deux signatures d'identification ne se ressemblaient absolument pas.

– Non! protesta Leia. C'est certainement lui! Je l'ai suivi jusqu'ici, et il n'y a aucune autre piste. Peut-être le vaisseau est-il camouflé?

Elle augmenta l'agrandissement de l'image de l'engin étranger. Et resta muette. C'était un transporteur géant, l'un de ces bâtiments énormes que l'Empire avait utilisés pour acheminer les colons récalcitrants d'étoile en étoile. Sa vitesse était réduite : il voyageait en subluminique avec sa cargaison vivante plongée dans le sommeil. Peu importait à l'Empire que les colons – indésirables de toutes sortes, prisonniers politiques ou de droit commun – perdent tout contact avec leurs familles et leurs amis qui, durant le temps du voyage, vivaient le temps de leur vie, vieillissaient et mouraient. Les colons traversaient le vide interstellaire, pris dans le rêve de mondes accueillants, ou dans le cauchemar de planètes mortelles. Ils étaient des esclaves que l'on disséminait sur des mondes nouveaux jusqu'à l'heure où leurs maîtres choisiraient de revenir les chercher.

Ces vaisseaux, nous les avons toujours cherchés, songea Leia. Pour sauver toutes ces vies. Pas étonnant que nous ne les ayons pas trouvés s'ils évoluent au-delà de nulle part!

Elle s'assombrit. Elle avait compris que le transporteur était une épave à la dérive : ses moteurs étaient éteints et ses systèmes internes presque inactifs.

– Mais qu'est-ce qu'il fait par là! Nous n'avons pas pu tomber sur lui comme ça, par hasard. La coïncidence serait étonnante.

C'est alors que les senseurs de l'*Alderaan* détectèrent un deuxième, puis un troisième bâtiment.

– Je ne le crois pas... souffla-t-elle.

Il y avait maintenant une vingtaine de transporteurs dans le champ de sa perception.

Leia avait découvert un cimetière de vaisseaux abandonnés. Un essaim d'épaves qui tournait lentement en une danse chaotique de coques sombres.

Chewbacca gronda sa peine.

Leia s'arracha à son siège.

– Mais qu'est-ce que tu fais là ? Pourquoi es-tu debout ? Qu'est-ce que tu veux faire ?...

Elle s'interrompit net. Elle avait failli dire à Chewbacca qu'il cherchait la mort, alors qu'il la souhaitait peut-être...

Il boitilla jusqu'au siège de copilote et s'y laissa tomber. Il la regarda. Il y avait de la colère dans les yeux de Leia, mais son expression s'adoucit.

– Excuse-moi si je m'en suis prise à toi, Chewie. Je n'aurais pas dû. J'ignore ce qui a pu se passer, mais tu ne pouvais rien y faire. Moi non plus. Même Luke n'aurait pas pu empêcher cela, sans doute.

Chewbacca porta la main à sa gorge en levant la tête, écarta les longs poils de sa toison et révéla ainsi une tache de poils blancs. Il laissa Leia les examiner avant de baisser à nouveau la tête.

– Est-ce que ?...

Il grommela.

Chewbacca avait été un esclave. Non pas un esclave-colon, mais le serf d'un officier de l'Empire. Leia ne savait que peu de chose sur cette partie de sa vie. Il avait été capturé dans les forêts profondes et magiques de son monde natal, on l'avait ensuite enchaîné, humilié et presque torturé jusqu'à la mort.

Il avait été délivré par le jeune Yan Solo, le contrebandier. Yan lui avait en fait sauvé la vie, car un Wookie ne pouvait vivre longtemps en esclavage.

– C'est ce qui se serait passé ici ? demanda Leia. Est-ce que l'Empire aurait pris ces vaisseaux à l'abordage et enlevé leurs passagers ? Ça n'a aucun sens ! (Elle désigna les relevés des senseurs.) Ce sont des transporteurs coloniaux impériaux. L'Empire n'aurait quand même pas capturé ses propres esclaves et abandonné les bâtiments ainsi. Il les aurait réarmés pour les utiliser. L'Empire était néfaste mais efficace.

Elle se pencha plus attentivement sur les relevés.

– Oh, non !...

Il y avait encore des passagers à bord des transporteurs. La plupart étaient morts. Quant aux autres, ils ne survivraient guère longtemps.

Obligés de progresser en file, Luke et C3 PO les suivaient de près.

Xaverri précédait Yan sur la piste qui menait à un autre dôme. Dans la pénombre verte, sous le plafond de feuilles, les branches formaient souvent des rideaux impénétrables. Le sentier s'enfonçait toujours plus profondément dans la forêt. Yan avait l'impression de se trouver dans un piège végétal. J'ai confiance en Xaverri, songea-t-il. Je l'ai laissée prendre les choses en main au péril de ma vie autrefois, et je ne l'ai jamais regretté.

Mais sa confiance en elle venait aussi du fond de son cœur.

Tout ça, c'est du passé, pensa Yan. Et tout est différent désormais.

Encore une fois, Yan regretta l'absence de Chewbacca.

— Maître Luke, dit C3 PO, regardez : ces feuilles sont toutes de formes différentes. Et elles tombent dès que je les touche.

Yan pressa le pas pour s'éloigner du droïd et de sa voix geignarde. Il remarqua pour la première fois les feuilles et dut admettre que C3 PO ne se trompait pas : elles avaient bien des formes anormales, et en plus elles étaient tachetées de dessins colorés extravagants. Il effleura une branche de la main et toutes les feuilles voletèrent vers le sol.

C3 PO intervint encore une fois :

— Je me demande s'il ne vaudrait pas mieux retourner au vaisseau pour mettre en place des détecteurs de radiations. Je crois que le taux de rayonnement excède le taux de tolérance du dispositif de sécurité de la station. A vrai dire, je sens virtuellement mes circuits d'intellect exploser sous cet assaut.

— Ton intelligence sonne normalement, comme d'habitude, répliqua Luke.

Yan, en riant, rattrapa Xaverri. Il voulait lui parler seul à seule.

Mais dès qu'il fut à sa hauteur, il ne trouva rien à dire. Il aurait voulu savoir ce qui lui était arrivé durant ces dernières années, depuis qu'ils s'étaient séparés, mais, soudain, il se sentit terriblement timide.

125

– Tu as reconnu Luke, dit-il.

– Oui.

– Il pensait que personne n'en serait capable.

– Je lui ai demandé la preuve qu'il était un représentant de la Nouvelle République. Et il a enlevé son déguisement.

– Et la première fois que tu l'as vu, il t'a paru vraiment différent?

– Très différent. Mais il m'a libérée de son influence. Il est très doué, Solo. Je n'avais même pas conscience de l'effet qu'il exerçait sur moi avant qu'il ne m'en libère.

– Oui, il a du talent, mais il n'a jamais eu le temps de parfaire sa formation.

– Ah, fit Xaverri. On prétend que c'est très dangereux.

– Oui. Et lui-même en a pris conscience dans certaines circonstances.

– J'ai... J'ai entendu certaines rumeurs à ce sujet.

– Vraiment? Nous pensions que la chose était restée secrète.

– Peut-être pour l'opinion publique. Mais je ne représente pas vraiment le public... Et je consacre une énergie considérable à entretenir mes multiples moyens de communication.

– Apparemment, certains sont plus efficaces que les miens, déclara Yan.

– Ils sont différents, Solo. Il y a beaucoup de gens qui peuvent parler à un voleur, qui ont pu adresser la parole à un jeune contrebandier... Mais qui ne diraient pas un mot à un général de la Nouvelle République.

L'idée qu'il avait pu à ce point changer depuis le bon vieux temps irritait Yan. Il avait du mal à l'admettre, même si c'était vrai.

– Tu pourrais être une alliée précieuse pour la Nouvelle République.

Xaverri gloussa.

– Moi? Non, Solo. Dès que je serais devenue une alliée, je perdrais toute valeur.

– Ça resterait secret.

– Rien n'est secret. Tu le sais, Solo.

– Alors pourquoi nous as-tu contactés? Que veux-tu?

– Je ne veux rien! fit-elle, agacée. La République a rendu mon travail plus difficile. Pour moi, tu es devenu une proie négligeable. Tu es tellement honorable... Et ennuyeux!

Elle le fixa encore un instant avec colère, puis son expression se fit inquiète.

– J'ai entendu parler de phénomènes étranges et dangereux. J'ai enquêté. Je crois qu'ils constituent une menace contre la République.

– Vous venez de dire que vous n'aimiez pas la République, intervint Luke.

Yan sursauta. Luke s'était approché d'eux sans le moindre bruit. Il espéra que son beau-frère n'avait pas entendu Xaverri commenter ses points faibles.

– Elle n'a pas dit précisément qu'elle n'aimait pas la République, intervint C3 PO de son ton pédant. Elle a dit...

– Je n'ai jamais eu de conflit avec la République, le coupa Xaverri. Mes gains ont diminué, certes, mais je peux me contenter de moins pour vivre. Et il se peut que je me retire bientôt.

– Mais tu as dit... commença Yan.

– Tu dois te rappeler comment c'était! Quand l'Empereur régnait, ses séides ravageaient nos foyers. Seuls le chantage et la corruption nous protégeaient. En ce temps-là, j'avais besoin de sommes énormes pour protéger ma planète des attaques de l'Empereur, mes amis de la mort, et mes enfants de la violence des bandes. Mais... même alors, mes efforts n'ont pas suffi.

Sa voix se brisa et Yan lui effleura le poignet. Elle fit glisser sa main entre ses doigts et la serra un bref instant.

– Oui, dit Yan. Je me rappelle cette époque.

– Donc, tu comprends. Grâce à la République, je n'ai plus besoin d'autant d'argent. (Elle esquissa un sourire.) Mes revenus sont modérés.

– Nous sommes encore loin? demanda Luke soudainement.

– Nous avons encore un peu de chemin à faire. Vous êtes fatigué, Jedi?

– Je suis curieux.

– Patience, gamin.

Tout comme au bon vieux temps, quand Luke était toujours excité, un jeune Jedi impatient. Mais, depuis quelques années, il était d'un calme surnaturel qui inquiétait souvent Yan.

Ils progressaient toujours dans la forêt labyrinthique. Le sentier se rétrécissait tandis que la pente s'accentuait. Yan dut bientôt se baisser. Les branches fouettaient le dos violet de C3 PO en grinçant.

Yan prit conscience que son dos à lui aussi commençait à le faire souffrir. Il en oublia le bon vieux temps.

Il était sur le point d'abandonner et de demander une halte quand le sentier déboucha sur un dôme transparent. Xaverri se rua vers une entrée et disparut. Yan la suivit, les membres engourdis. Il entendit derrière lui le bruissement de la robe de Luke.

– Attendez, je vous prie, dit C3 PO, je n'arrive pas à me pencher.

Il entra bruyamment en raclant la paroi et se remit debout en vacillant.

Yan scruta le nouveau dôme. Il y faisait à peine plus clair que dans le tunnel de feuillage. Mais la clarté verte de la forêt avait été celle de la vie et de la croissance. Ici, le crépuscule était oppressant.

De hautes pierres grises se dressaient autour d'eux. Ils se trouvaient au bord d'un cratère immense aux parois abruptes, partiellement effondrées.

Xaverri se risqua sur un énorme bloc fissuré et Yan la suivit prudemment. De là, ils dominaient tout l'intérieur du dôme. Au centre, ils pouvaient apercevoir un petit complexe de bâtiments dorés et brillamment illuminés. L'ensemble formait une calligraphie au tracé délicat sur la pierre du cratère.

Yan s'interrogea sur le sens de ces signes.

Plusieurs sentiers escarpés rejoignaient le fond. Sur la plupart, des gens descendaient vers le havre de lumière au milieu du paysage de lave désolé. De races diverses, ils se retrouvaient tous devant les bâtiments lumineux puis y disparaissaient.

— C'est notre destination, dit Xaverri.

— Qu'est-ce que nous cherchons au juste? Cet endroit a quelque chose de spécial?

Elle secoua la tête.

— Si tu ne le vois pas toi-même, tu ne pourras jamais comprendre.

Luke s'était glissé vers une crevasse entre deux rochers. En quelques rapides enjambées, Xaverri quitta son perchoir, le rejoignit et lui effleura brièvement la manche. Mais Luke s'était déjà arrêté, abrité par la pierre.

Yan bondit près de lui.

— Hé, gamin, qu'est-ce qu'il y a?

Luke était pâle, tendu, le regard perdu, la main crispée sur la poignée de son sabrolaser.

C3 PO se pencha avec sollicitude sur Luke et posa un doigt violet sur son front. Luke secoua vaguement la tête, à peine distrait.

— Je crains que Maître Luke n'ait contracté quelque maladie, diagnostiqua le droïd. Sa température est anormalement basse. Peut-être s'agit-il d'une sorte de trouble planétaire...

— C3 PO, fit Luke d'un ton patient, tes senseurs sont recouverts de vernis violet, c'est tout.

Chagriné, C3 PO examina le bout de son doigt.

— Mais il a raison, dit Yan. Tu n'as pas l'air bien. Que se passe-t-il?

— Je... Je ne sais pas. Quelque chose... Il y a quelque chose, ici, mais jamais encore je n'ai...

Il s'éloigna brusquement, oubliant qu'il avait commencé à répondre.

— Jedi! souffla Xaverri.

Il se retourna avec réticence.

— Laissez-moi vous conduire. Je suis acceptée ici. Il y a un chemin plus facile, un peu plus loin sur le bord du cratère... Je préférerais que ce passage reste inconnu.

Luke leva les yeux vers les grands blocs de lave, comme s'il voulait sauter de l'un à l'autre, franchir le rebord de la falaise en ignorant le petit sentier sinueux pour plonger droit vers le fond.

Il pourrait probablement réussir, se dit Yan.

– Très bien, dit enfin Luke, répondant à Xaverri.

Le Seigneur Hethrir venait de l'autoriser à entrer. Il s'avança, portant toujours l'enfant Anakin dans ses bras. Ce dernier dormait plus que tous les petits humains que Tigris ait jamais connus.

Hethrir avait fait tailler sa chambre de réception dans le bois le plus délicat du vieil Empire. Le bois-de-chair. Tel était son nom, car il ressemblait à la chair de ceux qui peuplaient la forêt avant que l'Empereur s'en empare. Il accordait à ses officiers favoris le droit d'exploiter pour leur propre compte certaines ressources. Hethrir avait été autorisé, pour sa part, à exporter le bois-de-chair. C'était ainsi qu'il avait établi sa fortune. Mais il s'en servait aussi pour son usage personnel. Le plancher, les murs et le plafond de la pièce n'étaient faits que de ce bois à l'éclat de rose et doux, marqué de fines veinules écarlates, comme serties de lumière, pareilles à des plis de pierres précieuses. Tigris trouvait qu'il paraissait vivant. D'ailleurs, on racontait que les arbres à bois-de-chair possédaient une certaine forme d'intelligence. On disait aussi qu'ils criaient quand Hethrir les abattait, et Tigris pensait qu'ils pouvaient pleurer. Il savait que le bois saignait. Il avait eu la charge et l'honneur de nettoyer les ruisselets rouges avant qu'ils ne se déversent sur le plancher et ne le tachent.

Il se demandait quand le Seigneur Hethrir lui confierait enfin une tâche importante. Il plaça Anakin dans une position plus confortable. Car il commençait à avoir les bras douloureux.

Tigris avait été impressionné et ému par la cérémonie de promotion, mais il souffrait de se sentir tenu à l'écart.

Il s'interrogeait : dans combien de temps le Seigneur Hethrir le vendrait-il avec les autres enfants inférieurs ? Il n'était même pas capable de passer la première épreuve ! Il était à la fois désespéré et reconnaissant de pouvoir encore rester là.

Le Seigneur Hethrir recevait ses invités. Le Seigneur Qaqquqqu, Dame Ucce et le Seigneur Cnorec s'inclinèrent jusqu'à toucher le sol devant lui, et Hethrir, des hauteurs de son fauteuil d'or garni de fourrures et de coussins de satin, leur répondit par un simple hochement de tête. Il regarda Tigris et, d'un signe du menton, lui montra un petit tapis posé non loin de lui.

Bouleversé, Tigris alla prendre place. Jamais encore le Seigneur Hethrir ne lui avait permis de s'asseoir à ses pieds !

A la seconde où il prenait place, Anakin bougea en s'éveillant. Conscient de la valeur précieuse de son fardeau vivant, Tigris s'efforça de dissimuler sa terreur. Qu'adviendrait-il s'il commettait une faute ? S'il lâchait Anakin ou le faisait pleurer ?...

Mais Anakin le regarda droit dans les yeux, suça son pouce et se rendormit, blotti au creux de son épaule.

– Celui-là est plutôt jeune, n'est-ce pas, Seigneur Hethrir ? demanda le Seigneur Qaqquqqu en désignant Anakin avec un large sourire pour montrer qu'il plaisantait.

– Oui, trop jeune, rétorqua Hethrir d'un ton enjoué. Il va nous falloir le laisser grandir – à moins que nous le renvoyions là d'où il vient.

– Le renvoyer, mon Seigneur ? s'étonna Dame Ucce. Est-ce que serait très sage de...

Elle s'interrompit mais un peu tard, en se rendant compte qu'elle insultait le Seigneur Hethrir.

– Je voulais dire, bien sûr, mais c'est tellement stupide de ma part, que vous lui effaceriez la mémoire, bien entendu, avant de le ramener d'où il vient. Votre sagesse est telle...

– Si cela vous sied, proposa le Seigneur Cnorec, je peux le prendre. Il est adorable. Cela vous en épargnera la charge et je m'efforcerai d'être digne de vous pendant ce temps.

– Je vais le garder, dit le Seigneur Hethrir. Il me distrait. Ne vous inquiétez pas, il ne pourra révéler votre existence – ou votre profession – à la Nouvelle République.

Les trois invités s'inclinèrent de concert. Tigris était subjugué par la maîtrise du langage du Seigneur Hethrir et l'art dont il s'en servait pour dominer ses invités. Il n'avait pas eu une seconde l'intention de confier Anakin à l'un d'eux : l'enfant était la clé de voûte de ses plans.

Les invités du Seigneur Hethrir le redoutaient, même si chacun d'eux avait une armée et même une flotte spatiale personnelles. Ils avaient réussi à sauver leurs biens et leurs richesses à la chute de l'Empire. Ils s'étaient cachés avec leurs trésors, leurs suites et leurs vaisseaux, hors du champ d'investigation des usurpateurs.

Tous avaient juré allégeance au Seigneur Hethrir. Quand il serait prêt, quand l'Empire Ressuscité vaincrait la Nouvelle République, il serait Empereur. Et ses invités de même que tous ceux qui le suivaient le reconnaîtraient pour tel.

Tigris souhaitait se trouver à ses côtés quand ce jour viendrait. Il voulait porter la tenue bleue de la Jeunesse de l'Empire, ou mieux encore l'uniforme clair à deux médailles de Censeur, ou pire la tunique rouille d'un simple Assistant.

Mais ce qu'il souhaitait avant tout, c'était que le Seigneur Hethrir le reconnaisse.

Anakin bougea dans ses bras et il se dit : Je dois faire mes preuves ! Montrer que je vaux mieux qu'une nurse !

– Aujourd'hui, mon temps est compté, déclara le Seigneur Hethrir. Par conséquent, nous allons expédier rapidement les tâches en suspens.

Une image se forma entre les trois invités et la paroi luisante de bois-de-chair. Elle montrait les enfants qui avaient été choisis entre tous les autres. Les invités les examinèrent en silence.

– Bientôt, reprit Hethrir, nous nous rendrons à la Station Crseih afin que je scelle mon alliance avec Waru. Mes partisans se rassemblent déjà. Chacun d'eux voudra faire son choix parmi ces enfants.

«Vous pouvez surenchérir entre vous pour le droit de distribution.

Il lança la mise à prix – une somme très élevée –, puis sourit en désignant l'affreuse créature au pelage brun et aux crocs aigus, qui était devenue l'animal familier d'Anakin, le loungaroun du Chambellan.

– Celui-là n'est pas intelligent, aussi je le donnerai en prime à celui de vous qui aura emporté l'enchère.

– Bon Ioun, souffla doucement Anakin.

Les invités échangèrent quelques regards avant de revenir à Hethrir. Tigris lui-même avait été stupéfait en entendant la somme astronomique demandée par le Seigneur Hethrir.

Mais le Seigneur est toujours juste, se dit-il. Le groupe d'enfants qu'il propose est exceptionnel, bien sûr – et c'est comme cela qu'il scellera son alliance avec Waru!

– C'est une forte somme... commença le Seigneur Cnorec sans ajouter le titre honorifique qui s'imposait.

Hethrir plissa le front.

– Mon Seigneur! ajouta vivement le Seigneur Cnorec.

– N'ai-je pas été bon envers toi, Cnorec?

– Oui, mon Seigneur!

– Notre association ne t'a-t-elle pas été profitable?

– Bien sûr, Seigneur Hethrir! Mais...

– Mais, Cnorec?... Mais quoi?

– Rien, mon Seigneur.

Hethrir le dévisagea en silence et Cnorec ajouta:

– Ce que je voulais dire... c'est que nous sommes las de travailler en secret, mon Seigneur! Las d'attendre la renaissance de l'Empire.

– Douterais-tu de moi, Cnorec?

– Absolument pas, mon Seigneur! Je souhaiterais seulement... j'espère... (Il reprit son souffle.) Je ne veux que continuer à vivre... (Il inspira avec peine.) Selon votre loi et...

Il avait à présent le visage rouge et un filet de sang coulait d'une de ses narines. Il la toucha et regarda son doigt taché de sang, incrédule.

Puis il s'écroula et resta immobile. Tigris le regardait, horrifié par ce châtiment brutal, sans oser questionner son maître.

Deux Censeurs firent leur entrée, soulevèrent le corps du Seigneur Cnorec et l'emportèrent, sans que le Seigneur Hethrir ait fait le moindre geste, ou prononcé un mot.

Pétrifiés, Dame Ucce et le Seigneur Qaqquqqu essayèrent en vain de se regarder comme s'ils n'avaient pas vu ce qui s'était passé.

– Il aurait dû patienter un peu plus longtemps, commenta Hethrir d'un ton plaisant. L'Empire Ressuscité est proche.

L'une et l'autre réagirent avec surprise et ferveur. Ils avaient déjà oublié le Seigneur Cnorec.

– Vous devez considérer qu'une partie de vos enchères participe au succès de l'Empire Ressuscité, ajouta Hethrir.

– J'ouvre les enchères, déclara Dame Ucce.

Le Seigneur Qaqquqqu se mit à contrer inexorablement les offres de Dame Ucce. Le vainqueur de ces enchères serait définitivement dans les bonnes grâces du Seigneur Hethrir. Quant au perdant, il risquait fort de suivre le Seigneur Cnorec.

Quand elles atteignirent le double de la mise à prix de départ, le Seigneur Qaqquqqu dit d'un ton inquiet :

– Je vous demande infiniment pardon, Seigneur Hethrir, mais je ne pense pas me procurer une telle somme à temps pour vous payer.

– Pour contribuer à l'Empire Ressuscité, rectifia Hethrir, doucement.

– Bien entendu, j'ai toujours eu l'intention de contribuer. Et au-delà de l'enchère.

Il avança une somme de moitié inférieure à la mise à prix, qu'il doubla aussitôt en s'apercevant de l'infime haussement de sourcil du Seigneur Hethrir devant lequel il s'inclina profondément, en déclarant :

– Je vous prie donc d'accepter ma contribution à la cause. (Il se tourna alors vers Dame Ucce.) Madame, vous avez été la meilleure.

Le Seigneur Hethrir esquissa un signe d'approbation aussi élégant que bref.

Dame Ucce avait donc remporté l'enchère, elle avait acheté le groupe des enfants, le droit de les offrir à tous les loyalistes de l'Empire que le traité du Seigneur Hethrir avait rassemblés. S'il lui en restait, elle pourrait les remettre dans le commerce.

En dépit des améliorations apportées par le Seigneur Hethrir, Tigris avait pitié de ceux qui ne pouvaient se procurer la loyauté qu'en acquérant le corps d'une autre per-

sonne. Ces gens réduisaient en esclavage d'autres êtres.
Avec le Seigneur Hethrir, c'était différent : il les libérait en
les prenant à son service.

Tigris avait de la peine pour les enfants du groupe qui
venaient d'être vendus. Non pas parce qu'ils avaient été
vendus, c'était leur destin, après tout, puisqu'ils ne conve-
naient pas au service direct du Seigneur Hethrir. Non, il
avait de la peine parce que leur place dans le plan du Seigneur Hethrir n'existerait bientôt plus.

Les enfants demeurés à l'école conservaient encore une
chance d'être promus, purifiés et ressuscités au service du
Seigneur. Ils porteraient ses couleurs, recevraient ses
ordres.

Il baissa les yeux sur Anakin. Tu as de la chance, petit
enfant, pensa-t-il. Tu feras plus pour aider mon Seigneur
que je n'ai jamais espéré pouvoir faire.

Dame Ucce était en train de verser au Seigneur Hethrir
la somme due.

– Et naturellement, ajouta-t-elle, moi aussi, je souhaite
apporter ma contribution, sans compensation, à la cause de
l'Empire Ressuscité.

Elle couvait d'un regard avide l'image de sa nouvelle
acquisition : les enfants.

– Le pouvoir, souffla le Seigneur Hethrir. C'est le pouvoir qui est important. Le pouvoir sur toutes les autres
créatures intelligentes.

Dame Ucce le fixa en esquissant un sourire.

– Vous pourriez me rendre un service, poursuivit
Hethrir.

– Avec joie, mon Seigneur.

Une fois encore, Tigris ne perçut pas le signal discret du
Seigneur Hethrir.

Le cadet des nouveaux impétrants de la Jeunesse de
l'Empire venait d'entrer en silence dans la pièce, fier de son
nouvel habit, portant une bouteille de vin fin et trois verres
délicats sur un plateau gravé.

– Vous pouvez prendre ce garçon à votre service, proposa le Seigneur Hethrir, et lui trouver une fonction dans la
République.

– Ce sera un plaisir pour moi, Seigneur Hethrir.

– Je lui accorderai... une subvention appréciable.

Le nouveau Jeune ne put dissimuler un sourire de fierté. Il ouvrit la bouteille et versa une petite rasade au Seigneur Hethrir afin qu'il goûte. Tigris admirait son Seigneur qui ne se servait jamais d'un goûteur, même lorsqu'il se trouvait loin de ses propres cuisines et de ses celliers. Il démontrait ainsi sa bravoure et son invulnérabilité mieux que par des paroles.

Le Seigneur Hethrir prit un verre de vin et le cristal tinta sous ses doigts. Il porta le verre à ses lèvres, goûta le vin, ferma les yeux, avala et sourit.

Il permit ensuite au Jeune de remplir de nouveau son verre et celui de Dame Ucce. Cependant, Hethrir versa lui-même le vin dans le troisième verre destiné au Jeune. Tous trois ignoraient délibérément le Seigneur Qaqquqqu, qui les observait d'un air de dépit.

Le Seigneur Hethrir leva son verre, imité par Dame Ucce et le Jeune.

Tigris inclina la tête.

Anakin s'agitait pour regarder la scène, en écarquillant ses yeux d'un bleu de glace.

– A l'Empire Ressuscité ! dirent-ils à l'unisson.

Le sas du transporteur coulissa sur les ténèbres. Ils étaient trop loin de tout système pour que la lumière de l'espace éclaire l'entrée caverneuse du vaisseau.

Prudemment, Leia s'avança, bouclée dans sa tenue spatiale, suivie de D2 et de Chewbacca fermant la marche.

Le silence persistait. Aucun système de sécurité ne s'était déclenché à leur entrée, aucune lumière n'avait réagi aux mouvements de Leia.

L'énergie du vaisseau était si faible que la gravité artificielle fonctionnait à peine. Leia posa doucement le pied devant elle, consciente qu'elle pouvait bondir vers le plafond si elle le voulait. Dans le silence du vide, D2 se précipita pour la dépasser et se catapulta sur ses chenilles dans un grand bond qui le fit atterrir de l'autre côté du sas. Il cogna la paroi avant de s'immobiliser, puis il se mit à tourner en rond, méfiant, en quête d'un éventuel danger.

Le ronflement de surprise de Chewbacca résonna dans le comlink de Leia. Il se dressait derrière elle, les membres douloureux, et n'avançait que lentement, mais elle était heureuse de l'avoir avec elle.

Leia alluma sa lampe-torche tandis que D2 fouillait les recoins du sas avec ses projecteurs. Elle découvrit les commandes intérieures. Elle redoutait avant tout de se trouver prise au piège dans le transporteur avec comme seul espoir que les droïds nettoyeux de l'*Alderaan* puissent la tirer d'affaire. Mais D2 pas plus que Chewbacca n'avaient accepté de demeurer en arrière-garde et elle avait refusé de les envoyer seuls en mission.

Les commandes réagirent et elle lança le cycle d'entrée.

La porte extérieure se referma et Leia perçut la lourde vibration du métal sous ses bottes. En dépit de sa combinaison chaude, elle frissonna. Ils laissaient derrière eux le dernier fragment d'espace et ses rares points lumineux d'étoiles distantes.

L'air arrivait et la pression montait régulièrement dans la baie de chargement. Leia essaya d'accélérer le processus, mais les piles du vaisseau étaient pratiquement épuisées et elle ne pouvait mettre en danger les systèmes de support vital des survivants endormis.

Chewbacca poussa un cri plaintif.

– Mais non, je ne sais pas ce que je cherche, confirma Leia. Les kidnappeurs ont fait halte ici et j'ignore où ils ont pu aller ensuite. Si tu as une meilleure idée, j'aimerais bien que tu me l'expliques.

Chewbacca renifla.

Elle vérifia sur les voyants de sa tenue que l'atmosphère était respirable, quoique pauvre en oxygène. Mieux valait sans doute garder sa combinaison pour ne pas risquer l'anoxémie ou la contamination.

La porte intérieure coulissa et Leia accéda au pont. Le transporteur était divisé en vastes sections où étaient empilés les sarcophages de sommeil. Les systèmes de support vital étaient au seuil du point critique. Dans certains sarcophages déjà sombres, il n'y avait plus que des cadavres.

Chewbacca mugit son désespoir. Il se souvenait, et elle

lui serra la main en un geste de compassion. Tous ces gens avaient été enlevés, comme Chewie. Et ils n'avaient pas eu de chance.

Elle s'approcha d'un sarcophage encore clair et chassa la poussière d'un geste. Sous la carapace transparente, elle vit un humanoïde. Il évoquait un prince de conte de fées. Ses longs cheveux striés de brun et d'or retombaient en bouclettes sur son front et jusqu'à son menton.

– Il vient de Firrerre, dit-elle. (Elle circulait ente les sarcophages. Tous leurs occupants venaient du même monde.) L'Empire les a tous emportés. Il a pris tout ce qu'il y avait sur Firrerre, et a tout effacé. Ils ont utilisé une arme biologique si dangereuse que personne n'a osé se poser sur la planète depuis. Je pense que leur race est définitivement éteinte.

Si elle parvenait à leur trouver un monde habitable, ils pourraient s'y installer et recommencer leur civilisation.

Elle se dit qu'elle aimerait tant retrouver une cargaison d'Alderaan.

C'est peut-être possible. Pourquoi n'y aurait-il pas des gens capturés sur ma planète ? Il se peut que l'Empire en ait enlevé un certain nombre avant de détruire Alderaan.

Elle revint au premier sarcophage et déclencha le processus d'éveil.

– Est-ce que tu saurais trouver les commandes de ce vaisseau ? demanda-t-elle à Chewbacca. Et récupérer de l'énergie ?

Sans répondre, Chewbacca emprunta un couloir obscur. Elle le suivit en bonds légers. D2 protesta en un trille chagrin ; chaque fois qu'il essayait d'accélérer, il quittait le sol et ses chenilles devenaient inutiles.

Chewbacca progressait d'un pas décidé. Il passa plusieurs intersections et emprunta d'autres couloirs. Ou bien il avait une expérience personnelle des transports, ou il avait eu l'occasion d'enregistrer leurs plans. Leia décida de ne pas le questionner à ce propos. Il le lui dirait le moment venu s'il le souhaitait.

Dans les tréfonds du vaisseau, il pénétra dans une pièce exiguë, sans hublots ni écrans de vision. L'endroit était étouffant, habité uniquement par des voyants de contrôle qui luisaient légèrement dans l'ombre.

Chewbacca les lut un moment avant de lancer un programme de commande. Brusquement, le vaisseau se réveilla, les lumières brillèrent et ils entendirent le souffle de l'air dans les conduits de ventilation. La température remontait déjà et Leia vit que sa combinaison se désactivait.

– Parfait, dit-elle. Merci, Chewie. Je retourne sur le pont. Je ne tiens pas à ce que le Firrerreo se réveille seul.

Chewbacca protesta en feulant et lui désigna un voyant isolé des autres.

– C'est quoi ?

Mais il quittait déjà la salle de contrôle et elle le suivit aussi rapidement que possible : elle n'était pas habituée à la faible pesanteur et ne tenait pas à rebondir comme D2.

Le rauquement de chagrin et de fureur de Chewbacca se répercuta dans le couloir.

Leia le retrouva l'instant d'après dans une cabine blanche et nette comme une salle d'opération. Il gardait les yeux levés.

Une Firrerreo était suspendue au plafond, prisonnière d'un filet bizarre.

Il y avait encore l'étincelle de la vie dans ses yeux. Son visage était beau et ses longs cheveux striés d'argent et de noir flottaient dans le faible courant d'air. Le filet avait entaillé sa peau dorée. Elle bougea faiblement.

– Elle est vivante ! s'écria Leia.

La Firrerreo bougea encore en silence. Les paupières nictitantes de ses yeux balayèrent ses iris noirs, et un bref instant elle parut aveugle.

– Descendez-la, vite ! Vous pouvez l'atteindre ?

Chewbacca tendit un bras vers un filament plus lâche que les autres.

– Non... fit la Firrerreo d'une voix rauque.

Le filament fouetta l'air en une spirale violente et Chewbacca retira sa main in extremis. La chose avait bien failli le capturer.

Derrière eux, ils entendirent un ricanement de dégoût et d'amusement.

Chewbacca chercha instinctivement le blaster qu'il n'avait pas.

Le Firrerreo que Leia avait réveillé se tenait sur le seuil, les jambes flageolantes, les mains crispées sur la paroi.

— Vous ne pourrez jamais la descendre comme ça, dit-il. Le filet vous capturera.

— Mais elle souffre! protesta Leia. Il faut la libérer!

D2 déploya ses connecteurs jusqu'à la prise de données de la cellule. Tel un serrurier habile, il vérifia tous les modules, un par un.

La prise éjecta violemment son senseur. La paroi cracha des filières qui dévidèrent leur écheveau soyeux autour du droïd. D2 recula en piaillant. Cette fois, la faible gravité l'aida : il rebondit en l'air et déchira le réseau avant qu'il ne le paralyse.

Le Fierrerreo rit plus fort.

— Arrêtez! lança Leia.

Elle arrachait les filaments de la carapace de D2. Ils étaient souples et fins mais ne cédaient pas. Dès qu'elle s'acharna, ils lui entaillèrent le gant jusqu'à la peau et elle les rejeta précipitamment. D2 réussit tout de même à se dégager.

Chewbacca poussa un grondement de colère en fixant le Firrerreo.

— Comment vous appelez-vous? demanda Leia. Vous trouvez cela drôle?

— Je pourrais vous demander exactement la même chose. Après tout, c'est vous les intrus.

— Je vous ai réveillé. Et probablement sauvé la vie.

— Qui vous a demandé de le faire? grommela le Firrereo d'un ton sourd.

Déconcertée, elle essaya de réfléchir.

Je suis une diplomate. Je peux m'en arranger.

— Je veux bien vous dire mon nom.

Elle dut faire un effort pour ne pas révéler sa véritable identité. Elle donna le nom de la personne imaginaire qui était propriétaire de l'*Alderaan*. Le surnom qu'elle avait eu dans son enfance. Et c'était tellement étrange.

— Je me nomme Lelila, et voici mon compagnon Geyya-hab.

Chewbacca lui adressa un regard intrigué. Elle lui avait choisi un nom de la mythologie Wookie qu'elle avait trouvé dans un conte que les enfants aimaient entendre avant de s'endormir. Mais le personnage, à vrai dire, n'avait rien d'héroïque. Sans doute Chewbacca s'offensait-il de ce choix – à moins qu'il ne considérât que c'était une insulte à sa religion, voire un blasphème, que de lui donner un alias mythologique.

– Je ne tiens pas à vous donner mon nom, grinça le Firrerreo. Mais elle s'appelle Rillao.

Il avait craché ce nom comme une insulte.

Leia leva la main.

– S'il vous plaît, aidez-moi à la descendre de là.

– Elle n'est pas de mon clan. Je ne lui dois rien. Et je ne vous dois rien.

– Et si je vous paye?...

– L'argent ne me sert à rien ici.

– Qu'est-ce que vous perdriez à m'aider? insista Leia.

– Rien, fit-il sans un geste.

– Mais qu'est-ce que vous voulez alors?

– Vous êtes qui? Une pirate? Ou un larbin de l'Empire qu'on a envoyé pour nous tourmenter?...

– Ni l'un ni l'autre. Est-ce que j'ai l'air d'un commando impérial, à votre avis? Et à ce propos, avez-vous vu des commandos impériaux quand on vous a amenés ici?

Il lui décocha un regard soupçonneux.

– Je veux être libre, dit-il.

– Mais vous l'êtes. Écoutez: aidez-nous.

Ses yeux s'étrécirent un instant, puis il parut prendre une brusque décision et se pencha sur la prise de données qui avait repoussé D2. Ses gestes étaient précis, comme si les connexions lui étaient familières. Mais pourtant, elles n'avaient d'autre but que les sévices et la torture. En ce cas, il pouvait être un collaborateur. L'Empire avait peut-être prévu cette cellule dans le seul but que certains prisonniers exercent leur pouvoir sur les autres.

Le Firrerreo recula en minaudant. Leia suivit son regard.

Rillao descendait lentement du plafond. Le réseau de filaments s'étira, se contracta, puis libéra peu à peu son corps. Leia vit que l'extrémité des filaments était marquée de sang.

Doucement, Chewbacca prit Rillao entre ses bras, avec un ronflement doux et coléreux à la fois. Rillao ne bougeait plus.

– Il faut l'emmener jusqu'à... jusqu'à mon vaisseau, fit Leia.

Elle avait bien failli dire *Alderaan*, et songea qu'elle devrait aussi lui trouver un nom d'emprunt.

Jaina se jeta dans son cubicule en sanglotant. Les larmes l'empêchaient de voir l'écran d'apprentissage de la salle d'étude. Elle n'avait qu'un désir : retourner dans le canyon avec Jacen. Et que Lusa revienne.

Elle pleurait, la tête inclinée.

Vram se dressa derrière elle et lui tapota l'épaule.

– Arrête de pleurer ! Redresse-toi bien droite et regarde !

Elle s'écarta de lui et lutta pour ne plus pleurer en essuyant ses yeux d'un revers de manche rageur.

– Le Seigneur Hethrir veut que tu répondes aux questions. Qui a été le plus grand chef de notre histoire ?

– Ma maman, bien sûr, dit Jaina.

– Faux ! Stupide ! C'est l'Empereur qui a été le plus grand chef de notre histoire !

Jaina le fixa d'un regard horrifié.

– Qui va restaurer l'Empire ? demanda Vram.

– Personne ! cria-t-elle.

– Faux ! C'est le Seigneur Hethrir qui va le restaurer ! L'Empire Ressuscité !

– Non !

Vram était détestable, Hethrir était détestable. Ils étaient tous détestables. Abominables. Et Jaina se remit à sangloter. Elle pleurait Lusa, Jacen et Anakin, le loungaroun de Monsieur le Chambellan, elle pleurait Papa, Maman et Oncle Luke – non pas qu'elle crût qu'ils étaient morts, c'était impossible, mais parce qu'ils devaient être inquiets, ils avaient de la peine et la cherchaient partout. Elle pleurait aussi Winter, Monsieur D2, Chewbacca et Monsieur C3 PO.

– Tu as tout faux ! Tout faux ! gronda Vram, furieux. Tout faux ! Tu vas aller au lit sans dîner. Et ça sera marqué dans tes notes !

Elle était tellement affamée qu'elle faillit bien cesser de pleurer instantanément. Mais la colère qu'elle éprouvait à cause de Lusa l'en empêcha.

– Tu es un mauvais garçon! glapit-elle. Mais comment fais-tu pour être aussi mauvais?

Elle lui donna un coup de pied dans le tibia. Il hurla de douleur et un autre Assistant surgit. Ils traînèrent Jaina hors du cubicule, jusqu'à sa cellule de sommeil. Elle se débattait en hurlant mais les autres enfants ne lui prêtaient pas la moindre attention. Ils avaient tous le regard rivé sur les questions de leur écran.

Vram claqua la porte sur elle et Jaina se retrouva dans les ténèbres.

Elle s'assit sur le sol dur et glacé – pas le moindre creux souple ne s'était formé – et lutta pour arrêter ses larmes. Il fallait qu'elle réfléchisse, qu'elle trouve un moyen de fuir ou d'envoyer un message à l'extérieur.

Elle avait été effrayée par la cérémonie de promotion d'Hethrir. Il lui semblait encore entendre la Jeunesse de l'Empire scander : «Vive L'Empire Ressuscité!»

Il faut que Maman sache, pour cet Empire Ressuscité, se dit Jaina. Il faut qu'elle soit au courant de l'existence d'Hethrir. Il parle comme ces tyrans démoniaques que Maman a combattus avant ma naissance.

Elle se demandait soudain si toute cette bataille n'allait pas recommencer.

Elle prit son multi-outil, l'ouvrit et se glissa vers la porte. Une écharde lui piqua le doigt : c'était à l'endroit précis où elle avait essayé de percer en direction du verrou.

Le foret mordit lentement dans le bois dur et elle en profita pour se demander comment elle allait ensuite sortir de la prison d'Hethrir, si elle parvenait à s'évader de sa cellule.

Est-ce que je saurai me glisser au large du dragon? Si je suis loin, il ne pourra plus me voir. Par exemple, si je franchis la clôture pendant qu'il se trouve à l'autre extrémité du canyon...

Mais elle ne croyait pas que ça pouvait marcher. Le dragon devait être aussi large que l'entrée du canyon. Il lui suffirait de tourner la tête pour l'apercevoir.

Je pourrais peut-être escalader la paroi, songea-t-elle. Mais elle est drôlement raide et lisse, et les Censeurs m'attendront sûrement sur la crête...

Ou alors, je dérobe un vaisseau et je le programme pour qu'il me ramène à la maison...

Si j'arrive à m'enfuir et à retrouver l'esquif d'Hethrir.

Le problème, résuma-t-elle, était qu'elle ne savait pas où ils se trouvaient par rapport à leur maison, ou Munto Codru. Mais le vaisseau, lui, le saurait peut-être...

Ou peut-être pas.

Mieux valait peut-être qu'elle essaie d'expédier un message.

Si j'arrive à m'extirper de cet endroit, se dit-elle, j'aurai une chance de savoir d'où viennent les messages qu'ils reçoivent. Et si je réussis à remonter jusqu'à...

Elle palpa l'endroit où elle avait percé le bois. Le trou était infime, étroit et peu profond. Mais son multi-outil était à tel point brûlant qu'elle pouvait à peine le tenir.

Elle soupira. Ça promettait d'être dur. Elle aurait tellement aimé avoir Jacen auprès d'elle pour lui parler et aussi pouvoir triompher du contrôle d'Hethrir. Comme ça, elle pourrait ouvrir la porte, découvrir le système de communications d'Hethrir... C'était tout ce qu'elle désirait.

Est-ce que je peux encore faire quelque chose? se demanda-t-elle. N'importe quoi?

Elle imagina les molécules d'air autour d'elle et en choisit une. Elle imagina son mouvement, l'accéléra. Puis reçut la réponse de la molécule.

Le pouvoir d'Hethrir ne réagit pas. Elle savait pourtant qu'il rôdait aux alentours, elle le sentait dans le lointain de sa perception. Mais il n'avait pas détecté le faible mouvement qu'elle avait suscité.

Elle ajouta une molécule de plus, puis une autre, et en redoubla le nombre. Très vite, une poignée d'air se mit à vibrer sous son énergie. Et la chaleur qui en émanait chassa la glace de toutes les cellules de son corps.

Le tourbillon d'air devint rouge, puis jaune, dispersant sa clarté dans tous les recoins du cachot.

Jaina rit de soulagement et de joie.

6

Une foule d'individus venus de mondes innombrables se pressa autour de Yan et de ses compagnons tandis qu'ils se dirigeaient vers les merveilleux bâtiments dorés. Yan crut entrevoir la Spectrale qu'il avait rencontrée la veille.

L'entrée de la structure accentuait encore l'effet de calligraphie, de hiéroglyphes ésotériques. Sur la façade de miroir, un dessin complexe suggérait des secrets d'or. Les deux ailes du bâtiment s'incurvaient autour d'une place intérieure tranquille. Les visiteurs se rassemblaient au-dehors puis entraient, un par un ou en petits groupes.

Xaverri attendait calmement leur tour. Yan se distrayait en essayant d'identifier les mondes d'où tous ces gens venaient. Il en était à plusieurs dizaines, sans compter les êtres dont l'origine lui était inconnue.

Il donna un coup de coude à C3 PO.

– Ces gars, là-bas, d'où est-ce qu'ils peuvent venir ?

Il ne désignait personne en particulier : la plupart des peuples de la République considéraient cela comme insupportablement grossier. Il se contenta d'incliner la tête en regardant un entassement de varech ambulant qui s'avançait.

– Et ça, c'est un groupe ou une seule personne ?

– Mais c'est un groupe, bien sûr, monsieur. Ils sont originaires de la quatrième planète de l'Étoile de Markbee qui se nomme, si je ne m'abuse, Zeffliffl. Plus précisément, des mers basses du plus petit continent austral.

L'un des monticules de varech brandit un sac ventru, en ouvrit l'extrémité et aspergea tout le groupe. Yan reçut quelques gouttelettes. Il recula, mais ce n'était que de l'eau salée. A présent, les feuilles des Zeffliffl avaient retrouvé un éclat noir dans la lumière dorée. Quelques-unes voletèrent jusqu'au sol en se crispant nerveusement.

Yan s'était tourné vers un second groupe composé de six individus massifs, trapus et ovoïdes, avec des jambes puissantes et des yeux pédonculés.

— Ils sont, dit C3 PO.

— Ils sont quoi?

Le droïd ne répondit pas.

— Quoi? insista Yan.

— Je viens de vous le dire, monsieur... Oh, veuillez m'excuser. Ce langage se situe en dessous des fréquences de votre spectre auditif. C'est un effet de l'environnement à haute gravité.

— Ils sont malades, dit Luke, doucement.

— Non, non, Maître Luke! le corrigea C3 PO. Ils parlent simplement dans un langage que l'oreille humaine ne peut...

— Je ne parle pas d'eux en particulier. Ce que je veux dire, c'est que dans tous ces groupes, il y a au moins quelqu'un qui est malade ou blessé.

Yan se concentra sur les races qui lui étaient familières et comprit très vite que Luke avait raison. Il observa la foule qui les entourait et découvrit ce qu'il n'avait pas vu jusqu'alors. Là, une famille se serrait autour d'un enfant, d'un parent ou d'un cousin. Plus loin, un clan venait d'arriver avec un brancard sur lequel gémissait un des leurs.

Yan hocha la tête en regardant Luke.

Puis il remarqua que son ami lui aussi n'avait pas vraiment l'air en forme. Que se passait-il? Il n'était jamais malade...

— Bientôt, dit Xaverri, vous comprendrez. C'est à nous d'entrer.

Elle avait une expression sinistre.

Elle s'avança dans la cour et ils la suivirent, C3 PO fermant la marche.

146

Tout n'était que silence. La calligraphie dorée du fronton se reflétait en scintillant dans le miroir du mur. Yan vit que la perspective changeait à chaque pas. Les caractères se dissolvaient, frissonnaient et se recomposaient comme s'il s'agissait d'une écriture vivante.

Ils étaient seuls dans la cour, dans un silence lourd. Yan jeta un regard en arrière, certain que tous les autres avaient disparu. Mais non, ils étaient toujours là où ils les avaient laissés, attendant et bavardant comme l'instant d'avant. Si ce n'est que leurs voix étaient inaudibles.

– Maître Luke, risqua C3 PO, je me demande, toute chose bien considérée, s'il ne serait pas mieux que j'attende dehors ?...

– Si tu veux, fit Xaverri. Mais je suis acceptée ici. Et nous ne courons aucun danger.

– Le danger ! s'exclama Yan. Attends, qui a parlé de danger ?

– Personne, fit-elle, amusée. Je dis simplement que nous ne courons aucun danger si vous me suivez.

– Mais...

– Ce que je voulais dire, fit C3 PO, c'est que ce lieu ne me semble pas... propice pour ceux de mon espèce.

– Mais toutes les formes d'intelligence sont les bienvenues ici.

– Même les droïds ?

– Même les droïds.

– Ah... Voilà qui est quelque peu inhabituel. Mais... Très enrichissant.

Au fond de la cour, ils passèrent sous une arche.

Et débouchèrent dans le chaos.

Ils avaient devant eux des suppliants, des mendiants gémissants qui s'étaient agglutinés en une cohue excitée et disparate. Ils se frayèrent un chemin parmi la foule et découvrirent une sorte de théâtre au plafond bas et au sol pentu. A l'autre extrémité de là où ils étaient se dressait un autel doré imposant.

– Waru, aide-nous ! Waru, guéris mon enfant, ma sœur-en-œuf, protège mes frères-en-âtre de la malédiction qui est tombée sur eux !

Les plaintes et les suppliques s'élevaient de tous côtés. Luke saisit le bras de Yan et s'y cramponna violemment.

– Hé, gamin!...

– Écoute! lui souffla Luke d'un ton pressant.

L'autel venait de bouger.

Yan se tendit.

– Alors, C3 PO, ça vient d'où, ça?...

– Monsieur, il me faut confesser qu'en dépit de ma connaissance de tous les mondes de la Nouvelle République ainsi que bien d'autres qui lui sont extérieurs, cet être ne m'est pas du tout familier.

– C'est Waru, dit Xaverri.

L'autel – l'autel vivant – se contracta violemment avant de s'élever et de s'orienter vers eux.

– Approche, Xaverri.

La voix était ample, grave et claire, et extrêmement douce. Elle se déployait comme un chuchotement, s'infiltrait à travers les membres de la congrégation. Xaverri s'avança, et les autres s'écartèrent. Yan la suivit sans réfléchir. Il ne savait qu'une chose : il ne tenait pas du tout à s'approcher seul de cette créature étrange. Il repoussa même la main de Luke qui tentait de le retenir.

En approchant de l'autel, Yan eut une vue plus précise de Waru. C'était une construction complexe de boucliers d'or enchâssés. Mais, derrière cette protection, au gré des mouvements de la créature et sous certains angles, on entrevoyait une couche de tissus à nu pareils à des tranches de viande. Un fluide – du sang? – luisait entre les boucliers massifs, perlait et s'écoulait en filets le long de l'estrade jusqu'à créer une mare. En débordant, il formait des stalactites qui se coagulaient et se solidifiaient au bord, touchant presque le sol.

Xaverri s'arrêta devant l'estrade.

– Xaverri, tu n'es point seule, chuchota Waru.

– Non, je ne suis pas seule, Waru.

– Souhaitent-ils être guéris? fit Waru d'une voix où pesait une infinie lassitude.

– Non, Waru. J'ai par-devers moi de nouveaux apprentis qui entendent étudier tes révélations, apprendre la vérité de par toi et prendre mesure de ton existence. Afin de t'apporter leur dévotion.

Yan réfléchit. Tout ce dialogue avait des résonances anciennes et obscures : « *Par-devers moi. Prendre mesure de ton existence...* »

Waru soupira.

– Je suis heureuse. Toi seule, Xaverri, m'as offert un présent. Tous les autres supplient de recevoir les miens et c'est avec bonheur que je les leur offre ! Mais...

– Ta générosité est le trésor précieux de la Station Crseih, dit Xaverri.

Nul ne réagit à la plainte de Waru. Il semblait que le chuchotement de la créature ne parvenait qu'aux oreilles de Xaverri et de ses amis. Yan prit conscience qu'il n'avait pas entendu Waru s'adresser à quelqu'un d'autre. Il percevait son chuchotement uniquement lorsque la créature parlait à Xaverri directement.

Oui, c'est un bon truc, se dit-il. Parce qu'il y avait forcément un truc... A moins qu'ils n'aient devant eux ce que Luke était venu chercher ici, à la Station Crseih.

Il lui jeta un regard en biais, mais l'expression du Jedi était indéchiffrable. Concentrée, sans le moindre reflet de joie intérieure.

Les boucliers dorés furent parcourus de frissons. On aurait dit le pelage soyeux et sensuel d'un animal. Ils se contractèrent et les veines se rapprochèrent. Le fluide, songea Yan, c'est de l'ichor, du sang purulent. C'est la première fois que j'en vois. Et l'ichor ruisselait de la base massive de Waru, formant une nouvelle nappe sombre. Une goutte s'écoula d'une stalactite. Elle se dilata et simultanément se coagula avant de se figer en une fine épine.

Plus l'armure se contractait, plus la créature se dressait en se penchant sur eux. Yan chercha vainement ses organes sensoriels. Il ne comprenait pas comment Waru pouvait posséder une voix.

Peut-être qu'elle nous perçoit dans la gamme infrarouge, à la surface de sa peau, songea-t-il.

Ou bien alors... Elle ne nous voit pas du tout. Elle n'est peut-être même pas vivante.

– Je vois que tu es venue me soumettre une nouvelle créature, dit Waru. J'ai déjà vu des humains jadis... Oui, bien des humains... Si fragiles. Mais pas ce genre d'être.

Waru se pencha un peu plus. La croûte d'ichor coagulé se craquela et des miettes rouges s'envolèrent, révélant d'autres écailles d'or.

– Qui es-tu ? Qu'est-ce que tu es, toi ?

Xaverri poussa C3 PO en avant.

– C'est une nouvelle connaissance à moi, Trois-Violet. Je pensais que tu n'avais jamais rencontré d'être tel que lui.

– Bienvenue, Trois-Violet, déclara Waru.

– Merci, madame Waru, dit C3 PO. Je suis très honoré de vous rencontrer.

Yan félicita en silence le droïd de protocole d'avoir bien perçu que les tournures de langage ésotériques ne se pratiquaient qu'entre Xaverri et Waru.

Moi, j'aurais gaffé, se dit-il. Et j'aurais sans doute fâché ce bazar sanguinolent. Mais pourquoi Xaverri ne nous a-t-elle pas mis au courant ?

– Mon seul nom est Waru, ronronna l'immense créature. Quoique certains m'appellent parfois « professeur ». C'est le seul titre honorifique que j'admette.

– En ce cas, c'est avec plaisir que je l'utiliserai, si vous voulez bien l'honorer, dit C3 PO. J'ai eu l'occasion d'étudier bien des sujets, en bien des lieux. Je suis expert en relations humain-cyborg et je pratique couramment six millions de formes de communication. J'accueille toujours avec reconnaissance un professeur enclin à partager mon savoir ésotérique.

Yan souffrait de la chaleur moite et pesante. L'odeur métallique, cuivrée, du fluide de Waru lui irritait les poumons. Luke, à ses côtés, fixait la créature, comme hypnotisé.

– Du calme, gamin, souffla Yan amusé. Ça n'est qu'une...

Xaverri lui lança un regard rapide et furibond. Tandis que Luke se tournait vers lui, lentement, les yeux vidés de toute humanité, avant de revenir à Waru. Décontenancé, Yan se tut, mais il acheva le commentaire pour lui seul : Ça

150

n'est qu'une escroquerie, de l'arnaque. Même si c'est plus compliqué que tout ce que j'ai déjà vu. Si je me fie à Ben Kenobi ou à Luke, je crois qu'aucun Jedi ne se comporterait ainsi. Et si Waru représentait le Côté Sombre, il le saurait déjà.

Non, la meilleure défense avec ce machin, c'est de rire.

– Xaverri, ma très honorée étudiante, fais-moi connaître si tu as su étudier les textes que je t'ai confiés.

– Oui, professeur.

– Bien sûr, tu n'aurais pas su appréhender la connexion entre le flux ego et le contre-jour universel, mais je m'interroge : aurais-tu fait le bond conceptuel vers la synergie de la conception intellectuelle et la cristallisation du quantum ?

– C'est avec embarras qu'il me faut admettre que je ne l'ai pas fait, dit Xaverri. Même si, maintenant que tu m'as montré le chemin, je puis discerner que l'interaction est absolument inévitable.

Yan étouffa un grognement d'irritation incrédule.

Xaverri et Waru poursuivirent leur dialogue durant un long moment. Les plaintes de la foule commençaient à porter sur les nerfs de Yan. Il résistait à une envie terrible : celle de bondir sur l'estrade et de leur dire à tous de retourner chez eux et d'aller consulter leurs docteurs. Il voulait aussi demander à Xaverri pourquoi elle flattait ainsi cette chose. Sa déférence envers Waru le répugnait.

Au bon vieux temps, elle ne lui aurait jamais fait ce genre de comédie. Elle connaissait trop bien les pièges. Elle-même en avait monté certains, mais elle avait réservé le coup de la guérisseuse aux officiers les plus méprisables de l'Empire. Et elle s'était toujours arrangée pour dépouiller ses proies de l'essentiel de leurs biens.

Est-ce qu'elle croyait vraiment à cette absurdité ? se demanda-t-il. Si c'était le cas, elle n'avait plus rien à voir avec la femme qu'il avait connue, et elle avait changé bien au-delà de l'aspect physique. Mais si elle n'y croyait pas, alors que faisaient-ils ici ?

Ç3 PO écoutait la conversation en silence, ce qui ne lui ressemblait guère. Yan fronça les sourcils. Cette expression du droïd était toujours indéchiffrable, mais c'était rare que Yan n'arrive pas à savoir ce que C3 PO pensait quelle que soit la situation. Le droïd finissait toujours par tout dire. Ou bien il dissimulait de façon transparente car, pour un droïd de protocole diplomatique, C3 PO était l'un des menteurs les plus lamentables que Yan ait jamais rencontrés.

D'un autre côté, nombreux étaient ceux qui aimaient qu'on leur mente, que le mensonge les flatte ou les séduise. C3 PO était passé maître dans cette technique.

Luke écoutait et regardait avec cette même expression fixe et fascinée qu'il avait eue dès qu'il avait été en présence de Waru, et c'était surtout sa réaction qui inquiétait Yan.

Waru achevait un discours sur l'état de l'univers dont Yan avait depuis un moment perdu le fil.

— Mais maintenant, fit Waru avec un désappointement évident, je ne saurais prolonger plus longtemps cette conversation très enrichissante.

Xaverri posa la main sur l'une des écailles dorées de la créature, ferma les yeux et se fit aussi silencieuse qu'immobile. Un éclat rose rayonnait à présent de l'écaille et Xaverri paraissait réagir à une chaleur nouvelle. Luke fit un pas vers elle en tendant la main, mais Yan l'agrippa et le força à reculer. Luke se retourna vers lui en grondant.

Surpris, Yan lui lâcha la main. Il n'avait plus qu'un désir : fuir de cet endroit qui le dégoûtait, même s'il devait laisser ceux qu'il aimait dans le ridicule et la honte.

— Ne sois pas stupide ! lui chuchota-t-il. Et ne te fie surtout pas à tes nouvelles relations !

Il reprit le poignet de Luke et le serra encore plus fort.

Luke regarda les doigts de Yan se crisper sur son bras et une lueur d'intelligence revint dans ses yeux. D'un geste rapide, sans effort, il se dégagea.

— Tu as raison.

Il tourna le dos à Yan et porta un regard intense et avide sur Xaverri et Waru.

— Je déteste quand tu fais ça, marmonna Yan.

Xaverri venait de s'écarter de Waru. Un bref instant, l'empreinte de sa main brilla sur l'écaille d'or. Puis une goutte d'ichor perla et tomba en faisant « plop ». Xaverri s'inclina alors en signe d'obéissance.

D'un coup, la créature se désintéressa d'eux et ce fut comme s'ils étaient libérés d'une pression. Yan fit un pas en vacillant, se rétablit et chassa l'effet néfaste d'un haussement d'épaules. Mais il voulait savoir ce qui lui était arrivé.

Xaverri recula, tandis que la foule tumultueuse s'avançait, chacun se dirigeant vers Waru.

Xaverri s'effondra si soudainement que Yan faillit la laisser faire. Du temps où il la connaissait, jamais elle ne s'était évanouie, même au pire de l'épuisement et de la souffrance. Il avait toujours été étonné par sa résistance. Il pensa aussitôt qu'elle s'était laissée tomber volontairement : elle avait voulu s'incliner encore une fois devant Waru, ou elle avait laissé choir quelque chose qu'elle cherchait à récupérer.

Yan se précipita pour la soutenir. Elle était agitée d'un tremblement violent. Luke et C3PO se rapprochèrent. Ensemble, ils battirent en retraite vers le fond de la salle. Yan se ruait déjà vers la porte, mais Xaverri se débattit pour lui échapper.

— Reste ici ! lui ordonna-t-elle. Je vais bien, si ce n'est que... Quand je parle avec Waru, j'en ressens les effets. Mais il faut absolument que vous assistiez à la cérémonie.

— Les effets ? rétorqua Yan, incrédule. Mais tu étais complètement assommée. Fichons le camp d'ici !

Xaverri avait retrouvé un peu de son teint doré et elle ne frissonnait plus.

— C'est à toi de bien observer, insista-t-elle.

— Elle va bien, intervint Luke. C'est pour cela que nous sommes venus ici.

— D'accord, fit Yan d'un ton réticent.

Ce truc, c'est de la poudre aux yeux, se dit-il, mais ça peut être dangereux quand même.

Ils reculèrent vers le fond de la salle. Là, comme le sol était pentu, ils avaient vue sur toute la foule. Waru était toujours sur l'estrade, dans sa mare d'ichor caillé. Un petit groupe de suppliants venait d'escorter un des leurs devant elle. Les Zeffliffl étaient du nombre : ils venaient de hisser un de leurs camarades lamellidés en haut de leur masse informe et le faisaient glisser vers la flaque visqueuse de Waru. Le Zeffliffl était nettement plus pâle que ses camarades, d'un jaune-vert malsain qui tranchait sur le noir bleuté luisant de son groupe. Il présentait également quelques pauvres petites lamelles flétries à chaque mouvement.

– Souhaites-tu réellement que j'essaie de te guérir, voyageur? demanda Waru.

Sa voix n'était plus qu'un chuchotement qui, pourtant, résonnait dans toute la salle.

Le Zeffliffl répondit par un bruissement semblable à celui de feuilles prises dans un tourbillon océanique automnal sur quelque autre monde.

– Il vient de dire : «Je vous invite à m'aider», traduisit C3 PO.

Et voilà l'entourloupe, se dit Yan. Donne à Waru tout ce que tu possèdes...

– En ce cas, je veux bien t'aider, déclara Waru.

Dans l'auditorium, tous se turent. Et l'attention générale se fixa sur Waru et son patient.

Waru s'inclina vers le Zeffliffl. De nombreuses écailles dorées se liquéfièrent à la surface de son corps en laissant une plaie béante et répandirent un vernis métallique scintillant sur le varech accroupi. Yan observait attentivement la scène : il aurait aimé se trouver au premier rang pour voir comment Waru réussissait un coup pareil.

Mais pourquoi tu nous fais reculer jusqu'au fond de la salle, Xaverri? s'interrogea-t-il. Est-ce que tu avais peur que je sois trop près?...

Le Zeffliffl était maintenant rattaché à la carapace métallique de Waru, comme un insecte prisonnier d'une matrice externe. L'ichor dégoulinait de la plaie, comme du sang s'écoulant d'une entaille. Le fluide, en se répandant sur l'entité, répétait le dessin que Yan avait vu à l'extérieur du bâtiment. Les ruissellements se rapprochaient pour se fondre et créer une chrysalide translucide.

Les Zeffliffl, au bas de l'estrade, se tenaient maintenant étroitement serrés, frissonnant de toutes leurs lamelles comme lors d'une tempête furieuse.

La foule gardait le silence. Tout autour de Yan, les êtres de tous les mondes s'étaient inclinés. Y compris Xaverri, dont ce n'était guère l'habitude. Mais Yan, têtu, ne voulait pas manquer une seconde du spectacle.

Un long frissonnement tourmenta Waru. Ses écailles d'or se chevauchèrent en tintant comme des clochettes de cristal pur.

Les sentiments de Yan étaient partagés. Il éprouvait de l'admiration pour Waru à cause des effets dont elle se montrait capable mais également du mépris à l'égard de ses adeptes pour leur crédulité.

Le frissonnement se propagea dans la chrysalide qui tressaillit, vibra et s'enfla.

La couche d'ichor solidifié éclata. Telle de la poussière d'argent, les fragments, se dispersèrent dans l'air. Des marques et des éraflures apparaissaient sur la carapace dorée de la créature. Celle-ci se crispa puis se flétrit avant de s'épanouir lentement tels les pétales d'une fleur pour révéler à nouveau le Zeffliffl.

Les pétales furent absorbés par le corps de Waru, et se refondirent dans les écailles dorées. A la base de la créature, le Zeffliffl demeurait inerte.

Soudain, il se secoua comme un chiot mouillé. Ses collègues frémirent d'excitation. Le Zeffliffl déploya ses lamelles vertes tachetées de moisissure sombre.

C3 PO chuchota :

– Ils disent que leur ami de groupe revient d'entre les morts.

Le Zeffliffl se glissa vers les siens et reprit sa place au sein du groupe. Le paquet de varech s'éloigna dans un gazouillement animé.

Le silence de l'auditorium était maintenant brisé : chacun des êtres présents au pied de Waru s'éveillait en sons, en chansons et en lumières variés.

– Le Zeffliffl a dit merci, traduisit C3 PO en haussant le ton pour se faire entendre, et...

– Et il a promis qu'il allait lui faire don de tous ses biens, acheva Yan, cynique.

– Non, monsieur, pas du tout. Ils saluent tous Waru

155

comme leur bienfaitrice. Et il n'a point été question de récompense monétaire.

Yan haussa les épaules, l'air sceptique.

– Il est toujours question de récompense à un moment ou un autre. Est-ce qu'on pourrait sortir d'ici ? La gratitude, ça me rend malade.

Xaverri se détourna sans un mot et sortit. Un instant surpris, Yan la suivit. Il retrouva avec soulagement le silence et la fraîcheur de la cour, il rattrapa la jeune femme et posa la main sur son épaule.

– Xaverri... !

Elle s'écarta et marcha vers la sortie. Elle ne s'arrêta que devant l'arche pour se retourner vers lui.

– On ne parle jamais dans la cour. Jamais.

– Excuse-moi. Je ne voulais pas casser ta couverture.

C3 PO les rejoignit.

– Maître Yan, Maîtresse Xaverri : y aurait-il un problème ?

– Non, fit Yan. Je ne le pense pas. Du moins, je l'ignore. Si ce n'est que Luke est resté là-bas !

Il s'élança sous l'arche en courant, brusquement inquiet en se rendant compte qu'il avait perdu Luke de vue depuis une bonne minute. Il entra en trombe dans l'auditorium. Au premier regard, il ne vit nulle part son ami. Mais ses yeux ne s'étaient pas encore réaccoutumés à la pénombre, et le bruit et la chaleur l'oppressaient à nouveau.

Il inspecta tous les endroits où ils s'étaient trouvés. Et il retrouva Luke là où ils l'avaient laissé. Le Jedi fixait toujours l'estrade sur laquelle Waru venait de happer un autre suppliant.

– Allez, viens ! fit Yan en lui agrippant le bras pour tenter de l'entraîner.

Luke ne lui opposa pas la moindre résistance.

Xaverri s'éloignait. Elle était déjà à une centaine de pas sur le sentier qui accédait au dôme, lorsque C3 PO fit mine de la rejoindre en l'appelant plaintivement. Quand il aperçut enfin Yan et Luke, il courut droit vers eux, soulagé.

– Elle n'a pas voulu attendre, Maître Yan. Je le lui ai pourtant demandé poliment mais...

Le droïd se tut, ne trouvant plus ses mots.

– Tu prends tout ça beaucoup trop à cœur, Trois-Violet. Allez, viens.

Yan s'avança en entraînant Luke. Il ne le libéra que lorsqu'ils eurent rejoint Xaverri. Le Jedi n'avait pas esquissé le moindre geste de défense. Il gardait un regard lointain, perdu, l'air absent.

– Luke! Qu'est-ce qui ne va pas? Dis-moi! Xaverri, attends!

Elle s'arrêta enfin, raide de colère.

Luke leva alors la tête et redevint très vite lui-même.

– Waru est-elle le Jedi perdu? risqua Yan.

– Non... Non, je ne le pense pas... Je l'ignore. Je ne sais pas ce qu'est Waru, au juste. Je devrais pouvoir le dire, reconnaître un autre Maître Jedi. Mais non...

Il inspira lourdement.

– Est-ce que ça pourrait être une manifestation de la Force?

Luke hésita avant de secouer la tête.

– Je suis certain que je le saurais. Mais non... C'est autre chose.

Il eut tout à coup un sourire lumineux qui effaça ses hésitations comme ses craintes.

– Mais c'était stupéfiant, non? Vous ne trouvez pas?

Xaverri acquiesça.

– Chaque fois que je vois Waru faire ça, je n'arrive pas à y croire, dit-elle. Mais il le faut pourtant.

– Moi, je ne le crois pas, protesta Yan. Si ce n'est pas une manifestation de la Force, qu'est-ce que ça peut être sinon un numéro de charlatan? Je connais au moins six trucs pour faire ce que Waru a fait. Je te change un Zeffliffl contre un autre, pour le passe-passe du malade...

– Mais, monsieur, intervint C3 PO, ses collègues de groupe n'auraient pu tolérer une substitution. Ils auraient violemment réagi à une imposture.

Yan haussa les épaules.

– Waru leur a graissé la patte... Je veux dire la feuille.

– La réaction ne saurait s'acheter, monsieur. Elle n'est pas consciente. On ne saurait la comparer qu'à une réponse allergique.

157

Yan leva les bras d'un air exaspéré.

— Dans ce cas, c'est sans doute le malade qui était l'imposteur, à moins qu'on ait affaire à un stratagème mécanique. Ou encore, ils ont peint leur malade en verdâtre avant de le laver dans le cocon et ni vu ni connu. Ce qui compte, c'est qu'ils l'ont fait et non pas comment ils l'ont fait. Waru n'avait pas besoin de pouvoirs surnaturels pour guérir ce Zeffliffl parce que celui-ci n'avait pas besoin d'être guéri, un point c'est tout!

Xaverri croisa les bras et fixa pensivement le sol.

— Est-ce que tu crois que j'ai totalement perdu l'esprit? demanda-t-elle d'un ton glacé.

Son mépris le stimula.

— Oui, ça pourrait s'expliquer ainsi.

— Moi, Xaverri, la plus frauduleuse de l'ancien Empire?

— On change tous. Écoute, si quelqu'un sait réussir vraiment un bon tour, que même toi tu ignores, tu pourrais te faire avoir également, non? Mais comme tu es tellement habile, il est difficile d'imaginer que quelqu'un puisse faire mieux que toi.

— C'est impossible.

Luke s'était tourné vers l'arche d'entrée. Un instant, Yan craignit d'avoir à le poursuivre si jamais l'envie lui prenait de retourner auprès de Waru.

— Il y a quelque chose, proféra Luke.

— Mais pas ton Jedi perdu.

— Yan, il ne s'agit pas d'une supercherie.

— Luke a raison, fit Xaverri.

— Très bien! J'abandonne! Waru existe bel et bien, ce qui veut dire que vous n'avez plus besoin de moi, parce que la République ne se mêle jamais de la religion des gens!

Il se remit en marche sans un mot de plus.

— Yan! lança Luke. Mais où vas-tu?

— Je pars en vacances. Tu sais que j'ai encore pas mal d'années à prendre, non?

C3 PO s'élança derrière lui.

— Maître Yan, si je puis avoir l'audace de...

— Ça veut dire quoi, ce charabia?

— Nos ressources commencent à être sévèrement

réduites. Si vous envisagez de jouer – et je n'entends certainement pas insinuer par là que vous ne devriez pas le faire, pas plus que je pense qu'il y ait quel mal que ce soit à jouer ou qu'il soit même possible que vous risquiez de perdre – mais si vous envisagez de jouer... ne pensez-vous pas que le mieux serait, à titre d'assurance tout simplement, bien entendu, de me laisser une part de vos biens les plus précieux en dépôt? J'ai cru remarquer que notre tenancier s'inquiétait de notre addition quand nous avons quitté le logis aujourd'hui, et il m'a fixé avec un regard positivement venimeux!

Yan sortit une liasse de crédits de sa poche et la glissa entre les doigts violets de C3 PO.

– La prochaine fois que tu auras besoin d'argent, contente-toi de me dire : « Est-ce que je peux avoir un peu d'argent? »

Puis Yan pouffa de rire en pensant à la table de jeu et aux cartes qu'il comptait bien toucher.

– Ne t'en fais pas, il y en a encore, ajouta-t-il avant de s'éloigner.

Leia et Chewbacca firent tout ce qui était en leur mesure pour Rillao, la Firrerreo blessée. Quand Leia interrogea l'unité médicale de l'*Alderaan*, elle n'eut que de vagues réponses. Les Firrerreos étaient au fond comme des humains, avec cependant quelque chose de plus, quelque chose de différent. L'unité médicale mettait en garde contre tout effet toxique de l'alimentation. Il n'était pas question d'antibiotique, mais les blessures de Rillao ne paraissaient pas infectées. Et elle avait un pouvoir de récupération étonnant. Dès qu'elle avait été libérée des filaments, sa peau s'était régénérée et les lacérations avaient commencé à se cicatriser. Le processus de guérison s'activait sous le regard étonné de Leia. Des fils ténus et argentés couraient sous la peau dorée de Rillao.

Pourtant, elle ne semblait pas sur le point de se réveiller.

– Qu'est-ce que nous pouvons faire d'autre? demanda Leia au Firrerreo sans nom.

Il eut l'équivalent d'un haussement d'épaules humain.

– Elle vivra, Lelila, ou bien elle mourra.

Il était vautré dans un fauteuil, parfaitement détendu.

– Et ça ne vous fait rien d'autre?...

– Elle n'est pas de mon clan.

Leia décida d'abandonner le sujet. Elle coiffa les cheveux raides de Rillao pour rendre visible son visage dur puis jeta une couverture sur ses épaules.

– Est-ce que ceux de votre race dorment étendus? demanda-t-elle.

– Pourquoi ferions-nous autrement?

Il était apparemment surpris de répondre sans agressivité.

– Oui, on se demande bien pourquoi, soupira Leia. (Elle posa la main sur la carapace de D2.) Tu peux veiller sur elle?

Il émit un petit sifflement très doux.

– Merci. (Elle se tourna vers Chewbacca et le Firrerreo anonyme.) Vous avez faim?

Chewbacca grommela, à la fois soulagé et avide.

– Moi aussi, conclut Leia.

Elle était affamée. Elle n'avait rien mangé depuis les petits biscuits du chambellan qui avaient accompagné son thé drogué. Elle précéda ses deux convives vers la cuisine exiguë de l'*Alderaan*. Leia se demanda si le Firrerreo allait refuser toute nourriture, mais il se contenta de renifler rapidement le ragoût qu'elle lui servit – l'analyse avait suggéré que le métabolisme firrerréen exigeait un niveau élevé de protéines – puis il le goûta prudemment avant de l'engloutir avec aisance. Leia remarqua qu'il tenait le bol près de sa bouche en prenant délicatement les morceaux de viande à deux doigts.

Chewbacca, pour sa part, se servit un grand bol qu'il garnit d'algues salées et séchées et d'un trait de miel de sa forêt.

Ils gardèrent le silence jusqu'à l'instant où Leia finit de gratter le fond de son bol avec sa cuiller. Elle observa furtivement le Firrerreo qui buvait la sauce de son ragoût et pensa : Il a accepté cette nourriture parce qu'il ne concède aucune autre obligation. Il ne m'a pas réclamé à manger. Si je lui demandais des remerciements, il me dirait : « Mais personne ne vous a rien demandé et je ne vous dois rien. »

– Pourquoi haïssez-vous Rillao? demanda-t-elle brusquement.

Il se lécha les lèvres, regarda la marmite et décida apparemment qu'il ne prendrait pas un troisième bol.

– Elle était dans la chambre des tortures! (Tout à coup, sa langueur l'avait abandonné et il se tourna vers Leia avec un regard brûlant de colère.) C'est à cause d'elle que nous avons dû être exilés, Lelila. Pour quelle raison l'Empire l'aurait-il mise dans cette chambre?

– Pure et simple cruauté.

Elle ne comprenait pas pourquoi le Firrerreo anonyme utilisait si fréquemment son nom d'emprunt. Mais peu importait : ça l'aidait à se rappeler son vrai prénom.

– Non, non, Lelila. L'Empire est cruel, certes, mais il sait utiliser sa cruauté. Pour engendrer la peur, afin d'extorquer, ou encore accroître son pouvoir...

– L'Empire a disparu. C'est fini. Il a été vaincu. Vous êtes libre, vous et les vôtres.

Comme elle ne s'était pas attendue à de la reconnaissance ni à de la joie, elle ne fut pas déçue.

– Vaincu! (Il cogna sur la table.) Vous m'avez dit que vous pouviez me rendre ma liberté? Mais, Lelila, ça n'était pas à vous de le faire!

– Je vous ai dit que vous étiez libre, maintenant, c'est tout.

Si elle devait révéler sa véritable identité, elle pourrait revendiquer une part dans cette libération. Mais elle devait rester Lelila.

Le Firrerreo grommela. Et Chewbacca lui répondit en écho.

Mais Leia ne se départit pas de son calme. Et elle sourit.

– Personne ne m'a demandé d'explication. Vous m'avez seulement posé la question de votre liberté.

Le Firrerreo eut un reniflement de mépris, suivi d'une expression de respect intense. Sous les yeux ébahis de Leia, il se redressa et s'inclina.

Puis quitta la pièce.

– Vous allez où, passager anonyme? demanda-t-elle.

Il ne répondit pas mais elle n'en fut pas étonnée. D'ailleurs pourquoi avait-elle posé la question?

Elle le suivit pourtant. Il mesurait une tête de plus qu'elle et, en dépit de son corps svelte, elle le soupçonnait d'être très puissant. Il se dirigeait vers le sas sans s'inquiéter de sa présence.

– Vous allez réveiller les autres, passager anonyme?

– Ici, dans ce vaisseau, Lelila? Mais dans quel but?

– Afin qu'ils retrouvent leur énergie...

– Mais le vaisseau entretenait leur énergie pendant leur sommeil.

– ... et pour décider de ce que vous devez faire à présent que vous êtes libres! acheva Leia.

– Est-ce que nous devrions regagner notre monde? grinça-t-il.

Il sait, songea Leia. Les soldats de l'Empire avaient-ils pu le réveiller et le soumettre à la torture en lui racontant de quelle manière ils avaient détruit sa planète?

– Non, fit-elle enfin. Votre monde est en quarantaine. Personne ne peut plus quitter votre planète, ni y débarquer.

Il venait de s'arrêter net devant le sas, les épaules ployées. Leia lui prit le coude pour tenter de le redresser. Il poussa un cri qui était peut-être celui d'un prédateur bouleversé par le chagrin.

Et elle sut ce qu'il ressentait.

– Excusez-moi. Je suis vraiment désolée, dit-elle.

Il se tourna vers elle.

– Lelila, vous avez empoisonné notre monde?

– Non! Je... Mais j'ai participé à la défaite de ceux qui l'ont fait.

– La Brigade des Astres Morts?

La Brigade des Astres Morts avait été une des unités d'élite des forces d'assaut de l'Empire.

– Non, pas seulement la Brigade, l'Empire tout entier aussi. (Elle le regarda droit dans les yeux.) Il a également détruit mon monde.

– Ah... Alderaan, oui, Lelila. Je pensais que vous veniez peut-être d'Alderaan.

162

La porte du sas coulissa et il s'avança dans la baie de chargement. Leia tenta de lui saisir le poignet mais elle retira vivement son bras en sentant la tension de ses muscles.

– Qu'allez-vous faire ?

– Continuer.

– Mais c'est inutile ! Tout le monde est libre, désormais, à l'intérieur de la Nouvelle République !

– L'Empire nous a légué un monde. Nous allons continuer.

– Mais il est possible que... Vous ne pouvez pas savoir. Que vont devenir les autres vaisseaux abandonnés ici ?

Il se pencha vers elle et ses cheveux lui firent un halo dans la faible gravité.

– Je n'ai rien à voir avec ces autres vaisseaux et ils n'ont rien à voir avec moi. Lelila, faites comme vous l'entendez. Quant à ce nouveau monde... Nous sommes des gens aventureux. Nous savons saisir la chance.

– Vous allez continuer à voyager en subluminique. Il vous faudra des siècles ! La République peut vous fournir l'hyperdrive, et même un monde plus proche.

– Dans quel but ? Le temps s'écoulera sans que nous en ayons conscience. Nous dormirons. Si toute trace des souvenirs de l'Empire s'efface avant notre réveil, tant mieux. Et si votre République a disparu entre-temps, pourquoi nous en soucier ?

Leia fit un pas en arrière. Elle ne trouvait pas de mot qui pût lui faire changer d'idée. Il n'agissait que selon son sens du devoir.

– Eh bien... Je vous dis au revoir et bonne chance, fit-elle.

– Lelila, puissiez-vous toujours vous mettre à l'abri du vent.

– Pourquoi répétez-vous sans cesse mon nom ?

– Pour le pouvoir qu'il donne, Lelila.

Le sas commençait à se refermer.

– Mais, Princesse Leia, ce faux nom ne me donne qu'un faible pouvoir. Vous n'êtes pas à l'aise quand vous le portez. Et votre déguisement est lamentable.

Le sas se ferma définitivement.

Yan retournait en flânant vers les dômes de la Station Crseih. Il avait une petite soif et aurait bien bu de la bière locale. Il avait également envie de rejouer un peu au Chance & Risque. Mais, en même temps, il voulait se trouver une autre taverne.

– Bonsoir, petit humain.

Il se retourna et faillit se heurter à la géante humaine qu'il avait rencontrée la veille. Elle rit de toute sa hauteur mais Yan jugea cette réaction tout à fait superficielle.

– Tu as quitté notre partie bien trop tôt. Les cartes m'ont été plus favorables dans la soirée.

– Félicitations! Je suis heureux que tu n'aies pas complètement perdu ta nuit.

Elle se pencha et les boucles blanches de ses cheveux retombèrent autour de son visage.

– Ce soir, je ne vais pas perdre non plus. Je constate que tu connais les bonnes manières et que tu sauras me laisser la chance de me refaire, n'est-ce pas?...

– A vrai dire, je n'envisageais pas une partie, mentit Yan. Non, je ne tiens pas aux cartes ce soir. Disons que je voulais juste prendre l'air et boire un verre.

– Alors faisons couler la bière à flots, dit la géante en lui empoignant le bras.

Ses doigts faisaient parfaitement le tour de son biceps, constata Yan.

– Je... C'est-à-dire que j'ai déjà bu quelques pintes. Il faut que je respecte mes limites...

Il tenta de se dégager, ainsi qu'il l'avait fait avec Luke. Mais la géante l'arracha au sol avec désinvolture et il tendit désespérément les orteils vers la terre ferme.

– Tu feras comme tu voudras, tu boiras ou pas. Mais une chose est certaine : tu vas jouer.

– Bon, d'accord, mais pourquoi ne pas me l'avoir dit plus tôt que c'était ton truc? On va y aller. Et puis, est-ce que tu veux bien me rendre un service? Tu me reposes parce que là, ça n'est vraiment pas confortable.

Une seconde, il songea qu'elle pouvait tout aussi bien

l'envoyer promener n'importe où, d'un seul geste. Elle décida cependant de le reposer. Sans le libérer vraiment. La géante le poussa devant elle.

– Hier soir, hasarda Yan d'un ton aimable, je n'ai pas vraiment compris ton nom. A propos, ça ne te ferait rien de ne pas me serrer aussi fort?...

– Je n'ai pas dit mon nom parce que tu ne me l'as pas demandé. Je m'appelle Sérénité Céleste. Et je refuse de te serrer moins fort.

Il leva les yeux pour la regarder et elle lui sourit.

Jaina dévora son petit déjeuner.

Elle avait tellement faim qu'elle ne sentait plus la graisse rance qui flottait à la surface de son porridge. Quand elle eut fini, son estomac continua pourtant de gargouiller. Elle sentait le parfum des fruits, du miel et des pains chauds que les Censeurs se partageaient.

Elle en avait l'eau à la bouche. Elle regardait les Censeurs assis à la haute table et les Assistants à la table moyenne en train de savourer leur somptueux et gigantesque breakfast. Ils riaient et parlaient fort tout en laissant tomber la moitié de leur assiette, vautrés dans leurs fauteuils, les pieds sur la table.

Les enfants, installés aux tables basses, devaient attendre que les Censeurs aient fini de festoyer pour se lever de table.

Ça n'est pas juste! se dit Jaina en un cri silencieux.

Elle n'apercevait que le haut du crâne de Jacen. Il était à l'autre bout de la cafétéria. Elle aurait tellement aimé lui dire qu'elle avait réussi à percer la moitié de la porte de sa cellule et qu'elle avait pu reboucher le trou avec de la sciure et de la salive.

Vram, lui, était installé à une table moyenne avec les autres Assistants. Il engloutit un fruit, une part de pain et une énorme poignée de petits gâteaux. Ensuite, il s'empara d'un cake au miel qu'il montra aux enfants. Et à Jaina. Le miel coulait entre ses doigts et il le lécha.

Jaina baissa les yeux pour ne plus le voir.

Sur la table, devant elle, il y avait un insecte, une minus-

165

cule fourmine, qui clopinait sur ses pattes fines comme des cheveux. Ce n'est pas vraiment une fourmine, se dit Jaina, elle a dix pattes au lieu de six et deux antennes de plus! Mais elle ressemble plus ou moins à une fourmine. Jacen saurait ce que c'est. Je parie qu'elle a faim.

Elle ramassa la dernière graine de porridge au fond de son bol et la posa près de la fourmine. Cette dernière en fit le tour, la palpa avec ses antennes, la souleva et l'emporta.

J'espère que tu l'apprécieras mieux que les pauvres enfants que nous sommes, songea Jaina.

La fourmine transportait sa graine de porridge vers le bord de la table.

Et Jaina eut tout à coup une idée.

Elle avait semé du sable en revenant de la cour de récréation sur ses pas. Il y en avait dans toutes les craquelures et les fissures des dalles, et aussi sur la table. Elle s'amusa à déplacer un grain.

Je vais me changer en fourmine, songea-t-elle. Je ne serai plus une petite fille, je ne serai plus Jaina. Je n'aurai plus aucun pouvoir de Jedi – je ne serai qu'une fourmine! Une espèce de fourmine. De myriapode. Et qui se méfierait d'une petite bestiole?

Elle donna un coup de pouce dans le grain de sable. Qui fila vers le bord de la table avant de tomber dans le vide.

Jaina se voûta, sentant déjà sur ses épaules le poids glacial de la couverture humide d'Hethrir qui allait la couper du monde.

Mais il ne se passait rien. Tout comme la veille, lorsqu'elle avait déplacé les molécules d'air.

Elle se lança alors vers les grains de sable qui traînaient sur la table des Censeurs. Elle n'en trouva aucun. Quelqu'un avait fait le ménage juste avant elle. Pourtant, il y avait un certain nombre de grains sur le sol de l'estrade. Jaina s'amusa à en faire bouger quelques-uns. Elle les fit monter dans l'air en spirale sans que quiconque les remarque.

Le Censeur Principal s'emparait d'une tranche de fruit et Jaina y sema quelques grains de sable. Le Censeur la tendit à Vram. Elle se dit qu'il avait dû remarquer le sable, mais non : il n'avait pas du tout l'air irrité et il choisissait déjà une autre pâtisserie chaude dans un autre panier.

Vram ingurgitait sa tranche de fruit.

Il ne s'était aperçu de rien.

Jaina eut un élan de pitié pour lui, mais très bref.

Si quelqu'un me donnait un morceau de ce fruit, se dit-elle, je ne remarquerais pas non plus le sable.

Elle déplaça le sable une seconde fois et en lâcha sur la brioche collante du Censeur Principal. C'était très mal, ce qu'elle venait de faire : gâcher comme ça les bonnes choses.

Le Censeur prit une bouchée, la mâcha. Et son expression changea. Jaina s'en réjouit. Ça n'était pas du bonheur mais une satisfaction paisible.

Elle souleva une autre pincée de sable et la dispersa sur toute la table du Censeur de telle manière que chaque assiette recoive quelques grains.

Le Censeur Principal recracha violemment sa brioche.

C'est dégoûtant ! songea-t-elle. Il n'avait même pas mis sa serviette devant sa bouche.

– Grake ! gronda-t-il.

Les autres Censeurs étaient tous en train de recracher leur bouchée, d'examiner leur brioche et même les morceaux mâchouillés en s'interpellant, excités et bavards. Jaina les observait du coin de l'œil. Mais elle s'aperçut très vite que tous les autres enfants avaient aussi les yeux fixés sur eux.

– Grake ! Sors de là ! brailla le Censeur Principal.

La porte claqua bruyamment et une créature volumineuse apparut sur le seuil. Jaina tressaillit – c'était comme si un dragon venait de surgir dans la salle – puis elle inspecta la nouvelle venue avec surprise et intérêt.

Cette créature en tablier de cuisine blanc était une Veubg de la planète Gbu, un monde à haute gravité. Gbu était en fait la dernière planète que Maman avait visitée avant de gagner Munto Codru. La délégation de la Nouvelle République n'avait pas réussi à gagner la surface parce que la plupart de ses représentants auraient été écrasés par la pesanteur exceptionnelle. Mais les Veubgri avaient accepté de faire le voyage jusqu'au satellite de réunion. Ils avaient beaucoup aimé Jaina, Jacen et Anakin. Jaina se rappelait encore la douce caresse de leurs vibrillons dans ses cheveux et elle eut l'eau à la bouche, soudain, en se souvenant de leurs délicieuses pâtisseries. Elle aurait voulu sauter vers la Veubg pour lui faire un signe amical.

Mais Grake ne connaissait pas plus Jaina que ses frères.

— Pourquoi tu cries, petit-bleu? demanda la Veubg en escaladant avec légèreté les dernières marches, ses vibrillons enroulés autour d'une épaisse spatule en bois. (Elle s'arrêta derrière le fauteuil du centre.) Je travaille toute la journée pour toi, et tu passes ton temps à me hurler dessus. Je dois dire que tu n'es vraiment pas une personne appréciable.

— Il y a du sable dans la nourriture! rugit le Censeur Principal. Tu trouves que c'est une bonne plaisanterie?

— Une plaisanterie? Du sable? Dans ma cuisine?

Elle lui donna un grand coup de spatule sur la tête.

Le Censeur Principal bascula de son siège et se redressa tant bien que mal, abasourdi.

Jaina en restait bouche bée. Elle aurait voulu fermer les yeux, parce qu'elle était certaine que les Censeurs allaient faire du mal à Grake. Ils pouvaient se servir de la Force pour la faire imploser s'ils voulaient! Et ce serait sa faute.

Mais il ne se passa rien de semblable.

Ou alors, pensa-t-elle, ils ne le peuvent pas. Ils savent seulement faire tournoyer leurs sabrolasers, tout bêtement, et il est même possible qu'Hethrir les ait aussi trompés là-dessus.

Grake s'avançait à présent vers l'autre bout de l'estrade. Elle gifla durement un Censeur qui était vautré dans le dernier fauteuil. Il se démena pour retrouver son équilibre mais bascula et réussit à se rattraper in extremis au bord de la table.

— On enlève ses pieds de là! meugla la Veubg en cognant sur toutes les têtes avec sa spatule. Alors, on se plaint qu'il y ait du sable dans ma cuisine? Et vous mettez vos sales pieds sur la table? Vous vous conduisez comme un troupeau de dragons, oui!

La Veubg prit son élan et shoota dans la seconde qui suivit. La table des Censeurs vola dans les airs.

Jaina gloussait de rire. C'était plus fort qu'elle. Elle se savait responsable de ce trouble. Elle allait avoir des ennuis parce qu'elle riait comme les autres. Elle aurait tellement aimé que Lusa voie ça!...

– Assez! hurla le Censeur Principal.

Jaina se demanda s'il en avait après elle ou Grake.

La Veubg, sans se démonter, rafla une poignée de fruits dans les plateaux de service et les lança en direction des enfants. Ils poussèrent tous des cris de joie en se précipitant sur les fruits.

Jaina eut droit à une tranche de melon qu'elle dévora dans la seconde. Elle ne se souvenait pas d'un aussi merveilleux parfum. Les larmes lui vinrent aux yeux. Elle se félicita de n'avoir pas semé du sable sur les plateaux de fruits tout en s'avouant qu'elle aurait quand même dévoré ce melon.

– Du sable! Dans ma cuisine!

Grake s'empara d'un plat de gâteaux qu'elle projeta vers les enfants. Ils s'élancèrent dans tous les coins pour les récupérer avant qu'ils ne soient écrasés.

Jaina aurait bien aimé croquer un gâteau, mais elle prit le temps de jeter encore un peu de sable. Des grains bien durs s'envolèrent du sol pour retomber en une averse méchante dans le col des Censeurs. Et jusque dans leur caleçon.

Dans un premier temps, ils ne s'aperçurent de rien, vu qu'ils s'agitaient tous en hurlant. C'est alors que le Censeur Principal dégaina son sabrolaser. La lame s'illumina dans un vrombissement.

Jaina sursauta, épouvantée. Oncle Luke lui avait toujours dit que lorsqu'elle deviendrait un Chevalier Jedi, elle ne devrait jamais sortir sa lame, sauf pour les exercices de pratique ou si elle avait l'intention de tuer quelqu'un.

Elle n'avait jamais posé la main sur un sabrolaser.

Mais Grake ne donna pas la moindre chance au Censeur de la tuer. Elle sauta au bas de l'estrade avant même qu'il ait frappé. Jamais Jaina n'avait vu quiconque se dérober aussi vite.

Les Censeurs lancèrent une dernière salve d'insultes. Et le Principal rengaina son sabre. Jaina se demanda s'il aurait vraiment tué Grake ou si ce n'avait été qu'une menace. Ou une plaisanterie. Elle ne pensait pas cependant qu'on pouvait menacer et encore moins plaisanter avec un sabrolaser.

Les Censeurs reprirent leur place à table sans y poser leurs pieds.

– Du calme ! lança le Censeur Principal aux enfants. On se rassoit, sinon on va tous vous reconduire dans vos chambres !

Jaina s'exécuta comme les autres. Ils avaient intérêt à obéir, car toute la nourriture offerte avait été engloutie. Certains cherchaient encore des miettes ou des grains écrasés.

Les Censeurs, eux, restaient à leur place : ils ne voulaient pas quitter la table, et reconnaître ainsi qu'ils avaient failli dans leur tâche. Mais ils ne touchaient plus à leurs assiettes saupoudrées de sable.

L'air sévère, le Censeur Principal réajusta les plis de son uniforme. Jaina gardait les yeux fixés droit devant elle : si elle se mettait à rire, tout le monde saurait qu'elle était la responsable de ce qui venait de se passer.

Les Censeurs s'étaient remis à bavarder. Ils semblaient tous en colère. Elle risqua un regard sur la surface de la table, mais n'aperçut aucune miette valable. Elle réprimait un sourire. Elle se concentra et récupéra le sable des uniformes des Censeurs. Il lui en fallait d'autre, mais elle s'aperçut que les espaces entre les dalles étaient vides, propres et nets.

Si l'on exceptait les petites taches noires qui progressaient en direction de la table des Censeurs. Elles formaient maintenant une ligne, comme la frange d'une vague.

Les myriapodes se rassemblaient. Et les Censeurs s'agitaient et se grattaient déjà. Les premières fourmines étaient déjà dans leurs chaussures et leur pantalon.

Jaina n'y tenait plus. Elle se tourna vers son frère. Et se redressa même pour qu'il puisse l'apercevoir. Il lui lança un sourire fugace. Et ils se rassirent en même temps de crainte qu'on ne les surprenne.

Jaina savait que c'était Jacen qui avait demandé aux bestioles d'envahir l'estrade.

170

Un Censeur se leva brusquement en criant. Il venait d'être mordu. Et pas par des grains de sable. Ses collègues suivirent dans un concert de hurlements, en exécutant une danse frénétique.

– Oh!... chuchota Jaina. Mes pauvres bestioles... Je vous dis merci.

Les fourmines se dispersaient, fuyant vers toutes les alvéoles et crevasses possibles. Mais quelques victimes furent écrasées sous les pieds des Censeurs.

– Je suis désolée, les fourmines.

Elle s'exprimait comme Chewbacca quand il tuait parfois des insectes involontairement, alors qu'il s'occupait de récolter le miel de sa chère forêt. Et elle risqua un autre regard vers Jacen.

Il sanglotait. Il avait déjà pleuré auparavant quand Chewbacca s'était excusé pour le mal qu'il avait fait aux insectes de la forêt. Pourtant, cette fois, c'était à cause de lui que les bestioles avaient souffert.

Tout à coup, constata Jaina, elles avaient toutes disparu. Et elle sentit comme jamais encore le flamboiement des pouvoirs de son jumeau, qui repoussait les insectes loin du danger.

C'est alors que la couverture invisible, lourde et froide d'Hethrir retomba sur elle et elle sut que Jacen avait droit au même sort. Ça n'est pas juste, pensa-t-elle, révoltée, je n'ai rien fait... Elle se débattit en haletant, réussit à quitter sa chaise et à traverser la cafétéria en vacillant.

Elle étreignit Jacen. C'était tellement bon qu'elle oublia un instant la couverture humide du Jedi. Elle avait froid, elle était mouillée, mais elle ne pensait plus à Hethrir.

– Jacen, Jacen... Ils ont pris Anakin, ils ont pris Lusa...

C'était la première fois qu'elle se rendait compte qu'Hethrir avait pu emporter Anakin pour toujours, comme Lusa. Mais où?...

– Il faut que nous fassions quelque chose! chuchota-t-elle.

– Les enfants, retournez à vos études! brailla le Censeur Principal en se grattant frénétiquement la jambe.

Les fourmines étaient sans doute reparties, mais elles avaient laissé leurs morsures!

– Merci, petites bestioles! souffla Jaina.

– Merci, fit Jacen en écho. Je suis vraiment désolé!

– Allez, tous à vos études!

Les enfants formaient peu à peu une file houleuse. Ils riaient sous cape et Jaina réussit à ne pas s'éloigner de Jacen. Il était possible que nul ne remarque qu'ils étaient ensemble.

– Rangez-vous un peu mieux! Vous, faites quelque chose! hurla le Censeur Principal à ses séides.

Les autres Censeurs le regardaient, inquiets, comme s'il était devenu fou.

D'un même élan, ils l'ignorèrent et sortirent en courant. Déjà, certains d'entre eux débouclaient leur uniforme.

Le Censeur Principal promena un regard noir sur les enfants. Avant de grimacer pour se gratter dans un endroit peu décent et de quitter précipitamment la salle.

7

Les enfants restèrent seuls dans la cafétéria.

– Sortons, dit Jaina.

Elle ignorait ce qu'elle pourrait faire quand ils seraient à l'extérieur, mais elle voulait désespérément fuir cet endroit glacé.

En compagnie de Jacen, elle prit le long corridor obscur. Tous les autres enfants les suivirent. Ils surgirent dans la lumière. Le minuscule soleil grimpait dans le ciel. La planète avait une rotation rapide et les jours étaient très courts. Dans la chaleur retrouvée, les enfants s'égaillèrent en riant.

Jaina et Jacen joignirent leurs mains et se mirent à tourner comme la petite planète, très vite, penchés en arrière. Jaina secoua la tête jusqu'à en avoir le vertige. Elle se laissa tomber sur le sable en même temps que Jacen, dans un grand éclat de rire.

– Jaina, Jaina, tu vas bien?

– Jacen, tu m'as tellement manqué! Je ne sais pas où est Anakin!

– Si nous pouvions le chercher...

– Nous pourrions le trouver, peut-être. Mais...

– Mais il faut qu'on s'échappe de cette couverture!

– Et qu'on évite le dragon.

– Il n'y a pas de dragon, fit Jacen d'un ton méprisant. C'est seulement pour nous faire peur.

Il alla droit sur la clôture et se pencha vers les profondeurs du canyon.

Jaina courut jusqu'à lui. Le dragon jaillit du sable en grondant et rebondit contre la clôture. Elle saisit Jacen et le tira en arrière, loin du regard du dragon. Ce ne fut pas très difficile : il avait peur lui aussi. Mais en même temps, il était stupéfait.

Le dragon les avait déjà oubliés et reniflait le sable en quête d'un endroit bien doux et chaud.

— Waouh! souffla Jacen.

— Peut-être que je pourrais l'attirer en sautant sur place et...

Elle s'était dit que Jacen, à ce moment-là, pourrait en profiter pour franchir la clôture, mais elle resterait prise au piège à l'intérieur, seule.

— Et si j'essayais de l'apprivoiser? suggéra Jacen. Comme ça, elle nous laisserait monter sur elle et nous emporterait!

Jaina ne comprenait pas comment son frère pouvait savoir qu'ils avaient affaire à une Madame Dragon et non pas à un Monsieur. Mais il avait toujours raison pour ce genre de chose.

— Monter sur le dragon? répéta Jaina, éblouie.

— Seulement les Censeurs pourraient lui faire du mal, comme aux fourmines, dit Jacen, les lèvres tremblantes.

— Comment feraient-ils?

— Ils se serviraient de leurs sabrolasers!

— Impossible, ils auraient trop peur! Je parie qu'ils n'oseraient même pas s'en approcher!

— Avec un *blaster*, alors?

— Ah, oui.

— On pourrait peut-être la distraire, rumina Jacen.

— On ferait mieux de faire vite.

— Il faut que je trouve quelque chose à lui lancer.

Jacen regarda autour d'eux, mais il ne vit que du sable.

Le dragon se traîna jusqu'à la clôture et y frotta son épaule écailleuse en fermant les yeux de bonheur.

En se servant de ses pouvoirs, Jaina se dit qu'elle pouvait facilement le distraire. Avec l'aide de Jacen, elle pourrait arrêter le dragon – enfin, Madame Dragon –, même si, sans Oncle Luke, ça représentait un effort énorme.

– Je sais! s'écria-t-elle en sortant son multi-outil.

Jacen tendit la main pour le saisir.

– Non, attends! Il ne faut pas le jeter! dit Jaina en le reprenant.

Elle déploya les loupes, les orienta par rapport au soleil, et projeta une tache éblouissante juste devant le dragon.

– Tu ne trouves pas qu'elle est belle? demanda Jacen.

Le dragon, en découvrant le point lumineux, renifla et baissa la tête. Jaina passa alors son multi-outil à Jacen. Il était plus habile qu'elle dans la manipulation des créatures vivantes.

Il agita le point de lumière entre les pattes de Madame Dragon qui essaya de le capturer. N'y réussissant pas, elle posa une patte sur l'autre, perdit l'équilibre et roula dans le sable en gesticulant furieusement. Dès qu'elle se fut redressée, elle chercha à nouveau la lumière.

Jacen la fit courir. Madame Dragon suivait, très agitée, soulevant de grands jets de sable. Jaina, ravie, éclata de rire.

Les autres enfants étaient venus les rejoindre et observaient le jeu.

Jacen faisait danser la lumière devant Madame Dragon qui caracolait fiévreusement en essayant de la saisir au vol. Jacen dirigea alors le reflet de soleil vers la crête de la falaise, au-delà de la clôture. Madame Dragon dérapa sur le rocher en arrachant des miettes avec un grondement de joie, fouettant l'air à grands coups de queue.

Jacen n'avait pas cessé de se rapprocher de la clôture. Il se trouvait maintenant contre les tresses épaisses de métal et Jaina le suivit. Mais les autres enfants restèrent en arrière : ils avaient trop peur du dragon.

– Hé, Madame Dragon, fit doucement Jacen en agitant le reflet de lumière sur la falaise.

Madama Dragon suivit.

La lumière glissa plus bas.

Jacen sentait son cœur battre très fort.

Madame Dragon poussa son museau vers les câbles de métal. Elle montra ses grands crocs et des filets de salive coulèrent sur le sable. Elle agitait sa longue langue. Ses yeux étaient comme de l'or fondu, grands comme les poings de Jaina sous ses lourdes paupières. De petits nuages de sable s'envolaient sous son haleine violente.

Le soleil déclinait déjà dans le ciel et Jacen avait bien du mal à renvoyer le reflet de lumière.

A la seconde où la clarté baissa encore d'un degré, Jacen passa la main de l'autre côté de la clôture. Jaina étouffa un cri. Son jumeau effleurait les grands sourcils drus de Madame Dragon et lui caressait maintenant ses écailles vernissées.

– Bien, bien, Madame Dragon.

Jacen la caressait plus fort et elle leva la tête avec un ronflement de plaisir. Madame Dragon avait déjà apparemment oublié le jeu de la lumière qui courait.

– On dirait qu'elle t'aime, chuchota Jaina.

– Parce qu'elle est seule. Ça n'est qu'un petit dragon tout seul qui voudrait bien jouer avec quelqu'un.

– Hé, les enfants !

Le dragon redressa brusquement la tête et Jaina se retourna. Le Censeur Principal venait d'apparaître en haut de l'escalier. Les autres enfants venaient de se disperser dans le crépuscule, paniqués.

Madame Dragon gronda et toute la clôture en fut secouée. Jacen s'écarta et rendit son multi-outil à Jaina.

Le Censeur Principal les toisait en ricanant.

– Je vois que maintenant vous croyez au dragon. Allez, les enfants, mettez-vous tous en rang ! Vous avez été très méchants. Je vous avais pourtant bien dit de retourner à vos études.

– Nous vous avons mal entendu, monsieur, dit Jaina d'un ton plein de respect. On pensait que vous nous aviez dit de sortir.

Il la foudroya du regard, mais il avait l'air très embarrassé. Son cou et ses poignets portaient des traces de morsures rouges et il s'agitait dans son uniforme comme s'il voulait se gratter. Jaina le regarda bien en face en réprimant une folle envie de rire.

– C'est vrai, monsieur, intervint Jacen. Je croyais que vous nous aviez dit de rester dehors, et j'étais bien plus près de vous que ma sœur !

176

– Oui, c'est vrai, ce qu'il dit, monsieur! cria un autre enfant.

L'uniforme du Censeur Principal était tout froissé. Il avait une grosse tache sur le bras et ses médailles étaient toutes cabossées.

Je jurerais qu'il n'avait rien à se mettre de propre quand les fourmines l'ont piqué, se dit Jaina. Et quand il a eu plein de sable dans son pantalon...

Elle était tellement reconnaissante envers Winter, qui leur avait toujours appris à se débrouiller par eux-mêmes. Elle leur avait montré comment laver leur linge si jamais le droïd de service était en panne ou s'il avait oublié quel pli donner aux habits.

– Mettez-vous tous en ligne, ordonna le Censeur Principal.

Ils obéirent et se placèrent derrière Jaina et Jacen.

Sous la conduite des Censeurs, ils rentrèrent et Jaina soupira. Ils n'avaient pas réussi à s'enfuir et ils allaient maintenant passer toute une journée à regarder ces affreux écrans qui leur expliquaient comment tout serait merveilleux quand Hethrir serait devenu Empereur.

D'ailleurs, il viendrait probablement en personne les sermonner. Jaina craignait ce moment car Hethrir saurait qu'elle était la cause de tout ce cirque.

Mais, au lieu de conduire les enfants à leurs bureaux d'étude, les Censeurs les ramenèrent tous dans leurs cellules et quelques protestations plaintives s'élevèrent.

– Silence! lança le Censeur Principal. Vous êtes atrocement indisciplinés! Jamais le Seigneur Hethrir ne choisira ses Assistants parmi vous si cela persiste!

Ils étaient tous muets. Jaina avait dû gémir elle aussi, mais à vrai dire, elle ne redoutait plus l'obscurité de sa cellule. Elle était même transportée de bonheur à l'idée qu'elle allait disposer de plusieurs heures, jusqu'au matin, pour travailler et échafauder des plans.

– Vous allez finir la journée au lit, continuait le Censeur Principal. Demain, vous saurez mieux apprécier l'occasion d'apprendre que vous donne généreusement le Seigneur Hethrir.

Il ouvrit la cellule de Jaina, la poussa à l'intérieur et referma violemment la porte.

Un peu de sciure tomba sur le sol, mais le Censeur n'avait pas remarqué le trou fait par Jaina.

Et le Seigneur Hethrir n'était pas venu les sermonner.

Très vite, les claquements de porte cessèrent et les pas des Censeurs s'éloignèrent.

Jaina rassembla quelques molécules d'air et créa une faible source de lumière pour pouvoir travailler. Elle rejeta les dernières traces de sciure du trou, prit son multi-outil et se remit à forer.

Depuis plusieurs heures, la vie revenait à bord du transporteur de Firrerre. Sa première manœuvre, bien avant d'atteindre son plein régime, fut de se dégager de l'*Alderaan*.

Leia maintint prudemment son vaisseau au large du champ de propulsion du bâtiment géant.

– Bonne chance, lança-t-elle à l'adresse du Firrerreo sans nom.

Il ne répondit pas. Le grand transporteur se préparait à sa longue croisière. Même si Leia voulait venir en aide à ses passagers, eux ne le voulaient pas.

Elle se pencha vers Rillao, toujours plongée dans le sommeil. D2 et l'équipement médical l'avaient assurée que son organisme récupérait.

– Merci de veiller sur elle, dit-elle à D2.

Chewbacca venait d'entrer et examina avec tristesse la Firrerreo endormie.

– Qu'allons-nous faire? demanda Leia. Nous avons perdu la piste. Nous sommes dans une impasse.

Elle essaya une fois encore de balayer l'espace autour d'elle, en quête de la plus infime trace de ses enfants.

Mais la souffrance de Rillao avait effacé la piste.

Les ravisseurs l'avaient torturée, songea Leia. Le Firrerreo sans nom avait tort : Rillao n'avait pas été abandonnée là par l'Empire! Les ravisseurs l'avaient torturée afin que nul ne puisse les suivre!

Dans ce cas... Il s'agissait peut-être des mêmes.

Mais oui, réfléchit Leia. Ça se tenait. Ce qui expliquait pourquoi ils avaient réussi à retrouver le convoi de transporteurs abandonnés.

Tout ceci ne me donne aucun autre indice pour repérer leur piste.

Chewbacca posa sa main énorme sur l'épaule de son amie. Elle sentit ses poils effleurer sa joue. Leia perçut dans son grondement plaintif toute sa sympathie et sa peine. Sa famille était aussi la sienne, sa Famille d'Honneur. Il avait choisi de consacrer sa vie à ceux qu'il aimait et elle ne pouvait continuer de lui en vouloir.

– Le Firrerreo avait raison au moins sur un point ! Notre déguisement ne sert à rien, il est lamentable ! Nous n'arriverons jamais à rien si chacun sait que nous sommes Leia et Chewbacca. Et si nous tombons sur des loyalistes de l'Empire... Là, c'est fini !

Elle entraîna Chewbacca jusqu'à sa cabine et sortit sa trousse de maquillage du tiroir de la coiffeuse. Chewbacca affichait un air perplexe.

– Tu n'as jamais cru que c'était la couleur naturelle de mes paupières, n'est-ce pas ? Mais est-ce que tu as remarqué qu'elle changeait quelquefois ?

Il grommela.

– Non, ma peau n'assume pas elle-même son camouflage !

Tout en parlant, elle ôta les longues épingles qui maintenaient sa tresse et le Wookie la contempla, ébahi.

Je ne le fais que si rarement, se dit-elle. Depuis des années, bien peu ont vu ce que sont vraiment mes cheveux... A l'exception de Yan.

Au fil des ans, plusieurs fois, elle avait songé à se les couper, mais c'était là un projet trop radical. Sur Alderaan, les adultes gardaient les cheveux longs et le plus souvent en chignon.

Elle les brossa avec des gestes impatients et les laissa retomber sur ses épaules. Puis elle se leva. Et ses cheveux glissèrent presque jusqu'à ses genoux. Elle continua à les brosser en les écartant de son visage et de ses yeux. Ils formaient une cascade soyeuse de part et d'autre de ses seins.

Tant mieux, se dit-elle. Comme ça, ils me cachent un peu plus.

Elle se mit à chercher dans ses boîtes et ses flacons. Certains maquillages qu'elle avait achetés n'avaient jamais servi. Elle les gardait uniquement parce que son vaisseau était un refuge, un lieu de fantaisies et de caprices.

Elle avait encore le souvenir très vif de la première fois où elle avait emmené Yan à bord de l'*Alderaan*. Des images lui revenaient mais elle les chassa : ça n'était guère le moment.

Elle se retrouva avec plusieurs boîtes de chenilles-teinture dans la main.

– Chewbacca, tu n'en as pas assez quelquefois d'être toujours châtain?

Elle déchira un emballage de noir, un autre d'argent, mélangea leur contenu et le tendit à Chewbacca. Il souffla, surpris, et faillit repousser sa main avant d'examiner curieusement la chose.

Les chenilles-teinture se propageaient déjà dans sa fourrure, laissant derrière elles des traces alternées de noir et d'argent. Chewbacca prit délicatement une des petites créatures entre ses doigts. Il la posa sur son torse et la regarda progresser en laissant derrière elle un poil argent et noir. Amusé, il s'apaisa.

– Et voilà : le Wookie tacheté vient d'être découvert, dit Leia. Et que fait-on pour moi?

Chewbacca choisit différentes boîtes de chenilles-teinture dans les gammes de vert.

– Je vais être affreuse en vert! protesta Leia. Je ne vois pas comment j'ai pu acheter ça.

Elle se décida pour divers tons de bruns qu'elle répandit dans ses cheveux.

Celles-là non plus : je ne vois pas comment j'ai pu les acheter. Finalement, j'ai donné les plus jolies à Chewbacca. Bon, tant pis...

Elle opta finalement pour un vert sombre qu'elle dispersa également dans ses cheveux.

Chewbacca grommela son approbation.

Je vais avoir l'air totalement affligeante, se dit-elle.

Mais je veux rester incognito. Il faut surtout qu'on ne me remarque pas. Ça ne servirait à rien de rendre Chewbacca invisible. Il faut seulement qu'on ne le reconnaisse pas en tant que Chewbacca. Ce n'est qu'un Wookie.

Au moins, D2-R2 n'était qu'un droïd ordinaire et elle n'aurait pas la corvée de chercher à le déguiser.

Elle enviait la barbe de Yan. C'était un moyen tellement commode de se dissimuler. Elle envisagea un moment de se déguiser en homme. Mais très brièvement.

Chewbacca observait la mutation de sa fourrure, fasciné. Puis il émit un soupir attristé. Il résonna dans l'espace vide, jusqu'au cœur de Leia qui ne décelait toujours pas la moindre trace de ses enfants.

– Non, nous ne pouvons pas rester Leia et Chewbacca.

Il leva lourdement la tête avec un regard inquiet et chagriné.

– Il faut que nous soyons Lelila et Geyyahab. Lelila et quelqu'un d'autre, si ce nom ne te plaît pas.

Chewbacca – promu Geyyahab – signifia qu'il voulait bien accepter ce nom, sans en comprendre vraiment la nécessité.

– Ceux qui ont enlevé les enfants voulaient me frapper, moi, lui expliqua-t-elle. Ainsi que toi, Chewie, et Yan et aussi Luke. Ils voulaient que nous nous lancions à leur poursuite. Parce qu'ils nous attendent. Ils vont nous tendre une embuscade. Et je crois que nous ne pourrons les avoir que par surprise.

Il y avait une douloureuse perplexité dans la plainte de Chewbacca.

– Non, j'ignore qui ils sont. Où ils sont allés.

Ce sont sans doute des adeptes de l'Empire. Qui d'autre pourrait me haïr au point d'enlever mes enfants ?

Elle saisit brusquement le flacon de mascara le plus voyant de sa collection, l'ouvrit et se maquilla en violet, comme une combattante du désert masquée de khôl. Puis elle rehaussa son front et ses joues de quelques touches d'or.

– Je vais trouver, dit-elle. Peut-être que Rillao sait quelque chose ? Du moins, elle est capable de nous dire qui l'a fait souffrir. Mais si elle n'y arrive pas, je réveillerai tous les passagers de ces transporteurs s'il le faut. Parce qu'il y a sûrement quelqu'un qui sait qui ils sont et ce qu'ils préparent.

Et où les trouver.

Elle se contempla dans le miroir. Ses cheveux lui cachaient à demi le visage et le khôl mauve rendait son regard plus sombre, plus intense. Les écailles dorées de ses pommettes et de son front paraissaient scintiller. Elle était devenue une combattante du désert prête pour un bal populaire.

Mais peu importe, se dit-elle. Ce qui compte, c'est que je ne ressemble plus vraiment à Leia. Désormais, je suis Lelila.

D2 hésitait sur le seuil : il paramétrait ses senseurs pour les récents changements biologiques intervenus chez ses compagnons. Quand il les reconnut, il rebroussa chemin.

Lelila la chasseuse de primes se rua derrière lui. Et Geyyahab, son acolyte, la suivit, la mutation de sa toison à peine achevée.

Yan devait admettre que la partie avait été honnête, ou du moins en apparence. Waru aussi était légitime, a priori. Mais il ne croyait pas plus à Waru qu'au résultat du jeu.

Il descendait la rue en direction de leur logis, la tête douloureuse, les poumons enfumés. Il aurait bien aimé boire encore une chope ou deux de la bière locale. Il se serait senti mieux : ce genre de truc avait sûrement des vertus magiques de guérison.

— Exactement comme Waru, marmonna-t-il.

A l'instant où il atteignait le seuil de leur logis, le propriétaire se présenta avec un sourire amical.

C3 PO doit avoir réglé la note, se dit Yan. Je me demande ce que dira notre aimable hôte quand on lui demandera de prolonger notre séjour demain?... Et si on ne le paie pas?

Il monta les marches avec un peu de difficulté. Arrivé à l'étage, il compta les chambres jusqu'à la sienne. Il entra et rencontra aussitôt la clarté lugubre du sabrolaser de Luke. Elle effleura ses pieds avant de sillonner le tapis.

Très vite, il arrangea le col de sa chemise, ses cheveux et sa barbe. La lame bourdonna encore une seconde avant de s'éteindre. Luke était posté au même endroit que la nuit d'avant.

— Salut, Luke, fit Yan en s'efforçant de garder un ton aimable.

— Il faut que nous parlions. Xaverri et moi, nous sommes retournés à... à la cérémonie. Yan, nous avons revu exactement ce que nous avions vu. Ce que toi, tu avais vu.

Incapable de jouer la comédie, Yan se jeta sur son lit et écrasa l'oreiller sur son visage, le crâne douloureux.

C3 PO accourait dans un claquement de savates métallique.

— Maître Yan ! J'ai payé la note. Je vous remercie infiniment ! J'aurai à régler quelques autres dettes au matin, avant même que vous vous réveilliez, sans doute, et je me demandais si...

— On verra ça demain, grommela Yan.

— Mais j'avais prévu de faire quelques courses très tôt dans la matinée. Si je pouvais trouver quelques provisions, cela permettrait à mes compagnons humains de ne pas fréquenter les restaurants et...

— On est en vacances ! Et une bonne part du plaisir qu'on prend à être en vacances, c'est de manger dans des restaurants !

Yan essaya de se souvenir où il avait bien pu manger la dernière fois. Est-ce que je me suis contenté de la bière ? se demanda-t-il. Au moins, elle est meilleure qu'on pourrait le croire.

— ... Et ça me permettrait de vous présenter un breakfast décent à votre réveil, acheva C3 PO.

— On ne pourrait pas en reparler demain ? J'ai vraiment besoin de dormir un peu.

— Tu as perdu tout ton argent, Yan ? demanda Luke.

Yan se redressa.

— Non ! (Il sourit en haussant les épaules.) Je veux dire : pas tout.

— Oh, Maître Yan, gémit C3 PO. Comment vais-je donc pouvoir faire des emplettes demain matin ?

— J'ai dit que je n'avais pas tout perdu. Et je peux en gagner encore. J'ai seulement passé une sale soirée. Du calme. Et maintenant, on me laisse dormir, ou...?

— Non! cria Luke. Bon Dieu, Yan, tu vas te réveiller?

— Pourquoi devrais-je me réveiller puisque tu ne m'as même pas laissé tranquillement dormir?

La lame du sabrolaser s'activa en ronronnant. Sa clarté fantomatique et verte inonda la chambre. Soudain, elle devint d'un blanc intense et le son se changea en une plainte suraiguë. Yan cracha un juron de colère.

Luke éteignit aussitôt son sabre et glissa le manche sous sa robe.

— Ça voulait dire quoi? demanda Yan, totalement éveillé à présent.

— Heu... Rien. Non, tout va bien. (Luke paraissait déconcerté, ce qui ne lui ressemblait guère.) Yan... Cette Waru... Si nous parvenons à la convaincre de venir avec nous, ça représenterait une sérieuse différence pour la République. Les Jedi – avec tes légions bien sûr – pourraient nous aider à protéger la paix. Waru pourrait améliorer la vie des peuples...

— Parce que Waru n'est pas un Jedi, tu en es certain?

— Non. Je veux dire... Je ne perçois plus rien de ce que je devrais percevoir. Quand tes enfants sont nés, c'est d'accord, j'ai su aussitôt qu'ils étaient des Jedi. Surtout Anakin. Quand il m'a regardé la première fois... Mais si Waru était une Jedi, je le saurais. (Luke avait les doigts noués, puis il ouvrit soudain les mains et regarda ses paumes.) Ou alors, Waru est connectée à la Force, par des moyens que nous ignorons. Ou, du moins, que j'ignore moi-même! Il faut que nous le sachions.

Yan passa la main sur son visage.

— D'accord, d'accord, calme-toi.

Il avait tellement sommeil qu'il avait grand mal à suivre ce que lui disait Luke.

— Xaverri pense que Waru est un danger. Un danger pour la République, selon elle. Et voilà que tu veux donner une place à ce... à cet être dans notre gouvernement?

— Waru a de nombreux fidèles ici. Ils pourraient constituer une faction formidable. Est-ce qu'il ne vaudrait pas mieux coopérer avec eux, pour commencer?

Yan se mit à rire.

— D'ordinaire, tu ne t'exprimes pas comme un politicien.

Il doutait que Luke s'inquiète réellement de savoir si les admirateurs de Waru constituaient ou non une opposition au gouvernement de Leia. Le Jedi était à l'évidence fasciné par les remarquables pouvoirs de l'entité, il voulait pouvoir l'observer et peut-être apprendre d'elle.

Pourtant, Yan ne comprenait toujours pas pourquoi Xaverri considérait Waru comme dangereuse.

Il sortit l'une de ses dernières pièces. Il l'avait fait apparaître de nulle part comme dans un tour de passe-passe.

— Pas si mal, fit Luke avec un sourire.

— Je te l'ai dit, il y en a d'autres là d'où elle vient.

Yan éclipsa la pièce.

C3 PO s'était approché.

— Comment avez-vous fait?

Yan récupéra la pièce dans la bouche du droïd dont l'expression changea.

— Refaites-le, je vous prie, Maître Yan.

Yan s'exécuta.

— Ah, fit C3 PO. Voilà qui fait preuve d'une excessive dextérité.

— Qu'est-ce que tu as fait? Tu l'as ralentie?

— C'est exact, Maître Yan. Grâce à mon regard.

— Et tu as observé Waru de cette façon?

— Je regrette de ne point l'avoir fait. J'étais tellement intrigué par ce spectacle que Maîtresse Xaverri nous avait invités à voir que l'idée ne s'est pas imposée à moi.

— A ce propos, où est Xaverri à cette heure? Est-elle rentrée chez elle?

— Elle est restée là-bas, dit Luke. Elle voulait...

— Tu l'as laissée là-bas? Dans ce temple?

— Bien sûr, oui.

Yan remit les bottes qu'il venait à peine d'ôter.

— Mais elle vit ici depuis des années, insista Luke d'une voix apaisante. Elle a assisté aux réunions de Waru depuis le tout début. Elle sait se défendre.

– Mais tu as dit toi-même qu'il s'y passait quelque chose de bizarre, d'inexplicable.

– Et toi, tu prétends que c'était une imposture, un tour de passe-passe !

– Ce n'est pas parce qu'il s'agit d'une arnaque que ce n'est pas dangereux ! Tu as vu toi-même comment Xaverri a réagi.

Yan chercha son blouson avant de s'apercevoir qu'il ne l'avait pas enlevé.

Il sortit en courant.

Rillao était immobile sous l'équipement médical qui la recouvrait tel un linceul technique complexe. Son regard était vif, aux aguets, en quête de la moindre occasion de fuir. Un grondement sourd montait de sa gorge.

Sur le seuil, Leia l'observait sans affect.

Elle songeait que la pitié ou la compassion avaient été des émotions gaspillées en pure perte avec le Firrerreo sans nom.

Elle rencontra le regard affolé de Rillao et s'avança jusqu'à moins d'un pas de son chevet, soutenant l'éclat violent de ses yeux.

– Je vous ai sauvée, dit-elle.

– Et qui vous avait demandé de le faire ? jeta Rillao d'une voix rauque et brutale.

– Je vous ai sauvée de la torture, Rillao. (Elle avait décidé d'utiliser les habitudes de langage du Firrerreo sans nom qui considérait que la connaissance des noms vous conférait un pouvoir.) Je vous ai arrachée à la toile, au vaisseau, et je vous ai amenée ici. Je vous ai guérie, Rillao.

L'expression de la Firrerreo se modifia. L'appréhension remplaça son arrogance.

– Vous possédez mon nom, fit-elle. Est-ce que vous possédez aussi mon corps ?

– Je l'ai peut-être possédé, oui, un moment. Mais je vous l'ai rendu.

– C'est très magnanime de votre part.

Rillao parcourait du regard la cabine, en étudiant l'élégance discrète de la pièce et les instruments médicaux ultrasophistiqués qui s'y trouvaient. Ses cheveux tigrés étaient luisants de sueur et emmêlés. L'équipement médical, en constatant qu'elle se remettait, remonta vers le plafond afin de se protéger.

– Le convoi a été dérouté, dit Rillao. Il était loin à l'écart des routes commerciales de la galaxie. Si vous n'êtes pas une esclavagiste, comment l'avez-vous retrouvé ? Que faisiez-vous dans les parages ?

Leia sentit ses genoux se dérober sous elle. Elle les bloqua fermement pour ne pas tomber. Elle avait froid, soudain, et elle savait qu'elle avait pâli. Avec soulagement, elle se rappela qu'au moins ses cheveux lui cachaient partiellement le visage. Elle aurait peut-être dû insister plus sur le maquillage. Derrière elle, Chewbacca grommela de surprise et de colère. Elle lui prit la main et la serra.

L'esclavagisme avait été une pratique courante sous l'Empire. La République y avait mis un terme. Le gouvernement qu'elle servait avait délivré tous les peuples maintenus en servitude par les Impériaux. Désormais, tous étaient libres. L'Empire n'existait plus, il ne pouvait plus revendre des prisonniers politiques comme esclaves, enlever des enfants pour les rejeter sur des marchés.

Aucun esclavagiste n'avait pu lui voler Anakin, Jaina et Jacen !

– Depuis combien de temps étiez-vous là ? demandat-elle soudain. Vous avez dormi longtemps ?

– Je n'ai jamais dormi, souffla Rillao. J'étais l'une des passagères du transporteur, dès le départ.

– Mais est-ce que vous saviez que l'Empire...

– On m'a amenée à bord il y a cinq ans.

– ... Avait été vaincu ? Mais oui, vous devez le savoir. La République a aboli le trafic des esclaves !

– Certains se satisfont de cette idée. Elle sert leurs intérêts, en fait, elle leur permet de capturer des gens en secret.

Chewbacca – Geyyahab – posa sa grosse main sur le bras de Leia et elle s'appuya contre lui avec reconnaissance. Elle sentit que le Wookie, lui aussi, tremblait.

Rillao tendit sa main droite vers Leia. Une vilaine cicatrice profonde marquait sa paume. Une marque d'esclave. Leia se rappelait en avoir déjà vu sur les mains d'autres ex-esclaves avant que l'équipement médical ne les efface. Ce qu'on ne faisait qu'à la stricte demande des esclaves libérés.

— C'est du passé, dit Leia. L'équipement de ce vaisseau ne m'a pas permis de vous ôter cette marque, mais dès que nous aurons retrouvé la civilisation...

Rillao referma la main.

— Non. J'ai mes raisons pour la garder encore quelque temps.

Elle était encore faible et elle eut quelque peine à s'asseoir.

— Comment nous avez-vous retrouvés? demanda-t-elle.

Leia songea qu'elle et Rillao devaient avant tout échanger des informations. Et elle livra une partie de ce qu'elle savait.

— J'étais à la poursuite d'un vaisseau qui est arrivé jusque dans cette région.

Rillao serra les draps entre ses doigts crispés.

— Et vous l'avez détruit? (Sa voix était soudain creuse.) Est-ce que vous l'avez détruit?

— Bien sûr que non! Restez allongée, Rillao. Vous êtes encore trop affaiblie.

— Est-ce que vous...

— Étendez-vous! Et je vous dirai ce qui s'est passé.

Rillao obéit avec réticence. Pour se calmer, elle tirait sur la couverture au point de la déchirer.

— J'ai suivi le vaisseau jusqu'ici.

— A travers l'hyperespace? Mais c'est impossible!

— Rillao, j'ai une méthode qui me le permet.

Elle souffrait de voir la Firrerreo ciller chaque fois qu'elle prononçait son nom, mais, d'un autre côté, Lelila la chasseuse de primes devait garder la haute main sur les événements.

— Ne me posez pas trop de questions.

— Vous l'avez vu, ce vaisseau?

— Non. Il était encore trop loin. Et puis, il a disparu.

— Mais vous pouvez en retrouver la trace!

— Non. Je... Mon processus de repérage a été... perturbé.

Elle ne pouvait quand même pas dire à Rillao que c'était elle qui avait provoqué cette perturbation. Car celle-ci aurait pu commencer à se douter des pouvoirs de Leia.

– Non, j'ai perdu sa trace.

Rillao se laissa retomber. Le grondement plaintif revint dans sa gorge, puis cessa dès qu'elle réussit à se maîtriser.

– Sauriez-vous où est allé ce vaisseau? demanda Leia.

Rillao secoua la tête.

– Il a pu aller n'importe où. Cependant certaines régions sont plus envisageables que d'autres : celles où esclavagistes et consorts se cachent et attendent, là où ils rassemblent leurs forces et dressent des plans pour l'Empire Ressuscité.

– L'Empire Ressuscité? répéta Leia. Des suprématistes perdus dans leurs rêves de fous!

Leia de la Nouvelle République, pas plus que Lelila la chasseuse de primes, ne voyait qui pouvait encore être fidèle au vieil Empire, après sa défaite et surtout après les révélations des atrocités qu'il avait commises. Elle ne comprenait pas non plus pourquoi Rillao tenait à garder sa marque d'esclave.

– Les partisans de l'Empire Ressuscité sont riches et puissants. Ils ont fait le serment du sang : le secret et la loyauté.

Rillao cita plusieurs mondes sous leur influence.

Et tous surprirent Leia.

– Munto Codru aussi?

– Munto Codru est perdu entre les étoiles et bien trop indépendant, fit Rillao avec un petit haussement d'épaules. Il ne s'est jamais vraiment soumis à l'Empire. Et nul n'a jamais entendu parler de quelqu'un qui se serait caché sur Munto Codru.

Leia chassa de son esprit ce nouveau souci, l'Empire Ressuscité. Quand les enfants seraient sains et saufs, elle y repenserait.

– Pourquoi croyiez-vous que j'avais détruit ce vaisseau? demanda-t-elle.

– Parce que ses propriétaires ont de nombreux ennemis.

– Vous y compris, je pense.

Lelila la chasseuse de primes n'avait pas d'enfants prissonniers à bord de ce vaisseau. Et aucune raison de frissonner en se posant la question : combien sont-ils à vouloir le détruire? Parce que quelqu'un y parviendra, à terme...

– Rillao, pour quelle raison étiez-vous si troublée à l'idée que j'aie pu le détruire?

Rillao contemplait en silence les lambeaux de la couverture, entre ses doigts.

– Répondez-moi! insista Leia.

– Parce que mon fils se trouve sur le vaisseau des esclavagistes!

Sa voix se brisa et la Firrerreo gémit de désespoir si intensément que Leia en recula, glacée.

Leia se tourna vers le Wookie. Chewbacca-Geyyahab cligna les yeux en signe de détresse et s'avança jusqu'à Rillao. Il posa sa grosse main marquée sur celle de la Firrerreo.

Leia aurait voulu se joindre à eux, prendre Rillao dans ses bras, mais c'était impossible : Lelila la chasseuse de primes devait garder ses distances.

– Rillao, dit-elle enfin, nous retrouverons votre fils. Quand j'aurai rattrapé ce vaisseau. Vous en savez certainement un peu plus sur ces esclavagistes. Il faut que vous m'aidiez afin que je sache où les traquer.

Yan avait coupé par le chemin le plus court, mais il était déjà épuisé en atteignant le dôme de Waru.

C'est bien beau de jouer au général, songea-t-il, mais rien ne vaut l'exercice.

L'esplanade, devant le temple de Waru, était déserte. Il s'était arrêté entre les filigranes de clarté qui filtraient de l'arche.

« L'entrée est interdite après le début du service. » Pour lui, ça se traduisait par : « Le spectacle a commencé. »

Il s'avança dans la cour intérieure. Le silence absolu qui y régnait lui pesait sur les nerfs.

Il se glissa dans l'auditorium, s'infiltra dans la foule dense des suppliants. Il y en avait partout, entassés sur les sièges, debout dans les travées. Yan n'arrivait pas à traverser cette marée de créatures et à atteindre l'estrade où Waru tenait sa cour. Il se dressa sur la pointe des pieds et regarda par-dessus la houle de têtes, de crêtes et de carapaces. Il repéra enfin Xaverri, à proximité de Waru. Et s'inquiéta de lui voir la tête basse, les épaules affaissées.

Si elle s'effondre une fois encore, pensa Yan, qu'est-ce que je vais bien pouvoir faire?

Il explora l'immense salle du regard pour essayer de trouver un autre moyen d'atteindre l'estrade. Mais la foule était bien trop dense.

Waru venait d'admettre un autre patient, un représentant de la race des Ithoriens.

— Souhaites-tu vraiment que je te guérisse, chercheur? lui demanda-t-elle.

La voix de Waru emplissait l'auditorium. Yan, toujours sur ses gardes, nota une différence entre la conversation privée de Xaverri avec la créature et ses interventions devant le public. Ces dernières étaient destinées à installer un peu plus le rituel.

— En ce cas, dit Waru, je vais t'aider.

Yan eut un bref reniflement de mépris avant de changer instantanément d'expression : un être géant à la peau de cuir luisante se penchait vers lui avec une expression de profonde irritation.

— Rien, juste une petite allergie, s'excusa Yan.

L'être remua les oreilles avant de reporter son attention sur Waru.

Yan s'efforçait de ne pas perdre Xaverri de vue. Il n'avait aucun espoir de fendre la foule. En même temps il essayait de suivre le numéro de Waru pour découvrir la supercherie.

Une sous-famille d'Ithoriens s'approchait de l'autel. Cinq grandes créatures au cou sinueux portaient un de leurs compagnons enveloppé dans une couverture. Les plus grands, l'ouvrant, révélèrent un jeune enfant, d'une maigreur pitoyable. Il luttait pour se redresser, les yeux brillants d'intelligence à l'extrémité de sa tête en forme de marteau. Ses aînés le tapotaient en lui murmurant probablement qu'ils ne tarderaient pas à retrouver leur cité-étable. Ils portèrent l'enfant jusqu'à l'autel de Waru. Leurs voix se mêlaient en un insolite gazouillis dans l'auditorium.

Le jeune Ithorien était pathétiquement faible et sa famille le laissa aux bons soins de Waru avant de s'écarter.

Comme la première fois, les écailles dorées se liquéfièrent et coulèrent sur le patient. L'ichor ruissela autour du cocon et se coagula. La lumière brillait à présent à travers l'enveloppe translucide.

Et soudain, tout changea.

Waru fut agitée d'une violente secousse et hurla. Le cri monta, perçant, suraigu, pour s'achever en un grondement fracassant. Yan eut l'impression que les ondes sonores pénétraient son cerveau. Puis le rugissement de l'entité se changea en une vibration perturbante que les murs de la salle renvoyèrent dans chacun de ses os.

C'était comme le miaulement de satisfaction d'un chat géant qui tenait sa proie.

Les suppliants poussèrent des gémissements d'horreur et se laissèrent tomber sur le sol devant Waru, en se couvrant les yeux. Seul Yan restait debout. Même Xaverri s'était agenouillée devant l'autel en inclinant la tête.

Waru frissonna.

Ce rituel-ci était différent. Yan essayait de voir en quoi Waru avait changé la procédure. Au lieu de se dilater, la chrysalide se crispait comme pour broyer le jeune Ithorien.

Waru soupira.

La chrysalide explosa. Tels des brandons échappés d'un incendie de forêt, soufflés par un vent hurlant, des étincelles tournoyaient autour de l'autel. La spirale de feu se déploya dans la salle. Yan sentit la sueur perler sur son front. L'air devint soudain brûlant et étouffant.

Sous le regard terrifié de Yan, les écailles de Waru s'agitèrent puis s'aplatirent.

Sur l'autel, le jeune Ithorien n'était plus qu'un amas de membres brisés. Sa famille s'était regroupée et pleurait sans oser regarder.

– Je suis navrée, dit Waru. Je regrette. Je ne peux pas toujours réussir. Peut-être avez-vous attendu trop longtemps avant de demander mon aide, à moins que l'heure de votre rejeton n'ait sonné.

Les Ithoriens, lentement, se redressèrent et se tinrent devant l'autel, indécis, silencieux.

Le plus petit d'entre eux, clignant les yeux de chagrin, s'adressa à Waru en un souffle râpeux.

– Nous t'honorons, Waru.

– Je suis épuisée. Il faut que je me repose.

Les écailles dorées se contractèrent, fermant les veines chargées d'ichor.

La famille ithorienne enveloppa son enfant dans la couverture – un linceul à présent – et s'avança vers la sortie. L'assemblée s'écarta devant eux, avant de les suivre au-dehors.

Yan s'appuya contre le mur, la vue brouillée par la sueur. Il ferma les yeux, espérant effacer ainsi ce qu'il venait de voir. La foule s'écoulait autour de lui, et bientôt tout redevint silencieux.

– Viens avec moi, Solo, lui dit Xaverri.

Il ouvrit les yeux. Elle lui caressait doucement le bras pour le calmer et il la fixa du regard. L'horreur était encore en lui. Il était incapable de parler et avait du mal à respirer. En silence, Xaverri l'entraîna vers la sortie.

Ils laissèrent derrière eux la masse énorme de Waru endormie.

Ils franchirent l'arche sans s'adresser un mot.

Luke accourait vers eux suivi de C3 PO.

– Que s'est-il passé ? Vous allez bien ?

– Waru... Je ne sais pas. Je vais bien, oui, fit Yan en respirant profondément, luttant pour se maîtriser.

– J'ai senti... Comme une perturbation. (Luke lâcha le bras de son ami et passa nerveusement sa main dans ses cheveux.) Que se passe-t-il, Yan ? C'est comme si je me retrouvais pris dans des sables mouvants. Je n'arrive plus à retrouver la terre ferme.

– Quelqu'un est mort. Un enfant. Viens, il faut rentrer.

Luke n'ajouta pas un mot en leur emboîtant le pas. Même C3 PO resta silencieux.

Yan avait l'impression que ses pieds étaient en plomb.

Quand ils eurent perdu de vue le temple de Waru, Xaverri écarta soudain Yan, lui prit les mains et le regarda droit dans les yeux. Il détourna la tête. Il ne voulait pas penser à ce qu'il avait vu.

– Maintenant, lui dit-elle, tu comprends pourquoi je crois que Waru existe bien... et qu'elle est dangereuse ?

– Oui, fit-il, la voix rauque.

Les Ithoriens avaient confié leur enfant à l'entité. Et Waru l'avait tué avant de prétendre qu'elle était fatiguée et affaiblie.

Mais je l'ai vue, songea-t-il. Elle a écrasé délibérément cet enfant. Et je n'ai rien pu faire.

C'est alors qu'il se souvint du miaulement de satisfaction de Waru, à l'instant où elle avait absorbé la vie du jeune Ithorien.

– Oui, dit-il. Maintenant, je comprends.

8

Rillao avait récupéré très vite. Assise sur son lit, elle mangeait du ragoût avec ses doigts, comme le Firrerreo sans nom, en buvant la sauce à même l'assiette. Elle essayait d'échafauder une stratégie avec Leia et Chewbacca qui étaient venus lui tenir compagnie. Au-dehors, les grands vaisseaux orbitaient selon des trajectoires complexes sur le fond d'un essaim stellaire.

Rillao gardait les yeux fixés sur le vaisseau firrerreo.

– Lelila, demanda-t-elle soudain. Quand vous m'avez retrouvée, est-ce que vous n'avez pas remarqué autre chose, quelque chose d'étrange?

– Vous voulez dire en dehors de cette toile dont vous étiez prisonnière? Et de toute cette population de gens abandonnés? Qu'est-ce qui pourrait être aussi étrange?

– Une petite machine. Qu'on peut tenir entre ses mains. Elle aurait dû être sur la table, à moins qu'elle ne soit tombée?...

– Non, je n'ai rien vu, dit Leia. C'était quoi?

– Oh, rien... Rien de vraiment important.

Le vaisseau firrerreo venait de passer en phase d'accélération et s'éloignait lentement du convoi des transporteurs. Il allait continuer ainsi, d'heure en heure, année après année, lancé vers sa destination à une fraction de la vitesse luminique. Ses flancs sombres accrochaient par instants des reflets d'étoiles.

– Vous et votre fils devriez être à bord, dit Leia.

– Oui...

– Est-ce que vous comptez vous joindre à eux quand vous l'aurez retrouvé ?

– Je ne peux rien projeter aussi loin. Je ne pense qu'à une chose : le retrouver.

Leia se leva.

– Où allez-vous ? s'inquiéta Rillao.

– Je vais visiter les autres vaisseaux, pour réveiller les survivants, au cas où ils sauraient vers où nous devons nous diriger. Et les libérer en même temps.

– C'est perdre votre temps.

– De les libérer ?

– Oui ! Ils ne savent rien de leurs ravisseurs. Si vous les réveillez, il faudra les aider à reprendre la route, et ça pourrait prendre des jours.

– Parce que vous croyez que je peux les abandonner comme ça ? demanda Leia. (Puis elle se reprit en se disant qu'elle avait eu un ton par trop sympathique.) Si je les libère, ils se montreront sans doute... Reconnaissants, non ?

– Ils n'en ont pas les moyens. Ce sont des réfugiés. Des exilés. Ils n'ont rien qui puisse vous satisfaire, à moins que vous ne vouliez leur maïs. Mais vous pourrez toujours revenir ici si vous y tenez.

– Comment pouvez-vous être certaine qu'aucun d'eux ne sait où sont allés ceux que nous recherchons ?

– Asseyez-vous, je vais vous le dire.

Leia obtempéra avec réticence. Tous ses nerfs étaient tendus à l'extrême, ses émotions et ses sens en éveil absolu.

Pour Lelila la chasseuse de primes, seule l'action pouvait la sauver du souvenir, du désespoir.

Rillao avait fermé les yeux. Elle inspira longuement et se mit à raconter.

– Cet homme mauvais – je vous dirai son nom plus tard – s'est emparé de vaisseaux qui dérivaient dans cette région déserte. Il considérait que c'était légitime, puisqu'il était responsable de leur existence. C'était lui qui les avait fait construire, c'était lui qui avait arrêté et déporté ceux qui étaient à bord. Il condamnait inexorablement tous les mondes qui osaient défier l'Empereur.

« Cet homme mauvais avait même condamné son propre monde. Sa propre planète, Firrerre ! Et tous les siens.

« Et il avait envoyé son peuple à travers l'espace afin de coloniser d'autres planètes.

« Il s'était dit qu'il leur laisserait mille années avant de revenir et piller tout ce qu'ils auraient pu édifier.

« Car, voyez-vous, cet homme mauvais – je vous dirai son nom plus tard – croyait que l'Empire durerait mille ans. Et que lui aussi vivrait durant mille ans. Il croyait que lorsqu'ils retourneraient sur les mondes colonisés, les descendants de ceux qu'il avait tourmentés se souviendraient de lui comme d'un dieu. Un dieu maléfique mais omnipotent auquel chacun devait obéir.

« Car, voyez-vous, c'était le Procurateur de Justice de l'Empereur.

Une note de mépris marqua le ton de récitante de Rillao quand elle prononça le mot *justice*. Leia acquiesça, de même que le Wookie.

Durant le règne de l'Empereur, le Procurateur de Justice était toujours demeuré un personnage mystérieux, ténébreux, qui n'avait jamais eu ni nom ni image.

– Pourtant, ses plans s'effondrèrent. Et l'Empire aussi ! Il avait perdu son pouvoir et il prit la fuite. Mais ses ressources étaient intactes : il avait encore ses trésors, ses sycophantes et, surtout, sa propre petite planète, un vaisseau-monde qui pouvait voyager à travers les étoiles.

« Il partit à la poursuite des transporteurs qu'il avait répandus dans le vide. Il les aborda et les arrima dans l'hyperspace.

« Désormais, il n'aurait plus à attendre un millier d'années. Il pouvait les rançonner à son gré !

« Il aurait pu libérer ses anciens prisonniers. Les renvoyer dans leurs familles, leurs mondes d'origine. Il aurait aussi pu se soumettre à la Nouvelle République, dont on dit qu'elle est tellement magnanime... (Leia leva brièvement la tête.) Et sans doute lui aurait-on pardonné...

« Mais cet homme mauvais – je vous dirai son nom plus tard – n'a pas demandé le pardon de la République. Il a pris en remorque tout le convoi qu'il avait capturé dans l'hyperspace et l'a ramené ici. Il a abandonné tous les passagers à leur sommeil. Il a tout visité, tout fouillé, tel le dieu vengeur qu'il aurait tant voulu être. Il a choisi des enfants et les a revendus comme esclaves.

« Quelquefois, il a réveillé les parents pour le seul plaisir de leur apprendre qu'il vendait leurs enfants. Les adultes étaient des rebelles et il se plaisait à les briser. Avant de les revendre, eux aussi.

« Il vit dans le luxe et prépare la renaissance de l'Empire. Son but est de diriger l'Empire Ressuscité !

« Et son nom est... Hethrir !

Rillao avait achevé son histoire dans un grondement arrachant, avec un sourire satisfait et sinistre, en croisant les mains.

– C'est... ce qui vous est arrivé ? demanda enfin Leia. C'est lui qui a enlevé votre fils ?

– C'est plus compliqué encore. Mes rapports avec Hethrir étaient... particuliers.

– Mais comment les vôtres ont-ils pu partir, sachant qu'on leur avait volé leurs enfants ?

Rillao hésita avant de répondre.

– Il ne les leur a pas volés. Mon fils est le seul qui soit resté en vie. Hethrir n'a pas obligé les miens à voir leurs enfants vendus sur les marchés d'esclaves. Il a déporté toute la population de Firrerre sauf les enfants. Avant de détruire notre monde. Il les a tous obligés à contempler ce spectacle, la mort de leurs petits, de leur planète.

Elle se replia sur elle-même puis se laissa aller en arrière, épuisée par la haine.

Leia demeura sans voix. Terrassée par la découverte de ce mal caché qu'elle avait cru vaincu depuis si longtemps. Bien sûr, certaines places fortes de l'Empire subsistaient et lançaient parfois des attaques sur les frontières. Mais elles avaient au moins le mérite de ne pas rester secrètes.

Ils devaient traquer Hethrir et le capturer. Et détruire à tout jamais la seule idée d'un « Empire Ressuscité ».

Elle se cacha le visage dans ses mains.

– Je pense qu'Hethrir est désormais à court d'enfants à revendre, reprit Rillao. Est-ce qu'il n'a pas commencé à en capturer sur les mondes de la République ? Et n'êtes-vous pas là à cause de ça ?...

Leia hésita avant de répondre, avant de lui révéler un minimum de vérité, ce qu'elle pouvait oser se permettre.

— Tout d'abord, les parents ont cru à un kidnapping. Ils ont pensé qu'on allait leur demander une rançon.

— Mais comme ils n'ont reçu aucune demande, ils vous ont engagée.

— Oui.

— Et vous êtes... (Rillao s'interrompit, de crainte d'offenser Lelila.) Vous êtes nouvelle dans cette profession.

— Oui, c'est exact.

— Je vous aiderai. Et vous m'aiderez aussi.

— D'accord.

— Il faut que vous me conduisiez jusqu'à Calcédoine, fit Rillao avant de s'écrouler de sommeil.

Tigris emportait Anakin le long du tunnel vers le spatiodrome du vaisseau-monde. Il suivait le Seigneur Hethtir et les onze Censeurs choisis entre tous. Le plus récemment promu, tout à l'arrière de la file, accueillit Tigris d'un air hostile quand il le vit rejoindre le rang.

— Espèce de nurse ! cracha-t-il d'un ton méprisant. Comment oses-tu marcher à côté de moi ? Reste en arrière. C'est ta place !

Humilié, Tigris recula.

Et il pensa avec rage : J'espère que tu vas mourir ! Il est grand temps qu'un nouveau Censeur échoue au rite de purification ! Je souhaite que ce soit ton tour !

Quand un rite de purification échouait, les Censeurs faisaient vœu de secret quant à la mort de leur camarade. Mais nul n'avait demandé à Tigris de prêter serment, aussi pouvait-il mettre en garde le nouveau Censeur, s'il le souhaitait. Il gardait précieusement ce pouvoir en réserve mais, une fois encore, il décida de ne pas l'utiliser. Il devait rester loyal envers le Seigneur Hethrir, même s'il n'avait pas prêté serment.

Il avait les bras endoloris. L'enfant Anakin était un lourd fardeau. Il en était humilié. Lui qui s'était jusque-là cru si fort. Il passait de longues heures chaque jour à s'entraîner à l'épée. Quelquefois jusqu'à l'épuisement. Il lui arrivait de quitter subrepticement le dortoir durant la nuit pour parfaire ses exercices, même si le lendemain il devait lutter pour rester éveillé et pour bien répondre aux ordres du Seigneur Hethrir. Il souhaitait seulement que les phases de sommeil du vaisseau-monde correspondent à la nuit car il aimait s'entraîner seul ainsi, dans l'ombre, quand nul ne pouvait l'épier et le surprendre avec la fausse épée qu'il s'était fabriquée au lieu du véritable sabrolaser. Mais les jours et les nuits du vaisseau-monde étaient si brefs qu'il arrivait que tous s'endorment durant la journée et qu'on le surprenne.

Anakin s'accrochait à son cou. La clarté ardente du petit soleil filtrait à l'extrémité du tunnel. Tigris gardait les yeux rivés sur les silhouettes des Censeurs qui suivaient à grands pas le Seigneur Hethrir sur le terrain du spatiodrome.

L'enfant peut marcher, se dit Tigris. Il devrait aller à pied jusqu'au vaisseau interstellaire du Seigneur. Car c'est ainsi qu'il doit approcher de sa destinée.

Tigris posa donc l'enfant à terre.

– Non! protesta Anakin. Non, non, non!

Il agrippait désespérément la jambe de Tigris.

– Arrête ça, dit Tigris. Tu te comportes sans aucune dignité.

– Pas marcher! hurla Anakin. Non!

Il poussa un cri suraigu qui vrilla les tympans de Tigris.

– Calme-toi!

Mais Anakin cria encore plus fort. Tigris s'accroupit pour se libérer des petits doigts crispés sur sa robe brune en loques.

– Petit enfant, dit-il d'un ton radouci, tout ira bien!

Anakin s'interrompit le temps de reprendre son souffle.

Tigris le serra dans ses bras et répéta :

– Tout ira bien.

Anakin mit ses bras autour de son cou et sanglota.

Tigris essaya de se rappeler la dernière fois qu'une personne l'avait touché. Le Seigneur Hethrir ne le touchait jamais, même pour imposer sa discipline : sa voix était suf-

200

fisante. Tigris était toujours jaloux quand il posait la main sur la tête des Censeurs, quand il épinglait une médaille sur une épaule, quand il serrait des mains.

Il songea que sa mère avait été la dernière personne à le toucher. J'avais dix ans, et elle m'a serré contre elle en me caressant les cheveux, en me disant qu'elle m'aimait. Mais elle n'a pas cessé de me voler la Force. Et le Seigneur Hethrir n'a pu me restituer ce pouvoir. Ainsi, la dernière personne qui ait posé la main sur moi m'a trahi.

Anakin s'apaisait peu à peu. Il reniflait, maintenant. Tigris prit conscience que les Censeurs étaient montés à bord du vaisseau. Le Seigneur Hethrir se tenait près de la coupée, attendant visiblement Tigris et Anakin avec une expression irritée.

Tigris se redressa. Anakin s'accrocha à lui, mais ses petites mains glissèrent sur la robe de Tigris, et celui-ci lui saisit le poignet à la dernière seconde.

– On ne pleure plus! gronda-t-il.

Il entraîna l'enfant qui résistait, le visage à nouveau froncé, l'air furieux. L'expression du Seigneur Hethrir s'assombrit encore.

Tigris escalada la coupée en oubliant la douleur qui lui paralysait les bras, et le sas se referma sur lui.

Face au Seigneur Hethrir, Anakin parut se calmer un peu. Il le dévisageait avec intensité. Tigris était soudain fier de son petit protégé. Anakin avait reconnu le pouvoir du Seigneur Hethrir, il l'avait senti.

En silence, Hethrir les précéda. Dans le compartiment des passagers, les Censeurs avaient déjà bouclé leurs harnais. Ils affectaient de ne pas voir Tigris, mais l'un d'eux marmonna quand même sur leur passage : «Voilà la nurse!»

Tigris se sentit rougir, mais le Seigneur Hethrir fit comme s'il n'avait rien entendu.

Il désigna l'une des couchettes. Docilement, Tigris y déposa Anakin et installa son harnais. Il sentit les petits doigts de l'enfant au creux de sa main. Il la vit tout à coup telle qu'elle était : trop grande et maladroite par rapport à son corps. Récemment, Tigris avait beaucoup grandi et il avait de plus en plus souvent mal dans les os, comme un vieil homme, surtout après les séances d'entraînement. Et aussi, il avait constamment faim.

Il s'allongea près de l'enfant et tendit la main vers le harnais, mais le Seigneur Hethrir l'arrêta.

— Laisse l'enfant et suis-moi, lui dit-il.

Surpris, soulagé, heureux, Tigris se releva. Les Censeurs tournaient la tête vers lui. Il lut la jalousie dans leurs regards : ils étaient offensés. Il emboîta le pas au Seigneur Hethrir.

Anakin se mit à pleurer dès qu'il lui eut lâché la main.

Il hésita brièvement. Mais Hethrir l'attendait sur le seuil de la salle de contrôle, l'air impatient.

— Laisse-le! Et referme. Il doit apprendre.

Tigris obéit. Jamais encore le Seigneur Hethrir ne l'avait admis dans le poste de pilotage de son vaisseau. De toute manière, il y aurait bien un Censeur pour s'occuper de l'enfant et le calmer.

Il suivit donc son Seigneur en silence, tout en se demandant ce que signifiait cet honneur particulier. Le Seigneur Hethrir avait-il décidé enfin de faire de lui un Assistant?

Il lui désigna le siège de copilote. Tigris s'installa, gonflé de fierté. Peu importait qu'il ignore tout du pilotage d'un vaisseau. Son Seigneur avait sans doute l'intention de lui montrer.

— N'hésite jamais quand je donne un ordre, lui dit Hethrir avec douceur.

Tigris accusa le coup et serra les accoudoirs pour ne pas laisser voir qu'il tremblait.

— Est-ce que tu me comprends?

— Oui, mon Seigneur. Mais Anakin était tellement malheureux que je...

— N'hésite jamais quand je te donne un ordre.

Tigris ne dit rien.

— Tu me comprends?

— Oui, mon Seigneur, souffla Tigris.

Le Seigneur Hethrir se concentrait maintenant sur les commandes et l'ignorait. Tigris crut entendre, à l'autre bout de la coursive, les sanglots d'Anakin.

Le vaisseau vrombrit et décolla. Il perça l'atmosphère ténue et bleue du vaisseau-monde pour jaillir dans l'espace noir semé d'étoiles.

Le Seigneur Hethrir était aussi silencieux que l'univers et Tigris, sur le point de parler, se ravisa. Il observa les gestes de son Seigneur, ainsi que le petit sabrolaser qui ne quittait jamais sa ceinture, et s'efforça de ne plus entendre les pleurs d'Anakin.

L'enfant se tut enfin et il n'y eut plus que la vibration discrète du vaisseau, trop faible pour être perçue comme un son.

L'hyperespace déferla sur eux comme une vague striée de couleurs. Tigris ouvrit la bouche, émerveillé. L'hyperespace l'excitait toujours. Il avait toujours souhaité pouvoir l'explorer, s'y lancer en combinaison spatiale, même si certains prétendaient que c'était impossible. Ils disaient qu'on n'y trouverait que la folie ou la mort.

Yan s'étendit sur son lit. Les portes de verre de la terrasse étaient à peine entrebâillées et l'air chaud le baignait. Il était épuisé et inquiet. Il se leva pour ouvrir en grand les portes et respirer les senteurs de la nuit de la Station Crseih. Il aurait souhaité retrouver les soirées fraîches de Coruscant.

C3 PO s'agitait dans l'ombre, non loin de là, pestant de n'avoir aucun dîner à préparer, à servir, et encore moins d'argent pour acheter le repas.

— Maître Yan, geignait-il, il n'y a même pas une larme de vin ou une goutte de thé à boire.

— Ne t'en fais pas, C3 PO. Ça n'est pas grave.

— Après un choc, le thé serait recommandé.

Le droïd de protocole s'éloigna, espérant apparemment découvrir quelques ressources dans la chambre de Luke.

Après son départ, Yan secoua la tête. Il n'avait pas prononcé un mot depuis qu'ils avaient quitté le temple de Waru. Le moment pénible qu'il avait vécu le troublait profondément.

— Jamais tu n'aurais dû te rendre là-bas seul! dit Xaverri. Tu aurais dû attendre, comme je te l'avais dit. (Elle eut un rire bref et amer.) Mais bien entendu, comme toujours, tu n'en as fait qu'à ta tête.

— Tu voudras bien m'excuser, mais tu étais là-bas toute seule, et j'étais très inquiet!

— J'ai été seule avec Waru. Vraiment seule, absolument seule, sans la foule des suppliants. Et cela durant près de cent jours. Waru me fait confiance. Mais si tu continues comme ça, elle finira par se méfier de moi.

— La famille ithorienne, elle aussi, faisait confiance à Waru, et regarde ce qui lui est arrivé.

Yan sentit le chagrin et la peur refluer en lui. Dans son esprit, la famille ithorienne était un peu comme la sienne. Même s'il savait que rien ne pouvait leur arriver, il ne pouvait s'empêcher d'imaginer Leia, Jaina et Jacen en train d'implorer Waru pour la guérison d'Anakin, puis de le placer sur l'autel.

Il avait risqué sa vie des millions de fois mais jamais encore il ne s'était senti aussi désarmé, vulnérable.

Les gamins sont sur Munto Codru. Jaina est probablement en train de démonter une vieille montre et Jacen de faire copain copain avec une créature bizarre qui se révélera certainement venimeuse. Anakin les regarde en méditant un sale coup. Et Leia veille sur tout le monde avec Chewbacca. Tout va bien, ils ne risquent rien.

Il eut pourtant un frisson de crainte.

— Est-ce que tu savais seulement ce qui devait se passer? lança-t-il à Xaverri, soudain furieux. Que Waru allait assassiner cet enfant?

— Je savais seulement que...

Il se dressa brusquement, mais Xaverri leva la main pour l'arrêter et acheva:

— Je savais seulement qu'une autre personne allait mourir. Mais pas quand. Ni qui cela pouvait être. J'ignorais que ce serait l'Ithorien. Il est impossible de savoir ceux qui vont laisser leur vie à Waru. On ne peut que participer et voir. Jamais je ne t'aurais laissé assister à ça sans t'avoir mis en garde. Je l'aurais fait si tu avais attendu comme je te l'avais demandé.

— Waru est une guérisseuse, intervint Luke d'un ton apaisant. Et les guérisseurs ne peuvent réussir constamment. C'est sans doute tragique, mais les êtres meurent. Même quand ils sont jeunes.

– Tu n'as pas vu ce qui est arrivé! protesta Yan. Waru n'a pas échoué. Elle avait prévu ce qui s'est produit. Waru... (Sa voix trembla.) Waru y a pris plaisir.

– Est-ce que tu es maintenant convaincu que ce n'est pas un tour de charlatan? demanda Xaverri.

– Je ne sais pas. (Yan ne se rappelait pas un meurtrier qui ait jamais tué en invoquant des forces surnaturelles.) De toute manière, peu importe.

J'ai tellement froid, se dit-il. Pourtant, il fait chaud ici...

Mais il savait en son for intérieur que ce froid ne le quitterait pas jusqu'à ce qu'il sache ce qui se passait vraiment.

– Ce que je sais, ajouta-t-il, c'est que Waru est l'incarnation du Mal.

– Tu ne peux pas le savoir, dit Luke. Pas aussi vite.

– Mais je le sais pourtant. J'en suis certain.

– Pourquoi?

– Comment je pourrais le savoir? Je ne sais pas, moi! Est-ce que tu sais ce que tu sais quand tu le sais, hein?

Yan s'interrompit, à court d'arguments.

– Il ne faut pas tirer de conclusion hâtive, dit Luke.

– Moi, je ne tire pas de conclusion hâtive, rétorqua Xaverri, vexée. J'ai observé. J'ai gagné la confiance de Waru. Et j'ai décidé qu'il fallait que je vous appelle à l'aide.

– Mais cette chose, Waru, d'où vient-elle? demanda Yan. C'est quoi exactement?

– Quand la Station Crseih appartenait à l'Empire, le Procurateur de Justice l'utilisait comme prison pour les ennemis de l'Empereur, comme salle de torture et également pour accomplir des rites barbares...

« On prétend, reprit Xaverri après un moment de silence, que lorsque les gens soufflent leurs secrets dans les ténèbres, Waru apparaît en réponse aux rites du Procurateur. On prétend que c'est par ses sacrifices qu'il a arraché Waru au vide de l'espace et l'a nourrie de la vie des autres. (La voix de Xaverri se réduisit à un chuchotement.) On prétend qu'ils ont scellé un pacte, une alliance : lorsque

Waru sera satisfaite, elle récompensera alors le Procurateur en lui donnant un pouvoir absolu.

Yan sentit un frisson courir sur son échine.

Xaverri se replia sur elle-même et ferma les yeux.

— Le Procurateur de Justice est mort, dit Yan.

Elle rouvrit les yeux et lui lança un regard tendre.

— Alors c'est l'un des survivants ? Ceux que tu traquais et que tu espionnais ?

Elle acquiesça.

— Il y a longtemps que j'ai cherché à le retrouver. J'ai découvert qu'il vient parfois ici. Alors, je l'attends.

— Mais Waru guérit, dit Luke.

— Je n'ai pas besoin de vous rappeler que celui qui guérit sait aussi comment donner la mort, continua plus doucement Xaverri.

— Vous avez des preuves ?

— Yan a vu la preuve.

— Luke, dit Yan, je suis désolé que ça ne se passe pas comme tu le voulais, mais nous devons arrêter cette chose.

Luke le toisa, aussi entêté et provocant qu'il l'avait toujours connu.

— Waru ne peut être qu'une manifestation du Côté Sombre, ajouta Yan.

— Non, elle n'appartient pas au Côté Sombre.

— Comment peux-tu le savoir ?

— Je l'ignore, fit Luke avec un sourire à la fois ironique et amer. Je sais seulement que je le sais.

— Ce n'est pas vraiment une réponse.

— Je sais ce que j'éprouve face au Côté Sombre. Je sais ce qui m'arrive quand je suis en sa présence. Là, ce n'est pas le cas.

C3 PO revint en geignant.

— Maître Luke, nous n'avons rien à manger.

— On s'en occupera demain.

— Peut-être devrais-je regagner le *Faucon* afin de récupérer quelques provisions.

— Eh bien, vas-y ! s'emporta Yan, incapable de supporter le droïd une seconde de plus.

C3 PO s'éloigna dans le couloir.

– Tu n'aurais pas dû le rembarrer ainsi, dit Luke.

Yan ne répondit pas. Il était parcouru de frissons. Plus il luttait, plus cela empirait. Xaverri se leva et s'approcha de Luke.

– Laissez-nous seuls un instant, Maître Luke, demanda-t-elle.

Luke hésita, les regardant tour à tour.

– Tout se passera bien, l'assura Xaverri. Il faut seulement que vous nous laissiez.

Luke regarda sa chambre dans le bruissement de sa robe et referma la porte.

Xaverri vint s'asseoir à côté de Yan. Elle lui prit la main et il sentit avec bonheur la chaleur douce de sa peau.

– Solo, je comprends, lui dit-elle. Toi et moi, ensemble, nous allons mettre fin aux agissements de Waru. Elle est forte, mais nous trouverons un moyen. Maintenant, il faut que tu te reposes, que tu dormes.

Elle le prit dans ses bras et il sentit sa chaleur pénétrer tout son être.

Ses pensées le ramenèrent au bon vieux temps. Les longs frissons s'espacèrent, faiblirent et disparurent. Yan dormait.

Le vaisseau du Seigneur Hethrir surgit du tunnel de l'hyperespace. Dans l'espace normal, les étoiles étaient à nouveau visibles et Tigris baignait dans la splendeur de leur éclat.

Les boucliers antiradiation se déployèrent.

Devant eux, un maelström de clarté aveuglante à peine atténué par le bouclier : le tourbillon cosmique du disque d'accrétion d'un trou noir.

Le Seigneur Hethrir parla pour la première fois depuis leur envol :

– Je ne serai vraiment heureux que le jour où je pourrai voyager à mon aise. Quand je n'aurai plus à dissimuler mon vaisseau-monde aux regards de ces misérables voleurs de la Nouvelle République. Je déteste abandonner mon domaine.

– Mon Seigneur, proposa Tigris, si je puis être de quelque service...

– Non.

– J'implore votre pardon, mon Seigneur.

– Il nous faudra encore quelques heures avant d'atteindre la Station Crseih, dit le Seigneur Hethrir. Je dois... méditer. Il faut que je prépare la purification de l'enfant.

Il se leva. Tigris se débattit pour se libérer de son harnais car nul ne pouvait rester assis quand le Seigneur était debout.

Le Seigneur Hethrir, justement, le fixait.

Est-ce mon imagination ? s'interrogea Tigris, ou bien son expression est-elle vraiment bienveillante ? Bien sûr, il pense à l'offrande, pas à moi.

– Tu dois dormir, dit-il. Tu dois dormir devant ma porte.

Tigris était stupéfait. Dormir devant la porte de son Seigneur était un honneur. Mineur, certes – rien à voir avec la promotion au rang de Censeur ni même la distinction de le servir à table –, mais c'était quand même un honneur inattendu, le premier que le Seigneur Hethrir lui ait jamais fait.

– Merci, mon Seigneur, dit Tigris en baissant la tête.

Leia entama le protocole de décollage de l'*Alderaan*. Elle sangla soigneusement Rillao avant de rejoindre le Wookie et D2 dans le cockpit et de lancer les moteurs.

L'*Alderaan* vibra. Leia observa les écrans et demanda un calcul de trajectoire entre les grands vaisseaux du convoi abandonné. Elle se sentait coupable de les laisser là, mais Rillao avait raison. Quelques jours ne feraient pas de différence pour les passagers endormis. Alors que si l'*Alderaan* prenait du retard, les enfants – tous les enfants – seraient à jamais perdus.

Elle envoya un SOS anonyme au général Yan Solo. Lelila la chasseuse de primes ne pouvait se permettre d'appeler à l'aide le glorieux combattant de la liberté, encore moins de retrouver les caresses de ses mains, la chaleur de son corps. Et surtout pas d'affronter son chagrin et sa fureur lorsqu'il apprendrait ce qui s'était passé.

L'*Alderaan* afficha son cap pour le voyage vers Calcédoine et Lelila confirma la destination. Le vaisseau s'élança et elle poussa un cri d'exultation auquel Chewbacca fit écho. L'*Alderaan* s'enfonça dans l'aura rayonnante de l'hyperespace.

Ils firent alors silence. Ils se sentaient soudain tellement mieux.

Yan luttait contre la terrible paralysie du sommeil. Anakin était en danger. Un grand serpent de l'espace rampait vers lui, et l'enfant l'observait avec intérêt, sans la moindre peur. Le serpent se transforma en Boba Fett, le chasseur de primes qui avait voulu capturer les enfants de Yan afin qu'il soit en son pouvoir. Un reflet scintillait sur le casque de Boba Fett, doré comme le soleil. Une veine de sang écarlate sinuait à l'intérieur du reflet. Le chasseur de primes poussa un juron. L'or et l'écarlate se dilatèrent en prenant encore de l'éclat et se changèrent en Waru, l'entité non humaine que C3 PO lui-même ne pouvait identifier. Waru chuchotait une promesse à Anakin, qui se dressait sur ses petits sabots et courait vers la créature.

Yan savait qu'il lui suffirait de courir lui aussi, de bouger simplement pour sauver son fils, mais il était totalement paralysé. Il savait qu'il dormait à la limite du seuil d'éveil. S'il avait seulement la force de faire quelque chose, il pourrait arrêter ce terrible cauchemar.

– Solo ! Solo, réveille-toi !

On le secouait et le cauchemar se dissipa avant qu'Anakin n'atteigne l'autel de Waru. Yan se redressa avec un cri étouffé de peur et de soulagement.

Xaverri s'écarta de lui.

– C'était un cauchemar, lui dit-elle. Rien de réel !

Une clarté étrange mêlée à des ombres filtrait par les portes de verre.

– Ç'aurait pu être vrai, tout aussi bien, dit-il.

– Je sais, acquiesça Xaverri d'un ton très doux.

Il ne lui demanda pas si elle rêvait parfois de Waru, elle aussi. Il se débattait encore dans son rêve. Et il croyait aussi connaître la réponse.

Il était allongé sur son lit. Il n'avait plus ses bottes ni son blouson. Xaverri avait jeté sur lui une couverture légère. Elle était assise à côté de lui.

– Comment je suis arrivé là? demanda-t-il.

– C'est moi qui t'ai porté. Le temps passe, tu sais – et ni toi ni moi ne pourrions plus nous reposer en restant debout.

Il se souvenait d'une certaine nuit où ils avaient dû pourtant dormir debout, pour ne pas plonger la tête dans un marais fangeux. Ils avaient dormi tour à tour, l'un soutenant l'autre.

Xaverri sourit.

– J'espère ne pas avoir offensé ta modestie?

– Est-ce que tu as une famille? demanda-t-il brusquement.

L'expression de Xaverri se durcit.

– Tu sais que j'ai eu une famille avant de te rencontrer! Tu sais que l'Empire...

– Je veux dire : actuellement. L'Empire est oublié depuis longtemps. Est-ce que tu es seule? Tu n'as pas trouvé quelqu'un?

– Je serai toujours seule. Jamais plus je... (Elle secoua la tête.) Solo, si je n'avais pas fait ce vœu, jamais je ne t'aurais quitté.

– Tu te mens à toi-même.

– Tu peux le penser. Mais imagine. Si ton cauchemar avait été réel...

Il se raidit. Il rejetait cette idée avec violence.

– Ça n'était qu'un rêve!

– Un cauchemar. Et s'il avait été réel, est-ce que tu ne ferais pas tout pour qu'il ne revienne pas? Même s'il remontait à des années?

– Mais il n'était pas réel!

Pourtant, il se sentait vulnérable. Le sentiment était encore plus fort que la nuit d'avant. Il n'arrivait pas à imaginer qu'il pourrait ne plus jamais serrer Leia dans ses bras, ni revoir ses enfants, les entendre rire, les embrasser.

Ils sont en sécurité, se dit-il avec force. Ils sont sur Munto Codru.

– Solo, tu as fait un rêve, dit Xaverri. Pour moi, c'était la réalité.

210

Elle sortit en silence.

Yan rejeta la couverture et se leva. Il alla frapper à la porte de la chambre de Luke et entra sans attendre de réponse.

Les fenêtres étaient ouvertes. La naine blanche, l'étoile de cristal, brillait à son zénith. Le trou noir, le tourbillon ardent, se levait déjà sur la Station Crseih. Invisible au regard, il tournait au centre des turbulences de son disque d'accrétion qui crachait son énergie. Ainsi, la pièce était illuminée par deux soleils. Peu à peu, la lumière du disque d'accrétion submergeait celle de la naine blanche, projetant des ombres acérées.

Luke était assis sur le balcon, les jambes croisées. Il tournait le dos à Yan.

C3 PO se redressa. Le droïd avait disposé sur la table ce qu'il avait rapporté du *Faucon Millenium*. Il avait transformé les serviettes de la salle de bains en napperons.

Il avait placé un bouquet de fleurs immondes au centre. Des générations auparavant, quand la Station Crseih était encore entretenue, les fleurs avaient encore leur aspect d'origine. Mais au fur et à mesure que l'efficacité des boucliers diminuait, elles s'étaient transformées et avaient muté en monstruosités aux pétales charnus. Celles-ci évoquaient un foie cru rongé par des tumeurs d'un vert écœurant.

— Maître Yan! s'écria le droïd. Avez-vous faim? J'ai préparé un déjeuner léger et... Si nous pouvons déranger Maître Luke?

— J'avais faim, grommela Yan. Jusqu'à ce que mon regard se pose sur ces charmantes fleurs. Tu pourrais évacuer la décoration, je te prie?

— Mais, monsieur, elles sont très curieuses et...

— C'est la chose la plus dégoûtante que j'aie vue depuis Öetrago. Et en plus elles cocottent!

— Ce sont des fleurs, monsieur, fit C3 PO d'un ton chagrin. C'est leur parfum. Je voulais seulement apporter une note de joie dans cette chambre et, si je puis l'avouer, il m'a fallu endurer le courroux de notre hôte pour les obtenir.

C'est parfait, songea Yan. Voilà qui va encore s'ajouter à la note.

Il s'approcha de la terrasse en lançant : « Luke ! On mange ! »

Puis il s'assit à table et ouvrit une ration peu appétissante. Quand est-ce qu'on a remplacé tout ça ? s'interrogea-t-il. Il regarda la date et accusa le coup.

– C3 PO, pourquoi tu n'as pas rapporté de la vraie nourriture ?

– Parce qu'elle n'était plus fraîche, Maître Yan.

– Ça non plus, répondit Solo en désignant les rations.

– Bien sûr, monsieur. C'est de la conserve.

– C'est ridicule. Je vais commander un breakfast correct.

– C'est impossible, monsieur. Notre hôte, le gérant de ce logis, insiste pour que nous payions en partant.

Yan, avec un soupir résigné, attaqua son misérable breakfast.

Luke venait de se lever.

Mais je pourrais peut-être aller jeter un coup d'œil dans le *Faucon* moi-même, songea Yan. Rafler tout ce qui peut rester dans la cambuse. Ça ne sera peut-être pas de la dernière fraîcheur, mais sûrement plus appétissant que ce machin.

Luke s'approchait de la table, l'air sombre, frissonnant.

– Assieds-toi, proposa Yan. Qu'est-ce qui t'arrive ?

– Laissez-nous seuls un instant, Maître Luke, dit le Jedi en imitant la voix de Xaverri.

– Hein ? Mais tu parles de quoi ? Oh... Tu veux dire que Xaverri te l'a demandé, hein ? Tu voulais bavarder encore un peu ? Désolé, mais je me suis endormi.

– Et elle n'est repartie que ce matin, dit Luke avec une note menaçante.

– Non, elle... Attends une seconde. Tu insinues quoi ?

– Il ne s'agit pas d'insinuer.

– Écoute, gamin.

– Ne m'appelle plus « gamin » !

Luke venait de glisser la main vers la poignée de son sabrolaser.

– Mais qu'est-ce qui t'arrive, bon Dieu ? s'inquiéta Yan, partagé entre la colère et une furieuse envie de rire.

« Tu veux faire quoi ? Me tailler en pièces parce que j'ai passé quelques heures seul avec une vieille amie ?

Il n'avait pas eu l'intention de se défendre ainsi. Mais il en voulait à Luke de le chapitrer ainsi. C'était insultant qu'on lui rappelle son serment de fidélité à Leia.

– Je ne sais pas quoi faire, proféra Luke.

– T'excuser, pour commencer. Ça serait déjà bien.

Luke lui lança un regard furieux.

– Mais si tu ne me fais pas confiance, poursuivit Yan, si tu crois que Leia non plus ne devrait pas me faire confiance, pourquoi es-tu venu avec moi? Ou bien est-ce à cause de ça que tu m'as accompagné?

Il venait d'écraser son breakfast entre ses doigts, arrosant le tapis de miettes de protéines.

– Je sors, dit Luke. Il faut que je prenne l'air. Et j'espère bien ne pas tomber sur ta «vieille amie».

C3 PO observait la scène, visiblement choqué.

– Laisse donc Xaverri en dehors de tout ça! lança Yan. Elle n'y est pour rien. (Luke lui répondit par un rire amer.) Ça ne concerne que l'opinion que tu as de moi. Apparemment, elle n'est pas aussi brillante que je le croyais!

– Je ne peux pas te parler pour le moment. Et je ne tiens pas à le faire.

Sur ce, Luke sortit, mais la porte refusa de claquer et se referma doucement et docilement.

Yan froissa son sachet de protéines et le jeta sur les miettes.

– Espèce d'abruti de Jedi! Sale gamin arrogant!

– Maître Yan! implora C3 PO. Au nom de quoi...

– Ça serait trop difficile à t'expliquer!

– Maître Luke n'a pas apprécié son déjeuner? larmoya le droïd.

9

Lelila la chasseuse de primes était aux commandes de l'*Alderaan*. Elle s'abandonnait à la somnolence hypnotique des feux de l'hyperespace. En vain : elle ne décelait plus aucune piste. Elle soupira longuement.

Chewbacca alias Geyyahab se laissa tomber dans le siège de copilote. Sa blessure semblait se cicatriser, même s'il en souffrait parfois sans rien dire. Et Leia ne se permettait aucun commentaire.

— Tu sais que cette teinture est splendide, lui dit-elle en admirant son pelage noir et argent marqué par endroits de quelques touches de poils authentiquement châtains.

Il prit une boucle des cheveux verts et bruns de Leia entre ses gros doigts en émettant une plainte perplexe.

— Non, moi, cette couleur m'agace, dit-elle. Mais elle fera l'affaire.

L'*Alderaan* venait de s'expulser de l'hyperespace et plongeait en direction de Calcédoine. Leia demanda l'autorisation de se poser au système d'intelligence artificielle du port.

La carte de la planète se matérialisa sur les écrans. Rocailleuse, constata-t-elle. Des volcans géants déformaient la surface sphérique et on avait du mal à imaginer qu'une telle planète puisse tourner normalement.

L'atmosphère était à peine respirable, en partie à cause des éruptions. La planète était soumise à l'érosion et connaissait de violentes tempêtes de sécheresse. Mais on trouvait un peu d'eau en surface. Il n'y avait aucune vie indigène. Quelques taches vertes et bleues, très éloignées des grands volcans, indiquaient la présence de deux colonies en expansion et d'une station spatiale.

– Qui pourrait souhaiter vivre là? demanda Leia.

Le Wookie n'essaya même pas de répondre à cette question de pure rhétorique. Il lui fit signe de se harnacher et elle demanda à D2 d'aller s'occuper de Rillao.

Le terrain sur lequel l'*Alderaan* se posa était en pierre nue et les tuyères du vaisseau ne soulevèrent pas le moindre nuage de poussière. Quelques rares vaisseaux étaient en vue.

Dès qu'elle entendit Rillao, Leia se redressa et se précipita vers elle. La Firrerreo s'était enveloppée dans un drap et marchait lentement, à petits pas précautionneux. Elle avait rassemblé ses longs cheveux en une double tresse qui pendait dans son dos. Ses blessures étaient maintenant guéries : elles n'avaient laissé que d'infimes cicatrices sur sa peau brune.

– Auriez-vous des vêtements? demanda-t-elle.

Leia se sentit rougir.

– Votre ami sans nom...

– Il n'était pas mon ami, grinça Rillao.

– Je veux dire qu'il n'avait aucun vêtement, et je pensais que ceux de votre peuple...

– On est toujours nu en animation suspendue. Même si les contremaîtres de l'Empire qui vous endorment vous laissent un vêtement.

Leia la précéda jusqu'à sa cabine et fouilla dans un placard. Rillao était nettement plus grande qu'elle et ce qu'elle trouva dans sa garde-robe était importable ou ridicule. Elle en sortit pourtant une très belle robe de soirée en soie verte, assez épaisse pour être portée à l'extérieur.

– Est-ce que cela conviendrait?

– Ça ira, fit Rillao.

Elle passa rapidement la robe, glissa ses bras longs et graciles dans les manches, avant de nouer deux fois la ceinture et de passer le jupon entre ses jambes pour en faire un pantalon improvisé.

– C'est mieux comme ça, dit-elle. Allons-y.

Chewbacca les attendait devant l'écoutille.

– Tu vas rester là et garder le vaisseau, lui dit Leia.

Il protesta en grondant.

– Mais il faut bien que quelqu'un reste en sentinelle. Ça ne sera sûrement pas moi : je suis la seule à qui il n'est encore rien arrivé.

Elle était persuadée qu'il fallait cacher la présence du Wookie aussi longtemps que possible.

Pourquoi ? lui souffla Lelila la chasseuse de primes. Quelle importance qu'on voie un Wookie tacheté dans le coin ?

– S'il te plaît, insista-t-elle.

Avec un long soupir de résignation, il retourna dans le cockpit.

A la seconde où Rillao et Leia posaient les pieds sur le sol, elles sentirent une secousse. Leia, avec un cri étouffé, agrippa une entretoise de l'écoutille.

– Un séisme, lui dit Rillao. Ils sont très fréquents ici.

La Firrerreo s'avançait même si le sol vibrait encore, et Leia se précipita à sa suite.

Rapidement elles durent ralentir à cause de l'air ténu et acide. Leia prit conscience de l'irritation soudaine de ses poumons.

– Le droïd nous suit, remarqua Rillao.

Leia se retourna. D2 était à une centaine de pas derrière elles et pépiait en essayant de les rattraper.

– Aucun problème. La cambuse est presque vide, nous allons pouvoir acheter du ravitaillement ainsi que des fournitures médicales. D2 les apportera au vaisseau.

Elles quittèrent le calme du port pour pénétrer dans un marché couvert où régnait le tintamarre des marchands et d'un petit orchestre de flûtes.

– Impressionnant ! commenta sèchement Leia.

– Nous ne sommes pas ici pour faire du tourisme, dit Rillao.

Elle essaya de presser le pas, mais, tout comme Leia, elle dut ralentir en toussant.

– Cet air empeste !

Elles progressaient entre les éventaires : des fruits tavelés par les acides des volcans, des vases et des gobelets en lave.

– Ça ressemble plutôt à de la boue, dit Rillao.

Une troupe de Twi'leks s'agitait dans la pénombre du bazar. Ils entourèrent Leia et Rillao en agitant furieusement les tentacules de leurs têtes. L'un d'eux grattait sur une petite harpe tandis qu'un autre agitait au-dessus de Leia un éventail fait d'ailes d'insectes. Dans le frémissement des couleurs pastel et iridescentes, elle se sentit brusquement tendue, irritée.

La troupe de Twi'leks les abandonna à l'autre bout du bazar aussi soudainement qu'elle était apparue. La spirale de la danse s'était inversée et élargie, et tous disparurent entre une tente et un dôme géodésique portable.

Leia suivit Rillao sur le gravier des rues qui conduisaient au centre de la ville. Les immeubles étaient bas, construits dans une pierre volcanique noire dont les blocs avaient été finement taillés et ajustés sans trace de mortier.

A chaque pas, Leia aurait voulu arrêter Rillao pour lui demander où elles allaient, ce qu'elles cherchaient. Mais elle craignait de perdre sa crédibilité si elle posait trop de questions.

Le gravier céda la place à une chaussée de brique. Dans ce quartier de la cité, les maisons elles-mêmes étaient construites en verre volcanique glauque et se dressaient bien au-dessus de Rillao comme une barrière aveugle. Jusqu'à présent, Leia n'avait pas vu une seule fenêtre et elle se demanda s'il existait une technique pour rendre le verre volcanique transparent.

Rillao venait de s'arrêter sous une porte cochère en verre intaillé qui évoquait des courants d'eau boueuse. Des tiges de verre se dressaient de part et d'autre. D2 les rejoignit et se fit tout petit pour ne pas les déranger.

Pourquoi ne sommes-nous pas accueillis? s'interrogea Leia.

Avant de se rappeler : Mais qui crois-tu être? Une princesse que tout le monde doit saluer?...

Rillao effleura les tiges de verre, éveillant des notes cristallines toutes différentes. L'instant d'après, la porte pivota.

Le mur de verre entourait un vaste étang artificiel dont le fond était tapissé de gravier d'agate polie. L'eau ruisselait en étincelles, en trilles musicaux sur les cristaux. Un peu plus loin, des chemins cailouteux serpentaient d'un côté et de l'autre de l'étang et passaient sous un réseau complexe de pics de verre délicats, d'une absolue perfection cristalline.

Le sol fut parcouru d'une secousse. Et les herbes de verre entremêlées frémirent dans un murmure.

Des êtres bougèrent. Ils étaient plusieurs sur le réseau de mailles de verre, sans ossature, avec des troncs préhensiles et souples. D'autres apparurent, tout à fait semblables, s'aspergeant joyeusement sur le décor d'agate, ne laissant plus voir que leurs troncs humides aux yeux pédonculés.

L'un d'eux dressa son tronc radial (il en possédait cinq au total), et cracha de l'eau loin dans les airs, dessinant un arc-en-ciel sous la lumière. L'un de ses camarades de jeu, qui se détendait sur les mailles de verre, se secoua en trompettant une énergique protestation.

Rillao précédait Leia et D2 et ils s'éloignèrent très vite des bassins et de leurs habitants pour se faufiler sous les herbes de verre.

Le propriétaire des lieux devait être très riche, songea Leia, se montrer aussi dispendieux avec l'eau sur un monde qui n'était qu'une immense plaine volcanique en était la preuve. Il était audacieux, également, pour avoir construit en verre une structure aussi haute dans une zone sismique.

Le soleil à son zénith brûlait dans le ciel, au-dessus du réseau de verre, projetant des ombres dédoublées et des faisceaux de toutes les couleurs du spectre.

Leia repensa aux créatures des bassins qui lui étaient totalement inconnues et chuchota à Rillao :

— Ceux-là ne ressemblent pas du tout à la population du bazar.

— Bien sûr que non. Toutes ces races ne sont pas originaires de ce monde. Là-bas, vous aviez les paysans et les commerçants. Ici vivent les bureaucrates.

Elles suivaient le chemin sinueux, contournant les

endroits humides et glissants. Les créatures qu'elles rencontraient ne s'intéressaient pas plus à elles qu'aux secousses régulières du sol. Elles jouaient avec le gravier d'agate, créant sans cesse de nouveaux contours.

D2 suivait en sifflant son dépit chaque fois qu'il devait se dévier pour ne pas traverser une flaque.

Leia et Rillao atteignirent le centre du bassin d'agate, là où la structure de verre culminait.

Dans un profond nid d'agate, une créature invertébrée oscillait doucement et l'eau répondait à son rythme. Elle avait lancé deux trompes, l'une vers le haut, loin dans l'air, l'autre plus bas, soufflant parfois des bulles sous la surface.

Rillao s'arrêta et s'accroupit sur les talons.

Elle attendait.

Leia décida de ne pas l'imiter. Elle resta debout, explorant du regard la perspective étrange de la cour. Puis elle se pencha pour cueillir une des agates.

Rillao lui saisit la main avec une force surprenante.

– Vous oubliez les bonnes manières ? chuchota-t-elle. Asseyez-vous comme moi et surveillez votre regard, et aussi vos mains !

– Lâchez-moi !

Rillao lui griffa la peau.

– Aïe ! fit Leia en portant la main à sa bouche.

La griffure saignait et elle se demanda si les ongles de la Firrerreo pouvaient contenir du venin ou un produit allergène. Mais elle pensa dans le même instant : Je suis une chasseuse de primes, alors comment aurais-je pu apprendre les bonnes manières et pourquoi est-ce qu'on devrait me punir pour ça ?

– Vos yeux, vos mains – et votre voix ! dit Rillao.

D'accord, décida Leia. Je suis la chasseuse de primes et je peux très bien m'asseoir pour attendre tranquillement.

Elle lança un regard noir à Rillao, qui ne semblait pas avoir l'intention de s'excuser ou de s'expliquer. Leia croisa les jambes et passa la main dans ses cheveux qui retombaient presque sur le sol en lui cachant le visage.

Je peux encore voir, constata-t-elle avec satisfaction. Mais personne ne peut suivre la direction de mon regard.

Immobile auprès de Rillao, elle observa les créatures molles qui paressaient en brassant les agates. Son regard revint à l'être isolé dans le bassin central. Il soufflait toujours des bulles en passant parfois l'une de ses trompes sur le lit d'agate.

Rillao se balançait lentement, les bras appuyés sur les genoux, les yeux clos. Ça n'est quand même pas le moment de faire la sieste ! se dit Leia. Encore moins l'endroit !

Elle était nerveuse, envahie par la colère et l'impatience. Et, insidieusement, le désespoir commençait à envahir son esprit.

Ne sois pas obsédée par ton gibier, songea-t-elle. Tu es une chasseuse de primes et tous les contrats que tu passes se ressemblent. Avant tout, tu dois rester calme.

Une étincelle brillait au fond de son esprit. Elle se concentra pour augmenter son seuil de perception et pensa : Je suis ici. Qui m'appelle ?

La créature du bassin déploya ses tentacules en les tordant et jaillit hors de l'eau. Leia fut éclaboussée et, avec un cri de surprise, elle recula. Seuls ses cheveux l'avaient empêchée d'être totalement trempée. L'étincelle de lumière faiblit et disparut.

Elle se rassit non loin de Rillao, à l'écart de la flaque.

D2 couina et roula sa carapace plusieurs fois, comme un chien mouillé. Leia l'agrippa alors qu'il était sur le point de basculer et il roula sur quelques centimètres avant de se camper solidement sur le chemin.

– Assez ! Il suffit ! meugla la créature par l'une de ses trompes.

La masse centrale de son corps se souleva hors de l'eau tandis qu'il agitait frénétiquement ses tentacules. Certains étaient couverts de fines vrilles à leur extrémité. L'essaim de ses yeux cristallins pivota lentement vers Rillao et Leia, comme autant d'antennes microscopiques.

Rillao, qui s'était laissé doucher sans protester, ouvrit lentement les paupières.

– J'ai une affaire, Indexeur, dit-elle calmement.

– Une affaire ! Voyez mes assistants. Pourquoi êtes-vous là, à perturber ma concentration ?

– Je dois résoudre un problème difficile. Et seul l'Indexeur peut avoir les contacts appropriés.

Leia fut surprise du compliment de la Firrerreo. Visiblement apaisé, l'Indexeur se laissa aller dans le nid d'agate.

– Un défi, dites-vous.

– Très difficile à relever.

– Formulez votre question.

– Nous sommes dans le commerce, dit Rillao d'un ton neutre et froid. Et nous avons été engagées afin d'accéder aux requêtes de nos employeurs.

– Ah, fit l'Indexeur. Des employeurs de votre propre groupe planétaire?

– Oui.

– Qui souhaitent la même chose?

– Oui.

Leia essayait de décoder la conversation. Elle se demanda quelle importance pouvait avoir le statut des employeurs. Elle était sur le point de déclarer qu'elle était son propre employeur, mais un faible élancement de son égratignure à la main lui rappela la mise en garde de Rillao.

– Donc, c'est bien une contestation, déclara l'Indexeur. Du moins pour vous. (Les yeux à facettes se tournèrent vers Leia.) Dans son cas, qui peut savoir? Nous nous en soucierons plus tard. (Il revint à Rillao.) Je croyais que votre espèce avait disparu.

– Pas... Pas vraiment.

– Je croyais cependant que les Firrerreo ne se mêlaient pas de commerce.

– Nous sommes hautement adaptables.

– Je vois, je vois. C'est bien. C'est une bonne façon d'échapper à l'extinction. Ah, je crois comprendre : vous souhaitez agrandir votre pool génétique.

Rillao ne répondit pas.

– A moins que vous ne souhaitiez écarter l'un des vôtres du marché. A cause des ennuis, de la publicité...

– Tout ce qui vous importe, c'est la forme de mon argent.

Le code était devenu transparent pour Lelila la chasseuse de primes. Rillao demandait à acheter un esclave.

Tu as vécu trop longtemps à l'abri de tout, songea-t-elle. *C'est une bonne chose que tu aies choisi de te faire passer pour une chasseuse de primes.*

Elle coula un regard vers Rillao, à travers l'écran de ses cheveux mouillés. Elle bouillonnait soudain de colère et d'humiliation parce que la Firrerreo venait de la décrire comme une acheteuse d'esclaves à un trafiquant d'esclaves.

Mais quelle importance ? Qu'as-tu à faire de l'opinion de l'Indexeur ? Rappelle-toi ta mission. Ta mission, c'est de rattraper ce vaisseau. Et si tu dois mentir... Pense à la récompense qui t'attend quand tu auras réussi.

— La recherche va être coûteuse, dit l'Indexeur. Il faut bien le savoir. Il faudra filtrer un nombre important de données à partir d'une maigre information.

Rillao balaya cet argument d'un geste et se tourna vers Leia. Celle-ci se rendit compte soudain que Rillao n'avait pas un sou. Rien.

— Payez-lui ce qu'il demande, fit-elle.

— Mais je ne peux pas... Leia s'interrompit en se disant que oui, bien sûr, elle avait de l'argent, elle. Pourquoi l'oubliait-elle constamment ?

Troublée, déconcertée, elle se leva.

Elle vacilla et faillit tomber. Rillao la retint par le bras, l'arrachant à son hallucination momentanée d'avoir deux identités : celle de Lelila, la chasseuse de primes, directe et flegmatique, et l'autre, une étrangère redoutable et dévorée par la colère.

Rillao avait saisi quelques mèches de cheveux entre ses doigts. Comme par inadvertance, elle tira dessus :

— Ça me fait mal, dit Leia en comprenant le message. Laissez, je vais le payer moi-même.

Rillao retira sa main en lui lançant un regard curieux.

Leia se tourna vers l'Indexeur.

— Combien vous dois-je ?

— Ça dépend de la recherche.

La créature lança plusieurs tentacules vers la structure de verre sans quitter le bassin.

Leia s'accroupit en attendant.

Une note de musique cristalline, surnaturelle, monta

soudain des poutrelles de verre. Les êtres mous vautrés de toutes parts s'animèrent et se rassemblèrent avec des mouvements fluides autour de l'Indexeur. Ils firent ainsi varier la tonalité et l'intensité de la musique qui se changea en une mélodie éthérée. Plus ils se rapprochaient, plus les notes montaient dans l'aigu. Les yeux de Rillao se rétrécirent et elle redressa les épaules comme si elle voulait ne pas entendre la musique. Dès que Leia cessa de percevoir les hautes fréquences, Rillao, avec une plainte étouffée, inclina la tête en portant les mains à ses oreilles.

A présent, toutes les créatures s'étaient regroupées autour de l'Indexeur. Elles avaient joint leurs tentacules, formant ainsi un réseau vivant dont l'ombre irrégulière se posait sur l'Indexeur.

Ses yeux à facettes étaient rivés sur les agates du nid qu'il effleurait à présent du bout de ses tentacules dans un crissement léger.

– Que fait-il? chuchota Leia.

– Chut!

Un instant plus tard, l'Indexeur se détendit, les autres créatures se détachèrent et regagnèrent leurs places dans les bassins ou sur les poutrelles de verre. Mais Leia n'aurait su dire si chacune avait vraiment retrouvé sa place d'origine. La mélodie revint au seuil de sa perception auditive et s'interrompit en un trille quand les tentacules de l'Indexeur retombèrent pour former une rosace autour de lui. Leia rencontra son regard à travers l'eau.

Puis un tentacule surgit et s'immobilisa devant elle. Elle glissa ses doigts dans la poche où elle gardait son argent.

– Quel est le prix? demanda Rillao, la voix tendue.

L'Indexeur donna un chiffre. Leia serra sa liasse de crédits. La somme représentait une fraction importante de leurs ressources financières.

Toutefois, ce n'était pas le moment de marchander. Elle tendit les billets à la créature qui enroula son tentacule autour, avant de les plonger sous l'eau. Les crédits disparurent dans le fond d'agate.

– Je n'ai trouvé aucun membre de votre espèce, Firrerreo, annonça l'Indexeur. Pas un seul qui soit en voie d'être vendu publiquement.

Leia sursauta, outragée, et faillit trébucher sur ses pieds engourdis.

– Rien! Vous nous avez fait payer pour rien!

– Je vous ai fait payer mon temps, mon expérience, répliqua l'Indexeur calmement. Je ne peux fournir des résultats qui n'existent pas!

– Vous auriez dû nous prévenir!

L'Indexeur se rétracta et Rillao posa un bras sur les épaules de Leia.

– N'insistez pas, dit-elle.

– Mais nous avons été trompées et...

– N'accusez pas sans preuve, dit l'Indexeur d'un ton menaçant.

– Oui, l'Indexeur ne peut fournir des résultats qui n'existent pas, fit Rillao.

Elle semblait se maîtriser, plus résignée que soulagée.

Leia s'étonna de ne pas la voir se déchaîner, sauter sur la créature et lui arracher ses tentacules.

– Merci, Indexeur, dit-elle paisiblement.

– Firrerreo! fit brusquement la créature.

– Oui, Indexeur?...

– Je n'en ai pas trouvé trace sur le marché public. Mais je ne suis pas à même de découvrir le moindre indice quant à une transaction privée.

Leia sentit les doigts de Rillao s'incruster dans son épaule.

– Je puis vous dire ce que j'ai entendu, si vous promettez de confirmer ou d'infirmer cette rumeur.

– Formulez votre information, dit Rillao dans un souffle menaçant.

– On dit que la Station d'Asile imagine pouvoir entrer en concurrence avec Calcédoine.

D2 lança un trille de désarroi.

– La Station d'Asile? demanda Leia.

Elle ne connaissait aucun monde de ce nom.

– J'avais pensé, dit Rillao, que la République aurait détruit ce repaire infernal à la première occasion.

– Il se peut que la République considère la Station comme utile, dit l'Indexeur avant de disparaître dans l'eau et les reflets d'agate.

224

D2, visiblement soucieux d'échapper à l'humidité ambiante, pivota et s'éloigna sur le chemin caillouteux. Quand elles se retrouvèrent dans la rue, Leia demanda en fronçant les sourcils :

– Pourquoi la République voudrait-elle détruire cette Station d'Asile ?

– Parce que c'est un monde où l'Empire expérimente ses méthodes de coercition et d'exécution... Sur des sujets vivants.

– Mais cela aurait dû cesser à la chute de l'Empire, non ?

– Je l'ignore, dit Rillao. Je n'ai rien su de ce qui s'y passait.

Furieux, Yan descendait le chemin. Il était en colère contre Luke qui s'était montré suspicieux et qui avait refusé de lui exposer clairement ses soupçons.

Bien sûr, il éprouvait encore certains sentiments pour Xaverri. Il ne pouvait le nier. Mais Luke n'avait pas à lui faire la leçon.

Pourquoi devrais-je oublier que j'ai aimé Xaverri ? J'ai choisi Leia et elle m'a choisi. Parce que nous nous aimons. Rien n'a changé. Je l'aime toujours. Et ce que j'ai éprouvé pour Xaverri... remonte à si longtemps.

Il se demanda s'il ne devait pas retrouver Xaverri et lui demander d'éviter Luke pendant quelque temps. Ou alors la retrouver et la ramener à son beau-frère pour lui expliquer ce qui s'était passé la nuit d'avant. Mais non, il avait le sentiment d'être contraint de faire des excuses.

Il jura à mi-voix : il n'avait pas la moindre idée de l'endroit où Xaverri pouvait habiter. S'il voulait la retrouver, il ne lui restait guère que le temple de Waru. Mais il ne se sentait pas le courage d'y retourner maintenant. Il ne tenait pas à se rappeler la scène de la veille.

Il devait oublier tout ça. Xaverri savait se débrouiller toute seule – et elle l'avait fait savoir en termes nets. Luke, quant à lui, pouvait être en colère, mais il n'était pas stupide.

Essaie de choisir un problème que tu puisses résoudre, se dit-il en se dirigeant vers le dôme d'accueil de la Station, les tavernes, les tripots. Et profites-en pour réfléchir vraiment à ce qu'il faut faire de Waru.

Jaina ouvrit la porte et risqua un œil prudent à l'extérieur. La lumière qu'elle avait créée dans sa cellule projeta son ombre dans le couloir et elle la fit s'éteindre précipitamment.

Elle épiait le moindre son et perçut un bourdonnement léger. Un droïd de surveillance? Elle recula dans la petite pièce en laissant la porte à peine entrebâillée. Un droïd pouvait parfaitement voir dans l'obscurité et il déclencherait l'alarme. L'un des Censeurs ne tarderait pas à intervenir et on la bouclerait fermement dans sa cellule. Pour toujours, peut-être!

Le bourdonnement persistait mais il ne se rapprochait pas. Jaina en déduisit que ce n'était pas le bruit d'un droïd. Effrayée mais déterminée, elle excita quelques molécules d'air afin de produire une trace discrète de lumière qu'elle envoya au milieu de la salle de rassemblement.

Elle découvrit un Censeur à l'entrée. Normalement, il aurait dû se tenir debout, mais il s'était incliné contre le mur et dormait. C'était son ronflement qu'elle avait entendu.

Elle se glissa de nouveau hors de sa cellule. La porte se referma. Elle atténua la clarté des molécules et s'avança de quelques pas. Le Censeur pouvait s'éveiller à tout instant et elle avait peur. Il lui suffisait de rebrousser chemin et de retrouver sa cellule. Après tout, elle pouvait rendre l'air lumineux et ça la réchaufferait.

Mais si elle renonçait, elle ne retrouverait jamais Jacen, ni Maman et Papa, et elle ne saurait jamais ce qu'Anakin était devenu.

Elle distingua un rai de lumière au fond de l'obscurité. Elle s'avança, les mains tendues. La lumière filtrait sous la porte d'une cellule.

— Jacen? souffla-t-elle.

— Fais-moi sortir d'ici!

— Chut!

Ce serait tellement plus facile s'ils pouvaient se parler en esprit. Mais Hethrir le saurait alors. Jaina ne tenait pas à prendre ce risque.

Elle observa le Censeur. Il inclina encore la tête, ronfla plus fort et parut sur le point de se réveiller. Elle se figea. Il marmonna des sons, se laissa glisser un peu plus et posa le front sur ses genoux.

Jaina rassembla d'autres molécules et les lança les unes contre les autres pour créer un ronronnement rythmé qui empêcherait peut-être le Censeur de l'entendre.

– Dépêche-toi! fit Jacen.

Elle sourit.

Les portes des cellules n'étaient pas verrouillées. On ne pouvait pas les ouvrir de l'intérieur et jamais il ne serait venu à l'idée d'Hethrir que certains enfants pouvaient s'évader et ouvrir ensuite toutes les autres cellules.

Jaina se saisit de la poignée et tira sur la porte.

Celle-ci couina.

– Quoi? Qu'est-ce qui se passe? marmonna le Censeur en se redressant, brusquement réveillé.

Jaina plongea derrière le battant.

Le Censeur accourut vers la cellule ouverte et apostropha Jacen.

– Qu'est-ce qu'il y a? Comment as-tu ouvert la porte?

– Je ne sais pas. Elle s'est ouverte toute seule.

Jaina ne pouvait voir le Censeur, mais elle l'entendit essayer le loquet. Elle repoussa la porte de toutes ses forces.

Le lourd battant lui cogna la nuque. Il poussa un cri en roulant sur le sol. Jacen se rua dans le couloir et Jaina referma la porte, bouclant le Censeur à l'intérieur.

Il criait déjà en cognant, mais elle décida de l'oublier. Jacen s'était accroché à elle.

– Jasa, Jasa! Je suis si heureuse!

– Jaya, j'ai cru qu'ils t'avaient emporté!

– Mais Anakin?...

– Tu sais, cet endroit est tellement horrible!

– Et l'école...

– Tellement ennuyeuse! Et puis, je pense que ce sont tous des menteurs!

– Oui, des menteurs, tu l'as dit! Parce qu'ils racontent que Maman et Papa...

– Non, ils ne sont pas morts! protesta Jacen.

– Je sais. Ils veulent nous le faire croire, c'est tout!

Jacen accéléra une poignée de molécules de lumière et ils restèrent un instant sans parler dans la chaleur douce et claire.

Le Censeur cognait à nouveau sur la porte.

– Laissez-moi sortir!

– Non, fit Jaina d'un ton ferme.

Elle était heureuse de ne pas lui avoir fendu le crâne. Enfin, plus ou moins.

Jacen sourit. Lui aussi avait une dent qui bougeait.

– Regarde! lui dit-elle fièrement. J'en ai une nouvelle qui a poussé!

Elle tira la langue pour qu'il puisse mieux voir.

– Moi aussi. Je veux dire bientôt.

Elle lui prit la main et l'entraîna vers le fond obscur du couloir.

– Allons-y!

– Mais où? Attends! Et les autres?

– Il faut d'abord qu'on réussisse à échapper au dragon et à courir très loin. Ensuite, on pourra peut-être essayer de lancer nos pensées vers Maman et Oncle Luke.

Elle n'avait pas pensé aux autres enfants jusqu'alors.

– Mais ils vont peut-être vouloir venir avec nous. Ou s'enfuir, tout simplement.

Jaina était agacée mais, en même temps, elle se dit que Jacen avait raison. Elle ouvrit la porte d'une cellule voisine et y suscita un peu de lumière.

– On s'enfuit, dit-elle. Tu peux nous suivre ou rester ici!

Jacen fit comme elle. Il ouvrit une autre porte et dit:

– On s'enfuit! Tu veux venir avec nous?

Un grand nombre d'enfants se rassembla très vite dans la salle. Quelques-uns restèrent terrés au fond de leurs cellules et Jaina n'essaya pas de les convaincre. Ils n'avaient pas assez de temps. Elle laissa quand même toutes les portes ouvertes.

Il ne restait plus qu'une cellule à ouvrir.

– On s'enfuit ! Est-ce que...

Elle se tut en rencontrant les yeux de Vram. Mais oui, se dit-elle, Hethrir le boucle tous les soirs ! Il en a fait un Assistant mais il n'a pas vraiment confiance en lui !

Vram avait droit à une couverture et à une lumière.

– Ne me touche pas ! cria-t-il, apeuré. Ne me frappe pas ! Sinon je te dénonce à Hethrir !

Jaina elle aussi avait peur. Les autres enfants se pressaient derrière elle, excités, bavards et pleins d'espoir. Pas un instant elle n'avait redouté que l'un d'eux s'enfuie pour aller tout rapporter. Mais Vram, avec sa tunique rousse flambant neuve, allait sûrement les dénoncer, lui.

– Tu veux... Tu veux nous suivre ?

– Vous allez me taper dessus ! Vous allez me tuer !

– Non, certainement pas !

Il inspira à fond et cria : « Au secours ! »

Furieuse, Jaina claqua la porte.

Avec Jacen, elle prit le couloir en projetant devant eux leurs petits tourbillons d'air lumineux.

Les autres enfants les suivaient. Le minuscule soleil déclinait quand ils surgirent dans la cour déserte.

– Et le dragon ? chuchota un des enfants.

– Je ne sais pas, dit Jaina. Jacen, on ne peut pas se servir du multi-outil parce que le soleil va se coucher !

Jacen déclencha un infime tourbillon d'air chaud et se concentra dessus. Il était bien plus lumineux que ce que Jaina pouvait focaliser avec les lentilles de son multi-outil. Il dansait sur le sable de la cour et Jaina et Jacen le suivirent en courant.

– Hé, dragon, Madame Dragon ! cria Jacen, exultant.

Madame Dragon bondit devant eux en grondant. Mais elle ne se jeta pas vers la clôture. Elle se contenta de sauter vers le feu follet que Jacen avait créé et qui tournait au-dessus d'elle. Puis elle se recroquevilla et s'appuya contre la clôture.

Jacen avança la main et gratta les écailles de pierre. Madame Dragon grogna doucement.

Ça, j'aimerais pouvoir le faire ! se dit Jaina. Apprivoiser un dragon !

Elle se consola en se rappelant que Jacen lui enviait le pouvoir qu'elle avait de démanteler les machines pour les remonter ensuite en les rendant meilleures qu'avant.

Jacen, à présent, était nez contre museau avec Madame Dragon. Elle souffla et il l'imita. Il tendit la main et gratta ses sourcils épineux. Madame Dragon tira la langue.

Jaina étouffa un cri.

– Je crois qu'elle veut seulement me goûter, chuchota Jacen. Comme les lézards de chez nous.

– Pour mieux te dévorer, si ça se trouve !

– Seulement pour savoir si c'est bien moi. On y va !

– Tu es sûr ? s'inquiéta Jaina.

C'est alors que l'alarme sonna : ils n'avaient plus le choix.

Jaina suivit Jacen par-dessus la clôture en s'écorchant les mains au passage.

Les autres enfants retombèrent tous sains et saufs de l'autre côté mais ils se maintenaient prudemment à distance du dragon.

Madame Dragon, pour l'heure, ne s'intéressait qu'aux chaussures de Jacen, qu'elle palpait du bout de sa langue.

– Elle veut seulement être certaine que c'est bien moi, insista Jacen. (Il se hissa sur le dos de Madame Dragon.) Ça va, Madame Dragon ? Je peux vous monter dessus ?

Elle renâcla en levant la tête, mais elle ne sauta pas et ne fit rien pour renvoyer Jacen vers la clôture. Il fit danser le feu-jouet sous ses yeux.

– Viens vite ! dit-il en serrant très fort la main de sa sœur.

Elle réussit à se jucher sur le dos de Madame Dragon. Celle-ci se redressa soudain, d'abord sur ses pattes arrière, puis sur ses pattes avant. Jaina se cramponna à Jacen avec un cri de surprise. Elle aurait été plus à l'aise aux commandes d'un landspeeder.

Les autres enfants se précipitaient maintenant. Jaina les aida à monter et, très vite, Madame Dragon eut le dos encombré de tous ces nouveaux voyageurs. Il y en avait même certains qui se cramponnaient à ses pattes et riaient comme des fous.

– Ça va toujours, Madame Dragon? demanda Jacen. On peut tous tenir? (Il jeta un regard à Jaina.) Je crois qu'elle n'y voit pas d'inconvénient.

– Bon, alors allons-y.

Jaina entendait déjà des clameurs dans le canyon.

Elle s'était attendue à ce que le pouvoir d'Hethrir pèse brusquement sur elle. Dès qu'il comprendrait qu'ils étaient en train de fuir, il chercherait à la projeter sur le sol, à l'écraser sous le poids de sa couverture froide, comme lorsqu'elle avait tenté de protéger Lusa...

Jacen faisait danser son feu-jouet sous le museau de Madame Dragon et Jaina eut un frisson.

– Sois prudent, Jasa. Très prudent.

Madame Dragon s'éloignait en direction de l'embouchure du canyon. En oscillant sur le sable, les ombres des enfants se confondaient tout autour d'eux.

Jaina aurait tant aimé que Lusa soit avec eux. Elle se demanda comment la petite centauriforme aurait réussi à chevaucher Madame Dragon. Avec ses quatre jambes et ses petits sabots vifs, il lui aurait sans doute suffi de galoper à leur côté. Elle en avait tellement envie.

Puis Jaina s'inquiéta du loungaroun de Monsieur le Chambellan.

Quoi que fasse Hethrir, décida-t-elle, elle les sauverait tous!

Madame Dragon escaladait une dune abrupte, dérapant sur le sable, Jaina agrippa Jacen qui lui-même se cramponnait au cou écailleux de l'animal. Les enfants faillirent tomber, mais Madame Dragon leva la queue pour les rétablir.

– Je crois qu'elle nous aime bien, dit Jaina en s'efforçant de cacher sa peur.

Son jumeau rit avant de redevenir grave.

– On va où? demanda-t-il.

– Le plus loin possible.

Au sommet de la dune, Madame Dragon s'arrêta et leva la tête en dilatant ses naseaux dans le vent.

Jacen se pencha pour lui parler. La créature, alors, dévala la contre-pente. Et tous les enfants poussèrent des cris d'excitation. C'était tellement mieux que les plus beaux parcs d'attraction!

Madame Dragon atteignit le bas de la dune et continua sa longue marche dans le sable. Elle était très rapide, maintenant.

Jacen venait de glisser la main sous sa chemise et Jaina s'inquiéta.

— Est-ce que quelque chose t'a mordu?

— Moi? Jamais.

— Ça t'arrivera un jour!

— Jamais! s'entêta Jacen.

Il ressortit sa main en lui montrant une petite créature qui frétillait vivement entre ses doigts, les yeux brillants sous les étoiles.

— C'est quoi? s'étonna Jaina. Tu avais ça dans ta cellule?

— Non...

Il libéra la petite chose qui déploya aussitôt une paire d'ailes avant de se percher sur le doigt de Jacen.

— Mais elle vient de Munto Codru! s'exclama Jaina. C'est une chauve-souris! On t'avait dit de ne pas jouer avec ces bestioles!

— Mais je ne jouais pas avec. Je l'étudiais. Et c'est très intéressant.

La chauve-souris bâilla et ses dents scintillèrent.

— Elles sont venimeuses! s'écria Jaina.

— Mais je t'ai dit que je l'étudiais. Je n'avais pas l'intention de l'emporter. D'ailleurs, comment j'aurais pu savoir qu'on allait nous enlever?

— Et tu comptes en faire quoi maintenant?

La chauve-souris s'était blottie au creux de la main de Jacen, ses ailes déployées dans quatre directions. Il les effleura du bout du doigt.

— Je vais la laisser voler. Elle est restée enfermée trop longtemps. Elle s'ennuie.

Il leva la main, la chauve-souris déploya ses quatre ailes, pépia quelques notes et disparut dans le noir.

Madame Dragon marchait toujours dans le sable, infatigable. Jaina s'attendait à tout instant à voir surgir un esquif. Hethrir et ses Censeurs allaient débarquer pour les forcer à retourner là-bas.

Mais non.

Le petit soleil s'abaissa sur l'horizon et Madame Dragon ne ralentissait pas. Ils voyageaient ainsi depuis le début du jour. Le « jour » n'avait que la moitié d'un jour de chez eux, songea Jaina, mais pourtant elle avait soif, elle commençait à avoir faim et se sentait lasse de chevaucher Madame Dragon.

Dans le lointain, elle vit briller un ruisseau. Il serpentait entre les arbres et pénétrait dans le cœur de la forêt. Il leur serait certainement plus facile de se cacher là que de rester exposés sur le sable.

Madame Dragon leva le museau en reniflant. Puis elle baissa la tête et se hâta vers le ruisseau.

Elle pataugea bientôt dans la boue de la berge, s'arrêta, renâcla, et baissa la tête. Jacen glissa au sol, les autres enfants sautèrent, mais Jaina se cramponna aux écailles de l'animal.

Madame Dragon voulait seulement se désaltérer. Après avoir bu, elle s'aspergea, se lança dans le courant et s'allongea sur le fond de gravier; on aurait dit une île vivante. Elle plongea les naseaux dans l'eau et fit des bulles en s'ébrouant.

Jaina tomba dans le ruisseau et se débattit pour regagner la rive. Elle savait qu'ils auraient dû continuer, mais elle avait affreusement faim et soif et tous ses membres étaient endoloris. Elle but quelques gorgées d'eau fraîche.

Le ciel passa très vite du noir au violet profond, puis au rose et enfin au jaune tandis que le soleil revenait, projetant les ombres fraîches des arbres. Jaina vit que les buissons, au bord du ruisseau, étaient chargés de baies et elle saliva à l'idée de les goûter. C'est peut-être dangereux, se dit-elle.

Je n'ai confiance en rien. Sauf en Jacen et en Madame Dragon. Hethrir a dit lui-même qu'il était notre ami, et ça n'est pas vrai! Il a dit aussi qu'il allait nous apprendre des choses que nous devions connaître. Mais là encore, il a menti.

Tigris lui-même, qui de temps en temps n'était pas méchant, avait dit que le dragon allait les dévorer.

Madame Dragon s'enfonça un peu plus dans l'eau en

entraînant les enfants qui s'étaient accrochés à elle. Puis elle se redressa dans un immense jaillissement. Jaina rit mais n'en oublia pas pour autant sa faim.

Jacen courut jusqu'à la berge et, au même instant, la chauve-souris se posa dans ses cheveux mouillés en piaillant. Jacen se précipita vers les buissons et cueillit une poignée de baies.

— Jacen! C'est peut-être du poison!

Il engloutit avidement sa récolte, en lui rétorquant la bouche pleine :

— Ne sois pas idiote, Jaya!

— Je ne suis pas une idiote, Jasa! fit Jaina l'air pincé.

— Quelqu'un a construit cet endroit, non?

— Oui. C'est évident.

— Donc, ce qu'il y a mis est bon à manger.

Il lui tendit quelques baies que Jaina croqua. Elles étaient, en effet, délicieuses.

Les enfants s'installèrent sur la berge pour déguster les baies et Jaina vint s'asseoir près de son frère.

— Il faut qu'on trouve un endroit inconnu des Censeurs, dit-elle.

— Oui, mais que peut-on faire qu'ils ne peuvent pas faire eux-mêmes?

— Des tas de choses.

Elle était sur le point de tendre son esprit vers un rocher pour le soulever quand son frère l'en empêcha :

— Non, non, ne fais pas ça! cria-t-il.

Avant même qu'il ait parlé, elle s'était retirée, craignant qu'Hethrir soit attiré et la paralyse. Si elle jouait avec des objets plus que de simples molécules d'air, il risquait certainement de la repérer.

— Des tas de choses, répéta-t-elle tristement.

— Nous sommes petits et ils sont grands, dit Jacen. Ça n'est pas juste.

Elle lui désigna le ruisseau. Sur l'autre rive, les buissons étaient plus denses.

— Je suis sûre qu'ils ne pourraient pas se faufiler là-dessous. Mais nous, nous le pouvons.

Il sourit.

234

– Oui, ça serait comme si on se cachait dans des cavernes.

– Et on pourrait en ressortir la nuit pour essayer de trouver leurs vaisseaux. Ou leurs capsules-messages.

– Ou bien alors, on pourrait en capturer un et l'obliger à nous ramener chez nous!

Jaina regarda son jumeau d'un air sceptique. Il plaisantait certainement. Pourtant ils auraient tant voulu que ce soit vrai.

– On ferait bien d'y aller, proposa Jacen.

– Allez, vous tous! lança Jaina.

Les enfants, qui avaient repris leurs jeux autour de Madame Dragon, s'arrêtèrent tous au même instant.

– Il faut qu'on s'en aille, leur expliqua-t-elle. Sinon, les Censeurs vont arriver et ils nous remettront dans nos cellules.

L'une des plus petites filles s'accrocha à elle.

– Jaya, je suis si fatiguée.

– Je sais, moi aussi. On va aller se cacher dans les buissons, là-bas, et on pourra tous faire une petite sieste, d'accord?

La petite fille donna un coup de pied dans la boue et dit à regret: « Oui, je veux bien. »

Ils traversèrent la rivière et gagnèrent l'autre rive.

Madame Dragon renifla et s'ébroua en agitant sa longue queue écailleuse dans les remous.

Puis, plongeant la tête dans le courant, elle arracha une énorme botte d'herbe qu'elle se mit à mâcher avec bonheur.

– Vous êtes très belle, Madame Dragon, dit Jacen en lui grattant les sourcils. Mais trop grosse pour venir avec nous. Vous devriez peut-être retourner dans le désert pour vous cacher. Comme ça, les Censeurs ne vous feront pas de mal.

L'animal s'était enfoncé dans l'eau. Ses grands yeux, encore au ras de la surface, clignèrent. Ses paupières aspergèrent Jaina de gouttelettes.

– Je pense qu'elle croit qu'elle est cachée, comme ça, fit-elle.

Jacen hésita, contrarié.

– Il faut y aller. Il est grand temps de nous cacher. Elle s'en sortira, Jacen. Ils croiront même peut-être qu'elle nous a tous dévorés et ils seront tellement contents qu'ils la récompenseront.

Cela fit sourire son frère.

Les enfants escaladèrent la berge élevée et se glissèrent en rampant sur la mousse humide jusqu'à l'abri des grands buissons.

Jacen découvrit une sorte de piste. Il se dit qu'elle avait sans doute été faite par un animal et Jaina espéra en silence qu'ils ne le rencontreraient pas. Elle voyait déjà ses griffes et ses crocs.

Madame Dragon, elle aussi, avait des griffes et des crocs, et pourtant elle avait été gentille avec eux.

Jacen écarta la chauve-souris à quatre ailes de ses cheveux et la prit doucement entre ses mains, les yeux fixés sur sa petite tête mince. Il la lâcha dès qu'elle se débattit et se fraya un chemin entre les ombres vert doré des buissons.

– Elle va nous trouver un endroit, fit Jacen.

Il l'avait persuadée de les aider, comme il l'avait fait pour Madame Dragon et les fourmines.

Ils suivirent la piste, plus avant dans les buissons. Jacen allait en tête et Jaina fermait la marche.

Il y a sûrement des tas de vers et autres bestioles dégoûtantes dans les parages. Berk! pensa Jaina. Elle aurait tant aimé se retrouver à la maison, dans son petit labo de chimie.

Quelques minutes plus tard, elle entendit des voix et le ronronnement lointain de landspeeders. Effrayée, elle se rendit compte qu'Hethrir et les Censeurs se rapprochaient très vite.

On a attendu trop longtemps!

Ils rampaient aussi vite qu'ils le pouvaient. Jaina ne pouvait apercevoir son frère, elle sentait seulement sa présence et elle espéra que la chauve-souris allait leur trouver un abri. Mais ensuite?...

Derrière eux, Madame Dragon gronda et se déchaîna dans le ruisseau. Les Censeurs poussaient des hurlements.

J'espère qu'elle va les écrabouiller!

236

Jaina retint son souffle. Elle guettait à chaque seconde le vrombissement d'un sabrolaser. Elle redoutait qu'Hethrir ne tue Madame Dragon sans hésiter, comme les Censeurs l'avaient fait pour les fourmines.

Les violents ébats de Madame Dragon se faisaient plus lointains maintenant.

Jaina sourit : Madame Dragon a peur, elle aussi, songea-t-elle. Elle va s'échapper. Elle va être sauvée. Mais je parierais qu'elle leur a fichu la frousse.

— Regardez ! cria l'un des Censeurs. Des traces, là-bas, sur l'autre rive ! Allons-y !

— Dépêchons-nous ! souffla Jaina, qui craignait de se sentir écrasée par le pouvoir d'Hethrir.

Les enfants rampaient de toutes leurs forces. Le sol était de plus en plus boueux. Le pantalon de Jaina était aussi souillé que ses mains. Les feuilles des buissons retombaient sur eux, avec leurs épines. Jusqu'à présent, personne ne s'était plaint, ils réussissaient tous à se faufiler tant bien que mal.

Derrière elle, un Censeur poussa un cri de douleur.

— Aïe ! C'est quoi ça, des buissons d'épines ? Je ne rentre pas là-dedans !

— Si ! ordonna le Censeur Principal. Ou bien je vais te le faire regretter !

Jaina essaya d'avancer encore plus vite. Les voix étaient comme étouffées par les feuillages, ce qui l'arrangeait, car elle n'avait pas envie de les entendre.

La piste déboucha soudain sur un espace découvert et boueux. Une sorte de marais. Tous les enfants s'arrêtèrent net et s'accroupirent. Jaina arrivait à distinguer l'autre côté du marais, mais, à droite comme à gauche, il était impossible d'y accéder. Un ruisseau de boue.

Elle rejoignit Jacen.

— On est où ?

— Je ne sais pas. C'est peut-être une grande bauge que fréquentent les bêtes qui ont frayé cette piste. C'est ici que la chauve-souris nous a conduits.

De l'autre côté, un arbre géant se dressait au-dessus des buissons. Il projetait son ombre sur les feuillages vert doré et ses racines noueuses se convulsaient sur la berge.

– Regarde! souffla Jacen.

La petite chauve-souris voletait au-dessus de la boue et elle plongea brusquement dans un creux sombre entre les racines.

– On dirait un tunnel, dit Jaina.

– J'en suis sûr. Je parierais qu'il conduit jusque dans l'arbre, comme sur le monde de Chewie!

La chauve-souris réapparut, les survola dans le battement de ses quatre ailes, puis replongea dans l'ombre.

– Mais comment aller là-bas?

– Je ne sais pas, hésita Jacen. Je pense qu'elle a oublié qu'on ne savait pas voler.

– On devrait faire vite, dit un des enfants. Écoutez!

Les Censeurs étaient tout près, maintenant. Et, à en juger par leurs cris, ils étaient furieux.

Jacen fit un grand pas en avant et s'enfonça dans la boue jusqu'aux genoux. Il essaya d'avancer, mais la boue l'aspirait vers le bas. Elle lui arriva très vite aux hanches.

Jaina se laissa glisser et lui saisit la main. Elle faillit lancer son esprit vers lui, mais se ravisa au dernier moment: Hethrir risquait de les repérer encore plus vite. Jacen continuait à s'enfoncer, l'air effrayé.

Elle se mit à sangloter de colère et de peur.

C'est alors que les autres enfants les entourèrent et qu'ils agrippèrent Jacen. La boue continuait de l'aspirer vers le fond de la bauge, mais les enfants tirèrent tous ensemble et arrachèrent Jacen au piège pour le ramener sur la rive.

Jaina le serra dans ses bras. Il haletait, luttant pour ne pas pleurer, pour ne pas alerter les Censeurs.

– Vous m'avez sauvé, vous tous! chuchota-t-il.

Mais il leur restait encore à traverser.

Et si j'essayais un petit peu chaque fois? songea Jaina. Si Hethrir ne peut pas m'arrêter, il ne peut pas me trouver. Rien que quelques molécules...

Plutôt que de jouer avec les molécules et de les accélérer comme lorsqu'elle voulait de la chaleur et de la lumière, ou comme lorsqu'elle faisait naître des tourbillons dans le sable, elle ralentit au contraire les molécules d'eau.

Elle insista doucement, patiemment, et finit presque par les stopper.

238

Une fine pellicule de glace se forma tout près de la berge. L'eau boueuse était en train de geler, de se craqueler en croûte autour des herbes, et l'air devenait plus frais. De merveilleux motifs de givre se dessinèrent bientôt à la surface.

Jacen avait compris ce que faisait sa sœur et il l'aida. Très vite, à eux deux, ils gelèrent un étroit sentier sur la bauge.

Jaina se risqua la première sur la glace nouvelle. Elle craquait et gémissait sous son poids, mais elle durcit encore les molécules et atteignit très vite l'autre rive du marais.

Saisissant l'une des racines noueuses de l'arbre, elle se hissa vers le haut, les membres déjà froids, épuisée par l'effort qu'elle venait de faire pour ralentir tous ces milliards de millions de molécules de gadoue. Mais elle avait réussi ! Et elle fit signe aux autres qu'ils pouvaient passer.

Ils la rejoignirent l'un après l'autre et se cramponnèrent aux racines tandis que la chauve-souris voletait d'avant en arrière autour de la caverne obscure, au creux de l'arbre géant.

Jacen fut le dernier à les rejoindre. La couche de glace diminuait et craqua sous ses dernières foulées. Jaina avait tellement peur qu'elle eut du mal à freiner les molécules, même avec l'aide de Jacen. Il était à portée de sa main quand la glace céda. Il s'abîma dans la boue givrée et elle le rattrapa in extremis. Il la rejoignit en pataugeant et serra ses jambes en frissonnant. La chauve-souris se planta dans ses cheveux et chanta un long trille. Jaina gardait son frère entre ses bras pour le réchauffer.

– Les-racines-les racines-dans le creux-elles conduisent à l'intérieur, fit-il en claquant des dents. Elles-elles vont jusqu'en haut.

– Tu n'as qu'à suivre la chauve-souris, dit Jaina. Elle va te montrer le chemin. On te suivra tous. Et moi en dernier.

Jacen pénétra en rampant dans le creux de l'arbre. Les enfants le suivirent et Jaina se cramponna aux racines entrelacées afin de monter sur la berge pour aider les plus petits. Certains avaient peur et ne voulaient pas se risquer dans le noir. Elle songea à créer un peu de lumière, mais elle pouvait mettre le feu à l'arbre. Et puis, elle n'était pas certaine de pouvoir réchauffer l'air tout en ralentissant les molécules d'eau pour maintenir la surface de glace sur la boue.

Finalement, les derniers enfants pénétrèrent dans le tunnel et disparurent.

Le Censeur Principal surgit des buissons. Jaina, instinctivement, se cacha, avant de pointer la tête pour voir comment les Censeurs réagissaient.

Le Principal était couvert d'égratignures et sa combinaison bleue était lacérée et dégoûtante. Il avait l'air déchaîné. Les autres le rejoignirent. Ils avaient essayé de marcher et non de ramper et la plupart étaient en sang. Jaina examina avec fierté ses mains : elles étaient couvertes de boue mais intactes.

Le Censeur Principal venait de repérer leurs traces à la surface de la glace. Il plissa le front, posa un pied prudent devant lui avant de reculer. Il fit signe aux autres. Ils battirent en retraite et il dut les admonester et leur ordonner de le suivre.

Jaina attendit patiemment qu'ils soient tous au milieu de la bauge avant de relâcher son emprise sur les molécules d'eau. D'un seul coup, la glace s'effaça. Elle plongea sans attendre dans le tunnel de l'arbre et ne se retourna pas.

Mais elle entendit les cris et les clapotis frénétiques.

Elle se mit à ramper plus vite. Le sol était lisse, dans la racine, comme poli par un millier de générations d'insectes.

Elle atteignit le fond. Les enfants escaladaient l'intérieur du tronc, au-dessus d'elle, dans un concert d'échos. Le tronc était noueux et ils tournaient en une longue spirale abrupte qui se perdait dans l'ombre. Mais Jaina, pourtant, crut discerner un mince rai de clarté. Elle les suivit alors.

10

Leia venait d'entendre un cri dans le lointain.

– Qu'est-ce que tu as dit?

Chewbacca émit un son interrogateur. Il n'avait pas
parlé.

– Moi, je n'ai rien dit, fit Rillao. Vous avez entendu quoi
au juste?

Leia sentit son esprit vaciller. Elle inversa violemment les
commandes et l'*Alderaan* jaillit hors de l'hyperespace.

Sous le choc, Chewbacca mugit et Rillao proféra un
juron dans une langue inconnue de Leia.

– Mais qu'est-ce que vous faites? Il faut arriver aussi vite
que possible à la Station d'Asile!

– Regardez! fit Leia.

Devant eux, sur le fond de l'espace, ils découvrirent une
étoile bleue minuscule qui éclairait un planétoïde tout aussi
minuscule, bleu, vert et brun.

D2 trilla de surprise, Chewbacca aboya sourdement, et
Rillao se pencha, stupéfaite. Leia agrandit l'image, émer-
veillée.

– C'est artificiel! Tout ceci est trop petit pour être naturel! Cette étoile, ce planétoïde!

– Un vaisseau-monde, souffla Rillao.

Elle ajouta, répondant au grognement sceptique de
Chewbacca :

– Non, ce n'est pas un mythe. J'aurais pourtant tellement voulu qu'ils n'existent pas. Et ne jamais en rencontrer

un. L'Empereur en avait fait créer quelques-uns. Il les offrait en récompense à ses officiers les plus cruels, les plus loyaux. Il les considérait comme des « primes ». Et ils étaient autant appréciés qu'un monde naturel. (Rillao tremblait de crainte.) Il semble... qu'il en ait offert un à Hethrir.

Leia lança le vaisseau vers le micro-système artificiel.

Chewbacca alias Geyyahab restait vigilant aux commandes, prêt à ordonner une trajectoire de fuite. Le vaisseau-monde avait toujours connu la clandestinité. Depuis sa création, il n'était qu'une étincelle de lumière qui voyageait sans cesse à l'écart des voies spatiales. Néanmoins, il pouvait être pourvu de défenses. Et même de moyens d'attaque.

Mais ils ne décelèrent aucune réaction en s'en approchant. Pour Leia, il semblait désert. Elle engagea l'*Alderaan* en orbite de survol, en quête d'un éventuel vaisseau, et découvrit un terrain d'atterrissage désert. Pourtant, au centre, elle détecta la trace infrarouge d'un récent départ.

Est-ce qu'ils auraient tous fui? se demanda-t-elle. Mais alors, pour quelle raison ai-je été attirée ici?

Le vaisseau se glissait dans l'atmosphère et ralentit. Il survolait un désert, qui se changea en prairie, puis un ruisseau.

L'*Alderaan* s'arrêta en vol à la verticale du courant d'eau argenté. Un lézard géant surgit entre les tourbillons et agita la queue en crachant par les naseaux.

– Là! cria Rillao.

Plus loin, dans une mer verte de buissons courbés par les vents, un arbre énorme s'érigeait au bord d'un marais.

Et dans ce marais, des gens s'agitaient dans la boue. Ils avaient l'air de s'y être enfoncés brusquement. Leia se demanda comment ils avaient pu prendre un tel risque. Elle plongea droit sur eux, car ils semblaient avoir sérieusement besoin d'aide. Ils se cramponnaient les uns aux autres et ceux qui étaient près de la berge se débattaient pour retrouver la terre ferme sans se soucier des autres.

Les doigts de pierre de Rillao se plantèrent dans l'épaule de Leia.

– Laissez-les. Ce ne sont pas eux que nous cherchons. Si nous leur venons en aide, ils tenteront de nous arrêter.

– Mais ils sont en train de se noyer !

– Ils vont sans doute se noyer les uns les autres, fit Rillao sans la moindre compassion. S'ils s'aidaient, s'ils ne paniquaient pas, ils survivraient. Mais si nous les aidons, ils nous tueront.

Chewbacca poussa un cri de plaisir en désignant l'arbre géant.

Là-bas, sur une branche noueuse et grande comme un jardin, des enfants s'étaient regroupés loin du marais et agitaient joyeusement les mains.

L'*Alderaan* descendit doucement vers eux. Leia courut vers l'écoutille. Rillao la suivit. L'air extérieur était frais. Il y avait une brise douce qui sentait la vie et les cris de bonheur d'une foule d'enfants.

Soudain, Leia eut la vue trouble. Elle rejeta ses cheveux en arrière, mais elle ne vit pas mieux pour autant.

Je pleure, se dit-elle. Mais je pleure pourquoi ? Je devrais être heureuse : j'ai trouvé.

– Maman ! Maman !

Lelila la chasseuse de primes s'évada de son esprit comme si elle n'avait jamais existé.

Jaina bondit dans les bras de sa mère. Chewbacca manœuvra l'*Alderaan* pour le rapprocher un peu plus de la branche. Jacen saisit la main tendue de Rillao et se hissa jusqu'à l'écoutille d'un air solennel.

Leia s'agenouilla pour serrer ses enfants dans ses bras. Tous les autres, à présent, quittaient l'arbre pour monter dans l'*Alderaan*.

– Maman ! Maman ! Ils ont emmené Anakin et le loungaroun de Monsieur le Chambellan, et aussi Lusa ! Il faut qu'on les rattrape avant qu'ils coupent les cornes de mon amie !

– Tu sais, Maman, dit Jacen, on savait que tu n'étais pas morte. Et... Est-ce que Papa va bien ? Et Oncle Luke ? C'est Chewie qui pilote l'*Alderaan* ?

Leia hocha la tête.

– Oui. Oui, ils vont bien. Et Chewie est avec nous.

– Je le savais! cria Jaina. Je savais bien qu'Hethrir nous mentait. Il nous racontait toutes sortes de mensonges!

– C'est un très méchant homme, ajouta Jacen. Je ne veux pas qu'il soit mon père-gardien!

– Il n'est pas votre père-gardien, les enfants, intervint Rillao. Vous êtes tous là? Personne ne se cache dans l'arbre?

– Attendez! s'exclama Jacen.

Il se pencha au-dehors et sifflota. Leia le retint : elle avait tellement peur de le reperdre, qu'il lui échappe pour tomber dans l'obscurité de l'arbre...

Une chauve-souris à quatre ailes s'enfila en voletant dans l'écoutille et se posa dans les cheveux de Jacen.

– Maintenant, tout le monde est là! cria-t-il.

Tous les enfants s'étaient entassés dans les cabines, surexcités et sales, criant ou pleurant.

– On veut rentrer chez nous! répétaient les plus petits.

Rillao referma l'écoutille.

– On va vous ramener, les petits, c'est d'accord!

Jacen tendit la main vers sa mère.

– Tu as les cheveux très longs, Maman!

– Et ils ont changé de couleur, ajouta Jaina. J'aimais mieux comme ils étaient avant!

Incapable de dire un mot, Leia s'efforça de nouer ses cheveux sur sa nuque. Mais ils lui échappèrent.

– Tu sais, Maman, j'ai perdu ma dent de devant! annonça fièrement Jaina. Il y en a une nouvelle qui pousse! Je grandis!

– Moi, j'ai les deux dents du devant qui bougent! se vanta Jacen.

Leia avait grand mal à retenir ses larmes.

– Tout va bien, tu sais, Maman. Il faut juste retrouver Anakin...

– Et aussi le loungaroun de Monsieur le Chambellan...

– Et Lusa!

L'*Alderaan* se maintenait en point fixe à la verticale du marais et Chewbacca gronda une question.

– Chewie!

Les deux enfants se ruèrent vers le poste de contrôle et se retrouvèrent dans les grands bras du Wookie.

244

– Mais tu es tout tacheté ! remarqua Jaina en riant et en lui grattant le pelage.

– Faites attention à sa jambe, les enfants ! les prévint Leia.

– Oh, waouh ! fit Jacen, admiratif.

– Qu'est-ce qui t'est arrivé ? demanda Jaina.

– Il vous le dira plus tard, fit Leia. Parce que maintenant, nous devons sauver ces pauvres gens qui sont dans le marais.

– Je crois qu'on devrait les laisser là, dit Jaina. Ils ne sont vraiment pas gentils.

– Mais ça ne serait pas gentil non plus de les laisser là, protesta Jacen.

– Il faudrait qu'ils nous disent où ils ont emmené Anakin, dit Jaina. Et aussi Lusa et le loungaroun de Monsieur le Chambellan. Ensuite, on les laissera dans la gadoue ! (Elle sauta des bras de Chewbacca pour se retourner vers Leia.) Maman, je suis tellement sale ! Et j'ai faim aussi ! On a trouvé des fruits, tu sais. Mais ce qu'Hethrir nous donnait à manger – il n'est pas vraiment notre père-gardien, hein ? – ce qu'il nous donnait était mauvais !

Leia ne put s'empêcher de rire. Mais elle prit conscience soudain de la maigreur des autres enfants. Ils avaient tous l'air famélique. Hethrir les avait affamés, à l'évidence, et il aurait traité ses enfants de même.

– Vous ne mangerez plus jamais mauvais, promit-elle. Je vais préparer quelque chose de bon pour vous tous. Mais non, mes chéris, Hethrir n'est pas votre père-gardien. Votre amie a raison.

Elle désigna Rillao, qui attendait sur le seuil et fit les présentations.

– Voici Jaina et Jacen.

– C'est quoi, votre nom ? demanda Jaina.

Son petit frère protesta : « Jaina ! »

– Tu peux m'appeler Rillao, petite, dit la Firrerreo. Et quand je te connaîtrai mieux, je te dirai peut-être mon nom.

– Tu es comme Tigris.

– Tigris ? fit Rillao d'une voix si concentrée que Jaina

recula. Tigris? Où est-ce que tu l'as vu? Il est ici? Avec Hethrir? Est-ce qu'Hethrir est encore ici, d'ailleurs?

– Vous êtes sa maman?

– Oui, petite, dit Rillao. Et je ne l'ai pas vu depuis longtemps. Il me manque tellement.

Leia lui prit la main.

– Nous allons le retrouver. Ne vous inquiétez pas.

Tandis qu'ils conversaient, Chewbacca avait stoppé l'*Alderaan* au-dessus des prisonniers du marais et lancé un câble. Il les arracha un à un du piège mais ne les remonta pas jusqu'au vaisseau.

Rillao se précipita vers un écran et agrandit l'image. Elle se détourna, l'air sombre.

– Tigris ne faisait pas partie des Censeurs, dit Jaina.

– Mais où est-il alors?

– Je... Je ne sais pas. La plupart du temps, il accompagnait Hethrir. Et c'est lui qui a emmené Anakin.

– Il lui en a donné l'ordre, ajouta Jacen.

Jaina gardait le regard fixé sur Rillao.

– Il cherchait toujours à faire le mal.

– Mais il ne le voulait pas vraiment, fit Jacen en écho.

L'*Alderaan* plongea et Chewbacca força les Censeurs à retraverser la bauge et à replonger dans les buissons.

– Il faut qu'ils retournent dans le désert, Chewie! lança Jaina. Là-bas, il y a un endroit où on pourra les enfermer sans qu'ils fassent de mal à personne!

Le grand lézard noir, rose et beige surgit au milieu du courant, la tête dressée, la queue fouettant l'eau, défiant le vaisseau de Leia. Les gouttelettes lui faisaient des parures d'arcs-en-ciel. Il ne quittait pas l'*Alderaan* du regard. Il escalada la berge et ses griffes taillèrent des empreintes énormes dans la boue.

– Regarde, Maman, Madame Dragon veut venir, elle aussi, dit Jacen en riant. Je crois qu'elle s'est suffisamment baignée et qu'elle aimerait bien retrouver son nid dans le sable.

Madame Dragon courait déjà derrière les Censeurs qui, en la voyant, pressèrent le pas, malgré leur fatigue.

– Est-ce que mon fils vous a dit son nom, enfants? demanda soudain Rillao.

Jaina plissa le nez en réfléchissant.

– Non, c'est Hethrir qui nous l'a dit.

– Hethrir... souffla Rillao d'un air redoutable.

Le pont du vaisseau était froid et dur, plus dur encore que la couche dans laquelle Tigris dormait sur le vaisseau-monde. Au moins, là-bas, il avait droit à un mince matelas et à une couverture. Un faible courant d'air chaud passait sous la porte d'Hethrir en même temps qu'un ronronnement étouffé. Dans un premier temps, Tigris pensa que c'était un ronflement, mais il repoussa cette pensée insolente. Le Seigneur Hethrir avait dit qu'il allait méditer et il se concentrait certainement par une litanie.

C'est alors qu'il perçut un autre son, qui venait du compartiment des passagers. Anakin s'était remis à pleurer et à sangloter. Tigris essaya de l'ignorer : l'enfant devait être affamé. Il ne comprenait pas pourquoi les Censeurs ne s'occupaient pas de lui et ne lui donnaient rien à manger.

Tigris ressentit les gargouillements de son propre estomac. Plus faciles à oublier : le Seigneur Hethrir lui donnerait à manger quand ce serait son bon vouloir.

Mais le Seigneur ne lui avait pas ordonné de demeurer ici toute la nuit. Il l'avait seulement autorisé à dormir sur le seuil s'il le souhaitait. Et il ne ferait certainement rien de mal s'il allait s'occuper de l'enfant. Il était important qu'Anakin soit fort et alerte pour la purification.

Silencieux, Tigris se glissa dans la coursive obscure jusqu'au compartiment des passagers.

Anakin y était seul. Tous les Censeurs avaient regagné leurs cabines pour dormir ou jouer.

L'enfant avait sa petite figure toute boursouflée de chagrin et il observa Tigris d'un regard méfiant.

– Viens, petit, lui dit Tigris. Tu dois te sentir tout seul. Et tu as sûrement faim. On va faire ta toilette et te trouver un petit souper. Mais il faudra être bien sage, pour ne pas déranger le Seigneur Hethrir.

Il défit le harnais d'Anakin et tendit la main. Anakin se laissa glisser avec son aide et le suivit docilement.

Un instant plus tard, ils trouvèrent du lait, du pain et des fruits dans la cambuse du vaisseau. Anakin mangea avec avidité. Il leva son visage orné d'une moustache de lait et de miettes en proposant à Tigris une petite tartine.

– On dîne! fit-il.

– Non, je te remercie.

Tigris, pourtant, était bizarrement touché et se réprimanda : non seulement il ne devait pas se laisser aller à ce genre de sentiment, mais il avait bien failli accepter le pain avec l'idée de le tremper dans le lait.

C'est tout pour toi, ajouta-t-il.

– Non, mange toi aussi.

– Je te remercie.

– Anakin veut des petits gâteaux.

– Le Seigneur Hethrir ne mange pas de petits gâteaux, s'exclama Tigris, choqué.

Anakin fit la grimace et Tigris dut insister :

– Pas de petits gâteaux!

– Papa. Papa et Maman...

L'enfant était sur le point de se remettre à pleurer. Tigris lui essuya le visage avec sa manche, essayant de le distraire.

– Je veux mon papa, dit Anakin.

Tigris s'agenouilla et le regarda droit dans les yeux.

– Petit Anakin, il y a une chose que tu dois savoir. Ton papa et ta maman ne veulent plus de toi. Le Seigneur Hethrir t'a sauvé et t'a adopté. Comme moi, et tous les autres.

Anakin plissa le front. Il grignota un fruit en silence, méditatif. Mais il ne pleurait plus.

– C'est quoi, ça? Un pique-nique?

Tigris se redressa, surpris, effrayé. Le Seigneur Hethrir se dressait sur le seuil, élégant comme toujours dans sa robe blanche, même s'il était quelque peu échevelé.

– Je vous demande pardon, mon Seigneur, dit Tigris. L'enfant – je pensais que...

– Du calme. Reconduisons l'enfant à sa place. Et je révoque la permission que je t'ai donnée de me servir. Tu devras demeurer dans le compartiment avec les autres passagers jusqu'au terme de ce voyage.

Hethrir les abandonna. Il n'avait pas élevé le ton, mais

Tigris restait tremblant. Il avait effacé d'un coup la bonne impression qu'il avait tant voulu donner de lui. Il lança un regard irrité à Anakin. A cause de cet enfant...

Il soupira. Au fond de sa conscience, il savait qu'il était coupable.

Anakin lui tendait une tranche de fruit.

– On mange ?

Tigris accepta. C'était délicieux.

Dans le compartiment des passagers, plus tard, isolés de la vue de l'espace étoilé, Tigris et Anakin attendirent ensemble tandis que le Seigneur Hethrir posait son vaisseau sur la Station Crseih, plus connue des trafiquants sous le nom de Station d'Asile.

L'*Alderaan* survolait un ensemble de bâtiments trapus et massifs, au sommet d'une colline vers lequel les Censeurs couraient en désordre.

Jaina désigna un canyon qui fendait la colline.

– C'est là qu'on jouait, Maman.

– Et Madame Dragon habite dans les dunes, ajouta Jacen.

– On n'est jamais entrés dans la maison, dit Jaina, les yeux fixés sur la cour clôturée. On restait dans le sous-sol.

– Dans de grands tunnels tout noirs ! fit Jacen.

– Et dans de toutes petites chambres sans lumière !

– Oh, mes chéris ! souffla Leia.

L'*Alderaan* se posa dans la cour. Leia débarqua la première, suivie de Jaina et Jacen, ainsi que de tous les autres enfants. Rillao et Chewbacca descendirent les derniers.

– Vous pouvez fouiller les bâtiments ? leur demanda Leia.

Chewbacca grommela.

– En vous laissant seule ici ? protesta Rillao.

Elle montra le groupe des Censeurs qui venaient vers eux, suivis de Madame Dragon.

Mais les Censeurs s'avancèrent en titubant et se jetèrent aux pieds de Leia.

– Madame, ayez pitié de nous !

Ils paraissaient à bout de forces, couverts de piqûres

d'insectes, les vêtements boueux et loqueteux, les pieds gonflés d'ampoules.

– Je pense que je m'en sortirai, fit-elle d'un ton sec.

– Parfait.

Rillao et Chewbacca disparurent dans l'escalier.

Madame Dragon se dressa derrière les Censeurs en grondant et en reniflant. Ils s'aplatirent un peu plus sur les pierres, sans bouger.

Celui qui arborait les décorations les plus riches sur les manches et les épaules de son uniforme bleu souillé s'adressa à Leia :

– Je vous en prie, madame, sauvez-nous de tous ces malheurs. Ne nous donnez pas en pâture au dragon !

Madame Dragon souffla avec violence en agitant la queue. Le Censeur se recroquevilla.

– Demandez pardon à... commença Leia. Puis elle se ravisa : Demandez le pardon de tous ces enfants. Ensuite, je verrai quoi décider.

Elle prit conscience que Madame Dragon pouvait se régaler d'un ou deux Censeurs sans qu'elle puisse rien y faire.

Leur chef resta encore un instant aplati, immobile, puis sa terreur eut raison de son orgueil. Il rampa lentement, la tête basse, jusqu'au groupe des enfants rassemblés derrière Leia.

– Je demande votre pardon, dit-il.

– Promettez de ne plus vous comporter avec tout être comme vous l'avez fait avec ces enfants.

– Je le promets.

– A présent, relevez-vous et ôtez-moi toutes ces choses absurdes qui couvrent vos épaules.

Il resta un instant ébahi, mais Leia le clouait du regard. Il se tourna brièvement vers Madame Dragon, qui ferma les yeux en reniflant, et entreprit d'arracher les galons de sequins de son uniforme.

Tous les Censeurs firent la même promesse, et la pile de galons et d'insignes augmenta très vite. Leia les distribua aux petits pour qu'ils s'en fassent des jouets ou des décorations.

250

– Où sont les autres enfants ? demanda-t-elle. Où donc Hethrir les a-t-il emmenés ?

– Je l'ignore, madame.

Elle décela une trace de peur en lui. Il ne mentait pas, mais ne disait pas non plus la vérité.

– Où pourraient-ils être ? demanda-t-elle d'un ton impérieux. Anakin, le petit enfant, et le jeune Tigris...

A l'arrière du groupe, un Censeur ricana méchamment et elle le fit taire d'un regard.

– Et Lusa aussi ! ajouta Jaina.

– Et le loungaroun de Monsieur le Chambellan ! compléta Jacen.

Le Censeur Principal gardait les yeux rivés sur le sol.

– Tout irait mieux pour vous si vous me le disiez, dit Leia.

– Le Seigneur Hethrir... a fait le tri dans son groupe hier.

– Le tri...

Soudain, Leia était glacée et son cœur s'emballait.

– Il désire seulement les vendre, madame. Et il est parti...

– Pour la Station d'Asile ?...

– Oui, madame. Il a pris l'enfant Anakin. Et Tigris...

– Quel mépris, fit Leia, stupéfaite par le ton de sa voix.

– Tigris est affaibli ! Le Seigneur Hethrir n'aurait même pas pu en faire un Assistant ! Il servait à table, et il était chargé des petits enfants...

– Et vous considérez que cette tâche est indigne d'un jeune enfant, Censeur ? demanda Leia d'un ton désinvolte.

– Les enfants sont inutiles jusqu'à ce qu'ils aient l'âge de servir l'Empire Ressuscité !

– Personne ne servira plus jamais l'Empire ressuscité ! Jamais plus !

Le Censeur recula en levant les bras et cria :

– Vive l'Empire Ressuscité !

S'il n'avait pas été aussi pathétique, aussi jeune, Leia aurait éclaté de colère. Mais elle avait sous les yeux les Censeurs pétrifiés de peur et les enfants épuisés.

Elle se mit à rire et le Censeur Principal la dévisagea

comme si elle venait de le frapper. Et puis, enfin, il eut l'intelligence de paraître confus.

– A présent, déclara Leia, nous allons vous trouver un endroit où vous ne pourrez plus nuire.

– Je sais ! s'exclama Jaina.

Elle les précéda le long des tunnels obscurs jusqu'à une salle au plafond bas, aussi oppressante qu'une caverne. Elle ouvrit une porte et montra l'une des étroites cellules.

– C'est là qu'on dormait ! Dans le noir ! Donc, ils devront y dormir eux aussi...

Bien qu'effrayée par ce qu'elle découvrait, Leia posa la main sur l'épaule de sa fille. Jaina se tut et leva vers elle un regard furieux et déconcerté.

– Ils ont imploré ma clémence, dit Leia. Et ils vous ont demandé pardon...

– Mais ils n'étaient pas sincères, marmonna Jaina.

– ... Donc, nous ne devons pas les traiter durement. Nous n'avons pas à nous venger, ma chérie. Ça ne serait pas juste.

Elle se tourna vers le groupe des Censeurs dépenaillés et prit soudain conscience qu'ils étaient tous très jeunes.

– Néanmoins, je ne vois pas d'autre endroit plus sûr que celui-là, dit-elle. (En pensant : Et où vous ne risquez pas de faire le mal.) Vous demeurerez donc dans cette salle avec la porte verrouillée. Et vous pourrez utiliser les cellules à votre convenance.

Leia jeta un bref regard à sa fille et devina, en voyant ses lèvres pincées, qu'elle était loin d'être satisfaite. Mais elle ne pouvait le lui reprocher.

– S'il y en a un qui est méchant, dit Jaina, et si vous êtes forcés de l'enfermer – ne vous servez pas de ma cellule. (Elle pointa le doigt vers une porte que rien ne distinguait des autres et acheva :) Parce que j'ai fait sauter le verrou !

Leia s'agenouilla et la serra contre elle.

– C'était très habile et courageux de faire ça.

– J'ai mis aussi du sable dans leurs vêtements et Jacen a obligé les fourmines à les mordre tous !

Jacen gardait les yeux fixés sur le sol.

– Mais les Censeurs les ont tuées, dit-il doucement, tristement. Les fourmines.

Leia le prit dans ses bras.

– Mon petit, mon enfant. (Elle lui embrassa le front.) Mais alors, toutes ces fourmines sont des héros, n'est-ce pas?

Il hocha la tête, quelque peu consolé.

Leia regagnait l'extérieur avec les enfants quand Rillao et Chewbacca se portèrent à sa rencontre.

– J'ai trouvé un autre groupe d'enfants, annonça Rillao.

– Ce sont les Assistants! s'exclama Jaina. Ils font tout ce qu'Hethrir leur dit de faire, et ils sont plus méchants encore que les Censeurs!

Leia échangea un regard inquiet avec Rillao.

Et elle songea : ces jeunes Assistants vont être plus difficiles à libérer que les autres.

– Nous avons également trouvé la cuisinière et ses aides. Il faut faire vite, Lelila : Hethrir est en route pour la Station d'Asile.

– C'est ce que le Censeur Principal m'a appris. L'Indexeur avait donc raison. Mais auparavant, il faut que...

Elle eut un geste vague. Elle était désemparée. Tout l'incitait à regagner l'*Alderaan* et à plonger dans l'hyperespace à la poursuite d'Hethrir.

Mais elle ne pouvait pas laisser les enfants kidnappés seuls ici. Elle hésitait, se demandant si elle n'aurait pas plus de mal encore à convaincre Rillao ou Chewbacca de rester sur place.

Chewbacca étouffa un aboiement.

– Oh, oui, bien sûr...

– Nous allons les emmener avec nous, dit Rillao. Avec le vaisseau-monde.

– Oui, nous allons le déplacer, dit Leia, mais nous le conduirons en sécurité.

– C'est une suggestion pratique, Lelila.

– Combien de temps cela prendra-t-il?

– Quelques minutes seulement. Dans l'hyperespace, le vaisseau-monde est aussi rapide que n'importe quel autre vaisseau. Je vais calculer sa trajectoire.

Rillao s'éloigna dans le bruissement de sa robe-pantalon de soie verte.

Leia s'efforça de garder une expression calme pour le bien de ses enfants. Il ne leur restait plus que quelques minutes à présent.

Jacen leva vers elle ses grands yeux inquiets.

– Tout ira bien, Maman. On va retrouver Anakin.

– Je le sais. Très bientôt, oui.

Jaina se serrait contre elle.

– Tu sais, j'ai très faim, Maman.

– On va essayer de se trouver un dîner.

En entendant cela, tous les autres enfants laissèrent éclater leur joie.

Jacen se précipita en direction du réfectoire. A leur approche, une créature haute et massive se dressa sur ses six jambes, les vrilles nouées autour de la poignée d'un gros chaudron bouillonnant. Leia reconnut une Veubg, une race qu'elle affectionnait.

– C'est Grake ! chuchota Jaina. C'est elle qui nous jetait à manger.

La Veubg s'était arrêtée.

– Que vous apprêtiez-vous à faire, Grake ? demanda Leia.

– J'emportais le dîner des enfants aux Censeurs. Celui des Censeurs est sur la table des enfants.

En criant de bonheur, les enfants se ruèrent dans la salle. Chewbacca les suivit afin de s'assurer que chacun aurait sa part.

Leia se tourna vers ses enfants.

– Allez-y, dit-elle. Allez avec Chewbacca et mangez bien.

Ils obéirent dans la seconde.

Leia risqua un œil sur le chaudron de Grake.

– Ça m'a l'air ignoble, dit-elle. On dirait de l'eau de vaisselle. Vous alliez en faire quoi ?

– Mais je vous l'ai dit : la servir aux Censeurs. Pour voir s'ils aiment.

– C'est hors de question. Mais... Vous m'avez dit que c'était le dîner des enfants ?

Grake évitait son regard.

– Comment osiez-vous leur servir ça ?

– Qu'est-ce que j'aurais pu faire d'autre, madame ?
Leia attendit la suite.

– C'est le Seigneur Hethrir qui me l'avait ordonné.

– Vous aviez quand même le choix de ne pas lui obéir !

– Non, je ne l'avais pas, madame.

– Parce que vous aviez besoin de cet emploi ? Parce qu'il aurait été en colère ?

– Parce que je suis une esclave, madame. Parce que le Seigneur Hethrir a tout pouvoir sur moi, celui de vie, de mort et de châtiment.

Bouleversée, Leia resta muette avant de prendre doucement le chaudron avec Grake, nouant ses doigts autour des vrilles de la Veubg.

– Croyez bien que je suis désolée de vous avoir parlé ainsi. Vous n'êtes plus une esclave. Vous êtes libre désormais. Il faudra attendre quelque temps avant que je vous reconduise sur votre monde, mais je le ferai.

Grake tremblait, soudain.

– Je vous remercie, madame, fit-elle d'une voix douce et rauque à la fois.

– Vous me montrerez la cuisine ? Et la laverie ? J'ai du travail à y faire.

– Et moi, qu'est-ce que je dois faire ?

– Ce qui vous plaira.

– Ce qui me plaît, c'est de faire de la vraie bonne cuisine pour les enfants.

– Vous avez compris que vous êtes libre ?...

– Je le comprends, madame. Et c'est bien pour cela que ça me fait plaisir de faire la cuisine.

– Je vous remercie, dit Leia avec un sourire de regret. Je n'ai jamais eu la chance d'apprendre à bien la faire.

– Venez. Il n'est jamais trop tard pour apprendre. (Grake hésita en regardant le chaudron.) Et ça ?

– On va le jeter. Et on va faire servir du pain, des fruits et de la soupe – de la vraie – aux Censeurs.

– Parce que c'est notre bon plaisir.

Tigris avait passé toute son enfance sur un monde lointain, pastoral, ennuyeux, à l'écart de sa destinée. Depuis que le Seigneur Hethrir était venu à son secours, il avait vécu dans le calme du vaisseau-monde.

Et il aimait beaucoup la Station Crseih.

Il s'était laissé engloutir avec plaisir dans la fièvre et le tapage du dôme d'accueil. Les gens le caressaient au passage, le tiraient par la manche, lui proposaient des confiseries, des bijoux, des vêtements. Par exemple, une robe soyeuse et blanche dont il rêvait depuis longtemps.

Mais il devait suivre docilement le Seigneur Hethrir sans s'arrêter ni se laisser tenter.

Anakin tendit les mains vers un plateau de confiseries, mais le marchand l'écarta, enroulant en spirale ses bras noueux.

– Un peu de patience, petite personne, dit la créature. Il faut payer d'abord.

– Payer? demanda Tigris, intrigué. Il connaissait ce concept, certes, mais uniquement dans le cadre des affaires politiques et commerciales du Seigneur Hethrir. On payait aussi pour la nourriture et les vêtements? Il essaya de se rappeler s'il avait jamais payé pour quoi que ce soit depuis son enfance. Il se souvenait vaguement de commerce, de cadeaux, de sa mère aidant un autre villageois, à la suite de quoi elle trouvait des fruits, une pièce de gibier ou un vêtement devant son seuil le matin d'après.

– Oui, il faut payer! Vous n'êtes pas des mendiants et je ne suis pas un bienfaiteur. (L'être darda un œil pédonculé pour examiner Tigris.) A moins peut-être que tu ne sois vraiment un mendiant.

Le Seigneur Hethrir n'avait pas même ralenti le pas. Il s'éloignait, suivi de sa phalange de Censeurs. Ils n'allaient pas tarder à disparaître dans la cohue et Tigris arracha brusquement Anakin à son émerveillement. Le vendeur les poursuivit en se déplaçant sans grâce.

– Mais ça n'est pas un prix aussi énorme que cela. Cette transaction ne va pas secouer la planète.

– Je n'ai pas de compte, répondit Tigris. Je ne peux donc rien vous transférer.

– Mais personne n'effectue de transfert pour des sucreries, voyons! Tu viens d'où exactement? De la planète où on fabrique tous les crétins? Ça va te coûter une toute petite pièce!

Tigris courait dans la foule sans se soucier de bousculer les gens. Il voulait rattraper les Censeurs qui avaient presque disparu. Le Seigneur Hethrir marchait à grands pas et la foule s'écartait de lui. Mais Tigris, lui, devait louvoyer.

Et Anakin était de plus en plus lourd dans ses bras. Hethrir ne s'était pas retourné une seule fois.

Les enfants dévoraient avec délice. En les regardant, Leia eut le cœur brisé. Elle s'était installée entre Jacen et Jaina, mais elle n'avait pas d'appétit. Elle les prévint de ne pas manger trop vite, et de ne pas se goinfrer. Mais elle savait quand même qu'elle aurait droit à des petits problèmes de digestion dans la nuit.

– Je veux rentrer chez moi, dit une petite fille.

Et le chœur des autres se joignit très vite à elle.

Leia comprenait ce qu'ils ressentaient.

Rillao entra tandis qu'elle essayait d'apaiser les enfants.

– Nous vous raccompagnerons tous chez vous, c'est promis. Maintenant, vous allez prendre un bon bain chaud avant de vous coucher. Ça vous dit?

En voyant leurs lèvres tremblantes, leurs yeux pleins de larmes, elle espéra qu'on pourrait retrouver leurs familles. Hethrir avait-il pu tuer leurs parents? Est-ce qu'ils avaient été embarqués, comme Rillao, dans les énormes transporteurs? Ou bien appartenaient-ils à ces familles sur lesquelles Winter enquêtait et qui pensaient que leurs enfants avaient fugué?...

Rillao s'assit à côté de Jaina et dit doucement:

– Le vaisseau-monde va bientôt entrer dans l'hyperespace. Avant le matin, nous serons à la Station d'Asile.

Hethrir traversait le parc paisible en direction du logis où il était attendu. Le seul son qu'il entendait était le frémissement léger de l'eau dans les bassins. Tigris le suivait, encombré par Anakin qui frétillait pour tenter de s'échapper de ses bras. Tigris décida de le laisser aller avec soulagement, mais il dut aussitôt le poursuivre car il courait vers le plus proche bassin, irrésistiblement attiré. Il s'accroupit sur le bord et tapota dans l'eau.

Un tourbillon diapré apparut au-dessus d'un ruisseau et déclara à Hethrir :

– Mon Seigneur, tout est prêt.

– Mes invités sont-ils là ? demanda Hethrir.

– Oui, mon Seigneur. Ils se rassembleront dès que vous...

Un humanoïde violet arpentait à grand bruit le hall de réception.

– Je ne comprends pas. Pourquoi prenez-vous une attitude aussi désagréable ?

Il suivait un droïd de service en agitant les bras. Le droïd de service portait un plateau garni de valises, de rations de ravitaillement ouvertes et d'un affreux bouquet de fleurs extravagantes dans un vase.

Il lança une réponse marquée de l'indifférence la plus absolue.

– Halte ! lança le gérant.

Et ses tons d'arc-en-ciel prirent un éclat menaçant.

Le droïd de service se figea sur place. Les abominables fleurs tombèrent en pluie sur le sol.

– Ça veut dire quoi de pratiquer une expulsion par la porte principale ?

– C'est tout à fait absurde ! lança le droïd violet. Nous n'avons que quelques heures de retard pour la location. Mes compagnons humains seront de retour sous peu et vous paierez ! Ils sont très occupés !

Le droïd de service ramassa les fleurs avec ses pinces, les brisa en répandant des pétales qui laissèrent couler une sève pâle. Le Seigneur Hethrir observait la scène, impassible. Les Censeurs attendaient en ligne, mais le désarroi du droïd violet les amusait.

– Monsieur Trois P ! cria Anakin en s'élançant vers le droïd, l'air excité.

Tigris se précipita sur lui mais il arriva trop tard : l'enfant avait déjà les bras noués autour d'une jambe du droïd incongru.

258

— Maître Anakin? fit le droïd. Maître Anakin! Mais que faites-vous ici? Où sont donc votre sœur et votre frère? Et le Prince... Et votre mère?...

— Rendez-nous cet enfant! lança Hethrir.

— Qui êtes-vous, monsieur? demanda le droïd. Je n'ai reçu nulle instruction vous permettant d'approcher Maître Anakin!

— Vous prenez cet enfant pour quelqu'un d'autre. Vous vous trompez. Vous devriez peut-être vous faire nettoyer les circuits.

Tigris parvint à dégager la petite main d'Anakin de la jambe du droïd. Qui essaya de se défendre, mais Tigris le repoussa tandis qu'Anakin se débattait avec violence, allant même jusqu'à donner un coup de pied dans le tibia de Tigris.

— Aouh! Non, Anakin, laisse le Monsieur droïd! Excusez-le, monsieur!

— Mais qui êtes-vous, jeune homme? Que faites-vous avec Maître Anakin?

Le Seigneur Hethrir s'était avancé. Il leva son sabrolaser.

La lame vrombit férocement. Sa lumière se referma en arc autour du droïd violet. Le sabre fut projeté en arrière. Des étincelles crépitèrent dans l'air qui se changea en ozone. Le Seigneur Hethrir poussa un juron qui effraya Tigris plus encore que le sabre. Il lâcha la poignée et la lame entailla le sol de pierre dans un dernier éclat, et s'évanouit.

Jamais encore Tigris n'avait vu ça.

Le droïd, une seconde cloué sur place, bascula sur le sol dans un grand fracas métallique. Il fut parcouru de spasmes, puis demeura immobile. Des plaques de vernis violet s'effeuillaient sur le sol, révélant une autre carapace, dorée celle-là.

Anakin continuait de hurler:

— Monsieur Trois P! Monsieur Trois P!

Tigris réussit à le faire tenir en place malgré les sanglots et les coups de pied frénétiques.

— Tout va bien, petit, chuchota-t-il. Chut!

— Récupère mon sabre, lui ordonna Hethrir.

Apeuré mais décidé, Tigris s'avança d'un pas maladroit, serrant Anakin sous un bras, et saisit la poignée du sabre. Il avait cru qu'il allait exploser à son contact, mais il resta inerte. Il le tendit au Seigneur Hethrir, qui l'ignora.

– Je vous demande infiniment pardon pour cet incident honteux, déclara le tourbillon diapré. Il est évident que ce droïd s'est emmêlé les circuits. Il a également tenté de me frauder.

– Enfermez-le, dit Hethrir. Il est dangereux. Plus tard, nous veillerons peut-être à ce qu'il soit nettoyé et recyclé.

– Très bien, mon Seigneur, dit le tourbillon-géant.

Le droïd de service empila son collègue effondré sur sa plate-forme et roula dans la pénombre.

Anakin le suivit du regard avec une expression consternée.

– Monsieur Trois P! souffla-t-il.

Le Seigneur Hethrir lui posa la main sur le front et le dévisagea longuement.

– Il ne peut t'être d'aucun service, petit, dit-il. C'est à nous de prendre soin de toi.

Le dortoir des Censeurs était suffisamment vaste pour accueillir Leia, Rillao, Chewbacca ainsi que tous les enfants. Les placards étaient remplis de couvertures et d'édredons doux et chauds et ils pourraient tous dormir avec les fenêtres ouvertes.

Rillao et D2 allèrent s'installer aux commandes du vaisseau-monde pour le saut dans l'hyperespace tandis que Chewbacca et Leia s'occupaient des enfants. Jaina et Jacen étaient assis et refusaient de se glisser sous les couvertures.

– Maman, je veux rester avec toi, chuchota Jaina.

Et Jacen ajouta : « Moi aussi. »

– Vous n'avez pas trop sommeil?

Jacen secoua la tête, mais Jaina bâilla.

– Je dois aller à bord de l'*Alderaan*. Est-ce que ça vous dirait de m'accompagner et de dormir dans ma cabine?

Ils acceptèrent, tout excités.

– Le sol va trembler, annonça Leia en élevant la voix pour que tous les enfants l'entendent. Rien qu'un petit moment. Ça signifie que le vaisseau-monde se déplace. Il n'y a pas de quoi avoir peur. Chewbacca veille sur vous.

Les enfants se blottirent sous leurs couvertures, rassurés.

Mais dès que Leia eut quitté la salle, certains parmi les plus petits se levèrent pour aller se serrer contre le Wookie, à l'abri de son doux pelage. Il les prit dans ses bras sans interrompre sa chanson sans paroles.

De retour au vaisseau, Leia installa Jaina et Jacen sur la couchette de sa cabine et s'assit à côté d'eux. La chauve-souris à quatre ailes de Jacen voleta jusqu'au plafond avant de s'accrocher au mur.

Un long frémissement parcourut l'*Alderaan*. Le vaisseau-monde et son minuscule soleil entraient en accélération et le sol vibrait en grondant.

Jaina se redressa, excitée, et Jacen tapota sur la paroi.

— On décolle ! lança Jaina.

— Plus ou moins, remarqua Leia.

Le vaisseau-monde était passé dans l'hyperespace et la vibration cessa. Jaina se glissa de nouveau sous les couvertures.

— On va au secours d'Anakin, hein ? Et de Lusa, avant qu'ils lui coupent ses cornes !

— Oui, fit Leia en espérant qu'elle disait la vérité.

Maintenant qu'ils étaient dans l'hyperespace, elle recommença à chercher la trace d'Anakin. Mais elle ne perçut rien.

— Maman, tu m'as tellement manqué ! dit Jaina.

— Toi aussi, chérie, tu m'as manqué. Est-ce que vous savez que je vous ai suivis à travers l'hyperespace ? Je sentais que vous m'appeliez. A un moment, j'ai bien failli vous perdre.

— Tu sais, chaque fois qu'on essayait de se servir de la Force, Hethrir nous en empêchait ! On a voulu se servir de la barrière pour protéger Anakin. Mais il nous l'a encore interdit ! Je sais que je ne dois pas essayer quand Oncle Luke n'est pas avec nous, mais on l'a quand même fait. Et il continue de nous en empêcher. Pourtant, on a réussi à faire quelques petites choses.

— Tout ira bien à présent, Jaina. Je suis si fière de vous deux.

— Maman?

— Oui, ma douce?

— Tu peux le forcer à arrêter?

— Mais qui? Et à arrêter quoi?

— Jaina et moi, dit Jacen, on ne peut plus s'entendre, comme Oncle Luke nous avait appris.

— Mais pourquoi, mes chéris? demanda-t-elle, inquiète.

— Parce qu'Hethrir ne nous laissera pas faire!

— Mais il n'est plus là, mes chéris! Il ne peut plus vous toucher.

— Mais si, il le peut encore, s'entêta Jaina.

Leia ferma les yeux et s'ouvrit au plus large spectre de perceptions.

Elle ne détecta rien. Elle lança son esprit aussi loin que possible. Elle sentit la peur de ses enfants, le souvenir de ce qu'ils avaient ressenti sous la domination d'Hethrir et son cœur battit plus fort.

— Il n'est plus là, répéta-t-elle enfin. Vous êtes libres.

Jaina et Jacen s'étreignirent et le scintillement de la barrière s'atténua et disparut comme une étincelle soufflée, sous la cascade de leur crainte. Hethrir était bel et bien parti, mais il avait laissé une telle empreinte de peur que Leia n'osait pas y toucher pour l'instant.

Rillao fit irruption dans la cabine, échevelée, hagarde.

— Qu'est-ce que vous faites? Qui... (Elle s'interrompit net en voyant les enfants, puis se tourna vers Leia.) Vous êtes une Jedi.

Leia secoua la tête.

— Non. Je ne suis pas encore formée, et les enfants commencent à peine à apprendre... Comment le savez-vous?

— Vous m'avez filé le plus gigantesque mal de tête que j'aie connu de ma vie!

— Mama, pleurnicha Jacen. Fais qu'Hethrir s'en aille.

— Il est parti, mon chéri. Il ne peut plus vous toucher désormais.

Mais ils la fixaient, incrédules.

Rillao s'assit près d'eux. Du doigt, très délicatement, elle effleura leurs cheveux, et ils la regardèrent, fascinés et apeurés à la fois.

– Votre maman a raison. Hethrir n'a plus le pouvoir de vous toucher.

Elle s'était exprimée avec douceur et l'effroi de Jaina et Jacen se résorbait sous ses caresses.

Leia observait, stupéfaite.

– Ça va mieux, à présent? demanda Rillao.

Les enfants hésitèrent brièvement, comme s'ils avaient été tenus si longtemps à l'écart du soleil qu'ils étaient incapables de croire en son retour. Puis ils partirent d'un grand rire et sautèrent vers Leia et Rillao. Ils leur prirent la main et se mirent à danser en cercle.

– Merci, merci! criait Jaina.

Et Jacen ajoutait d'un ton grave :

– Oh, oui, merci tellement!

– Maintenant, il faut que nous parlions, fit Rillao en revenant à Leia.

Leia borda ses enfants dans la couchette. Ils étaient épuisés et calmes, soudain. Le temps qu'elle les embrasse, ils avaient sombré dans le sommeil.

Elle retrouva Rillao dans le siège de copilote. Elle avait le regard perdu dans le ciel de l'hyperespace dont les couleurs sillonnaient son visage.

– Vous êtes qui? demanda Leia. Une Jedi, n'est-ce pas? Un vrai Chevalier Jedi?

– Je l'étais, souffla Rillao.

– Racontez-moi.

– J'ai été l'étudiante... du Seigneur Vador.

– Mais...

La Firrerreo l'interrompit d'un geste.

– Il nous éduquait en secret. Même après que l'Empire nous eut déclarés sous-humains et eut détruit les miens, il m'a gardée... Avec un autre.

– Et quand l'Empire s'est effondré, vous vous êtes enfuis.

Leia s'efforçait de garder un ton froid pour ne pas révéler l'horreur qu'elle ressentait : Rillao, un pion de l'Empire?

– Ça n'est pas aussi simple. Quand nous étions encore jeunes et que nous avons entamé nos études, nous... nous sommes devenus amants.

« Le Seigneur Vador croyait que nous serions capables d'engendrer un enfant doué d'un talent extraordinaire, qu'il pourrait exploiter au profit de l'Empire.

– Et... Est-ce que vous avez?...

Leia hésita. Cela pouvait être à la source des rumeurs sur lesquelles Luke enquêtait. Et elle se demanda : Mon frère, qu'est-il en train d'affronter? Un jeune Jedi aussi doué qu'Anakin et formé par mon père, Dark Vador, le Seigneur Sombre de Sith...

Elle eut un frisson.

Mais Rillao souriait gentiment.

– Oui, nous avons eu un enfant. Un enfant très ordinaire et très doux, Tigris... J'ai été tellement heureuse quand j'ai découvert qu'il n'avait pas le moindre talent dans la Force!

– Heureuse? s'écria Leia, à la fois choquée et soulagée.

– Bien avant notre enfant, je devins une... une étudiante décevante pour le Seigneur Vador.

– Mais vous avez beaucoup de talent! Comment a-t-il pu être déçu?

– Vous ne devinez pas, mon amie?

Elle eut un sourire cruel qui révéla ses canines redoutables.

– Je n'ai pas été tentée par le Côté Sombre. Je le trouvais repoussant. Je n'avais nullement le désir de dominer les autres par mon pouvoir, et je ne parvenais pas à comprendre cette obsession qu'avait le Seigneur Vador de les dominer tous, pas plus que je pouvais comprendre mon désir de m'y soustraire.

– A la fin de sa vie, dit Leia, il aura compris.

– Peut-être a-t-il trouvé la paix et je m'en réjouis. Mais lorsque je l'ai connu, il était comme possédé. Il ne s'est guère montré patient devant mes faiblesses. J'ai un don, voyez-vous : je peux guérir, apaiser, et redonner des forces vitales.

– Ainsi que vous l'avez fait avec mes enfants.

Rillao acquiesça.

– Mais le Seigneur Vador m'avait interdit d'exercer ces pouvoirs de guérisseuse. Je lui ai désobéi et j'ai résisté. Le Seigneur Vador et mon amant, dès lors, ne pouvaient plus se fier à moi. (Elle ferma les yeux, le souffle court.) Je n'ai pas pu le supporter. Le Seigneur Vador me traitait par le mépris. Et mon amant... avait cessé de m'aimer. Ses sentiments n'avaient pas changé, pourtant. J'aurais pu supporter la haine au lieu de l'amour. Mais le mépris...

Elle s'interrompit si longtemps que Leia craignit qu'elle n'achève pas son récit, et lui posa doucement la main sur l'épaule.

– Que s'est-il passé? Le Seigneur Vador a alors nommé mon amant – dont le nom était Hethrir, vous l'aurez compris? – Procurateur de Justice et l'a chargé de la destruction de mon oncle et de l'enlèvement d'une part de mon peuple.

– Mais c'était aussi son monde à lui! Et ces gens étaient les siens! Comment...

Mais Leia savait que c'était possible. Et même fréquent.

– Il l'a fait afin de prouver sa loyauté à l'Empire. Il se disait qu'ainsi l'Empire le reconnaîtrait en tant qu'humain. (Rillao eut un rire amer.) Je me suis souvent demandé, depuis la destruction de notre monde, pourquoi on pouvait seulement souhaiter être humain.

Leia hocha la tête. Elle s'était posé la même question après la mort d'Alderaan.

– Avant la naissance de notre enfant, je me suis enfuie. Quand il est né, je me suis cachée sur le plus lointain, le plus petit des mondes, au fond de la galaxie. Le Seigneur Vador avait nourri de grands espoirs pour notre fils, et je redoutais qu'il ne découvre qu'il était incapable de servir ses ambitions.

– Tout comme son propre enfant, souffla Leia. Mais ne m'écoutez pas, je ne voulais pas vous interrompre.

– Lorsque l'Empire s'est effondré, je me suis dit que nous étions peut-être sauvés. J'ignorais le sort de mon amant. Je craignais qu'il n'ait trouvé la mort. Je pleurais mon monde disparu, effacé par l'arrogance de l'Empire. Je pleurais ceux des miens qui avaient été déportés dans l'espace pour une destination inconnue. J'étais tout simplement heureuse avec mon fils. Je ne répondais jamais quand il m'interrogeait à propos de son père. Et je me servais de mes dons, mais en secret.

« Et puis j'ai découvert que je n'aurais pas dû pleurer la mort de mon amant. C'est lui qui nous retrouva. Il nous avait cherchés sans cesse. Il disposait de moyens considérables, et il avait su prévoir la fin de l'Empire et s'y préparer. Nous nous sommes affrontés... Et il m'a vaincue.

— Parce que vous pratiquiez la guérison, et lui la guerre.

— Il m'a vaincue, répéta Rillao. Il m'a emprisonnée et a pris notre enfant. Depuis cinq années.

Ensuite, continua Leia en pensée, Hethrir avait séquestré Rillao dans le transporteur et il l'avait torturée. Pendant cinq ans.

— Qu'attendait-il de vous ?

Elle songea : Il aurait pu vous tuer proprement, mais il a choisi de vous tourmenter pendant tout ce temps.

— Il voulait me reprendre, bien sûr. Ou du moins me plier à sa volonté. Cela ne faisait aucune différence pour lui, je pense, du moment que j'étais soumise à sa volonté. Il voulait un partenaire, un pion afin de renforcer son pouvoir sur l'Empire Ressuscité. (Elle tendit les mains et montra ses cicatrices avant de serrer les poings.) Il voulait surtout que notre fils soit son héritier. L'héritier de l'Empire Ressuscité et de son pouvoir sombre. (Elle eut un sourire brillant de larmes.) Mon tendre fils... Je redoute tellement ce qu'Hethrir a pu lui faire depuis cinq ans. Il n'a pas pu réaliser les ambitions de son père. Il ne peut accéder au Côté Sombre. Il aurait pu être un scientifique, un artiste, un diplomate-explorateur. Mais il ne sera jamais un Jedi.

— Et vous ne l'avez pas revu depuis cinq ans ! s'écria Leia, essayant d'imaginer ce qu'elle aurait éprouvé si elle avait été séparée aussi longtemps de ses enfants. Elle n'aurait certainement pas survécu.

— Si, je l'ai revu. Il est venu me rendre visite avec son Seigneur. Il m'a traitée de folle, de traîtresse, de créature inférieure.

« Il faut que je le trouve, Lelila. Il se peut qu'Hethrir n'ait pas totalement éteint sa tendresse. Ce que disent vos enfants m'a redonné espoir.

— Je ne m'appelle pas Lelila.

— Vous n'avez pas à me...

– Mon nom est Leia. Et quand nous retrouverons Ti...
votre fils, et le mien, nous retournerons sur Coruscant.
Vous y serez à l'abri. Et vous aurez des collègues, Luke
Skywalker, mon frère, sera tellement content de vous
connaître !

A son grand étonnement, Rillao posa soudain un genou
au sol, les gestes maladroits dans l'étroite cabine de pilotage.

– Princesse Leia d'Alderaan, dit-elle. Combattante de la
liberté, vainqueur de l'Empire, fondatrice de la Nouvelle
République. Je vous fais serment de loyauté. J'aurais dû
vous reconnaître...

Soudain intimidée, Leia mit la main dans ses cheveux et
les coiffa en un chignon improvisé.

– Je voyageais incognito, dit-elle.

11

Leia serra Chewbacca contre elle quand il vint s'assurer que les jumeaux étaient en sécurité. Les autres enfants étaient restés sous la surveillance attentive de Grake.

Le vaisseau-monde était en trajectoire programmée à destination de Munto Codru. Là-bas, les enfants seraient en sécurité et tous pourraient commencer à essayer de retrouver leur monde natal, leur famille.

— Est-ce que tu pourrais rester dans la cabine avec Jaina et Jacen ? lui demanda Leia.

Il ronfla une question, perplexe.

— Bien sûr que si, tu es un excellent navigateur, Chewie. Mais Rillao connaît exactement la route pour rallier la Station d'Asile.

Chewbacca ronfla son opinion très personnelle sur une navigatrice qui n'avait pas été aux commandes d'un vaisseau depuis cinq ans au moins, mais c'était par pure mauvaise foi. Il posa doucement la main sur la tête de Leia avant de s'asseoir sur la couchette.

Leia gagna le poste de pilotage. Elle détacha l'*Alderaan* du vaisseau-monde et celui-ci disparut dans l'éclat de l'hyperespace. Puis elle passa les commandes à Rillao. Ils pouvaient à présent mettre le cap sur la Station d'Asile, pour retrouver Anakin.

Yan jubilait en suivant le sentier paisible. Quelle excellente soirée il avait passée ! Sans personne sur le dos, sa concentration affûtée encore par la bière délicieuse, sans souci à l'horizon, rien que les cartes, son instinct et son audace.

Et il avait gagné.

Quel sentiment merveilleux!

Et il savait aussi ce qu'il devait faire de Waru.

En trouvant le hall de réception de leur logis désert, il fut plutôt déçu. Si le gérant avait été là pour lui réclamer ce qu'ils devaient, il lui aurait jeté l'argent à ses pieds. Même si cette espèce de tourbillon colorié n'avait pas vraiment de pieds. Pas du tout, en fait. Bon, alors il lui aurait fourré les billets dans son gosier tordu.

Il glissa sur les dalles et faillit tomber.

Mais quoi? Je ne suis pas ivre, pourtant?...

Il baissa les yeux. Dans la fente d'une dalle, il vit de vilains pétales de fleurs. C'était sur eux qu'il venait de trébucher. Ils ressemblaient à ceux que C3 PO avait chapardés pour décorer leur table.

Il était possible que le droïd de service ait enfin jugé qu'ils étaient bons pour la poubelle, et qu'il en ait laissé tomber quelques-uns en traversant le hall.

Il escalada les marches quatre à quatre. Il allait donner de l'argent à C3 PO. Ce ne serait que justice : C3 PO avait eu la corvée de s'excuser et d'expliquer à leur hôte leur retard de règlement.

Yan ressentait une saine fatigue. Il allait retrouver son lit avec plaisir. Demain, Luke serait calmé.

Et moi aussi, se dit-il. S'il ne me saute pas encore dessus, tout ira bien.

Il composa son code mais la porte de la chambre ne s'ouvrit pas.

Il cogna du poing.

– Hé! On me laisse entrer!

L'instant d'après, l'image lumineuse d'une femme très belle apparut. Elle était échevelée, drapée dans un peignoir.

– On ne fait plus de commerce à cette heure, lui dit-elle. Revenez à un moment plus civilisé. Nous irons ensemble jusqu'à mon vaisseau et je vous montrerai ma nouvelle marchandise.

– Comment ça, du commerce ? De la marchandise ? Hé, vous êtes qui ? Qu'est-ce que vous faites dans ma chambre ?

Si jamais Luke la voit, se dit-il, je n'arriverai jamais plus à lui faire comprendre ce qui se passe avec Xaverri.

– C'est ma chambre, monsieur, et c'est là que je dors.

Il se pencha pour déchiffrer le numéro de la chambre. Mais non, il ne s'était pas trompé.

– Mais je suis là depuis plusieurs jours ! Toutes mes affaires sont dans les placards !

– Ce sont mes affaires qui sont dans les placards. Fichez le camp. Je viens de prévenir le gérant.

La porte s'éteignit et la femme ne répondit pas, même quand il se remit à tambouriner en hurlant.

Deux droïds costauds roulèrent vers lui sur leurs chenilles en une parfaite manœuvre en tenaille. Deux D2 poussés aux hormones. Ils le repoussèrent en direction de l'escalier sans la moindre douceur en dépit de ses protestations, et lui firent escorte jusqu'à la porte, l'un devant, l'autre derrière.

Leur hôte attendait dans le hall.

– Mais qu'est-ce qui se passe ? fit Yan. Qui occupe ma chambre ? Et où sont mes collègues et toutes nos affaires ?

– Mon établissement a été réservé pour une convention. Vous et vos collègues, vous avez constamment réglé en retard vos chambres et je leur ai demandé de trouver un autre logement.

Yan lui lança une poignée de billets qui s'envolèrent autour du tourbillon arc-en-ciel pour se disperser à la surface du bassin.

– Voilà !

– Trop tard.

Les deux droïds surmusclés poussèrent Yan vers la sortie et roulèrent sur les pétales écrasés dans une odeur fétide.

– Hé ! Attendez ! (Il tenta de les repousser mais rien ne pouvait apparemment les freiner.) Mais bon Dieu, où sont passés mes amis ?

– Je ne sais pas, dit le gérant. Et peu m'importe.

Les droïds éjectèrent Yan avec une brusquerie telle qu'il faillit dévaler les marches. Il entendit claquer la porte.

Il jura dans la nuit étouffante.

Mais ils n'avaient pas d'argent, songea-t-il. Où est-ce qu'ils ont bien pu aller?...

L'étoile de cristal basculait vers son crépuscule. L'aube première et l'aube seconde ne se succédaient plus en opposition, l'aube seconde éclatant à l'heure du crépuscule. L'étoile de cristal avait plongé de l'autre côté de la Station Crseih en se rapprochant du trou noir. Et quand elle réapparut, elle créa l'aube première. Presque en conjonction, le tourbillon violent du trou noir explosa à l'horizon.

Dans cet océan d'interférences de rayonnements issus des boucliers antiradiation, le comlink de Yan était inutilisable. Il essaya en vain de joindre Luke ou C3PO.

Il s'efforça de réfléchir plus clairement.

Bien sûr : ils avaient dû retourner au *Faucon*. Ils auraient eu trop de mal à me retrouver. Il va falloir que j'aille jusqu'au port.

Il s'engagea sur le sentier. Et soudain, la lumière diminua et il leva les yeux.

La naine blanche glissait sous le disque d'accrétion du trou noir. Et Yan en déduisit que, dans l'instant suivant, les communications allaient redevenir claires, brièvement. Il appela le *Faucon*.

Mais il ne reçut aucune réponse, pas même sur les systèmes automatiques. Nul n'était entré dans le vaisseau depuis que C3PO était venu y prendre les rations de secours. Et il n'y avait aucun message.

Il tentait de contacter directement Luke quand la naine blanche resurgit. Les interférences revinrent et il fut instantanément coupé du *Faucon*.

Luke était-il retourné auprès de Waru?

Peut-être qu'il ne sait même pas qu'on a été virés de notre appartement? Et C3PO est à sa recherche...

La lumière grandissait.

Au lieu de s'élever hors du trou noir, l'étoile naine voguait devant lui. Son orbite elliptique et quasi excentrique avait changé de phase : elle était maintenant presque circulaire. Le trou noir attirait l'étoile de cristal avec une intensité grandissante. Une couche de plasma s'était formée à sa surface en longs friselis et, en approchant du trou noir, elle délivra ses premières salves en tournoyant. A présent, les deux astres formaient un double tourbillon de lumière.

Une pluie dure de clarté tomba sur le dôme et le sol alentour. Yan cligna les yeux et s'inquiéta de la pluie de rayonnements durs. C3 PO ne s'y était pas trompé, se dit-il.

Dans le dôme d'accueil, les enseignes des boutiques oblitéraient le phare éblouissant de la singularité. Ici, tout était encore mouvant, bruyant et lumineux. Que ce soit au crépuscule, à l'aube double, au crépuscule stellaire, ou encore à minuit.

Yan soupira. Il ne s'intéressait plus à ce que le dôme avait à lui offrir. Il voulait seulement dormir. Ne serait-ce que quelques heures. Pourtant, il s'approchait du temple de Waru et pensait : Mais est-ce que ces gens ont entendu parler des transports publics ?

A l'instant où l'*Alderaan* pénétrait dans l'étrange système, sa coque ardente frémit sous le bombardement des rayons durs.

Ils étaient au large de la Station d'Asile, essaim chaotique d'astéroïdes grêlés reliés par des tunnels et des champs gravifiques.

Leia plissa le front. Elle n'était jamais venue ici, mais pourtant elle reconnaissait la Station. Il ne pouvait quand même pas exister deux endroits aussi bizarres dans l'univers.

— Mais c'est Crseih ! s'exclama-t-elle à la seconde où D2 sifflotait une conclusion identique. La Station Crseih !

— Oui, fit Rillao. C'est son vrai nom. Mais dans le commerce, on l'appelle l'Asile. Vous la connaissez ?

— Mon mari et mon frère sont ici, fit Leia, transportée de joie et d'espoir. Si Anakin s'y trouve, Luke le saura certainement !

Elle imaginait déjà Anakin, sain et sauf, courant vers elle, jetant ses bras à son cou.

Et ce vide qu'elle avait au cœur soudain comblé.

272

Elle tenta d'atteindre Yan, de contacter le *Faucon Mille-nium*, mais le flux de radiations balayait toute communication. La Station Crseih était coupée de l'univers par le rayonnement fou de l'étoile double.

– Soyez patiente, dit Rillao. Nous ne tarderons pas à trouver. Et nous saurons.

– Vous parlez comme mon frère !

Leia soupira. Il se pouvait que Yan et Luke aient achevé leur enquête – leurs vacances – et qu'ils aient regagné Coruscant avant même qu'Hethrir ait amené Anakin ici.

Elle était au bord des larmes. Elle posa les doigts sur ses paupières et étendit le champ de sa perception aussi loin que possible.

Rien.

Elle laissa retomber ses mains.

Rillao posa tendrement la main sur son épaule.

– Nous sommes encore à une certaine distance de Crseih. Il n'y a pas de raison de désespérer.

Leia savait que Rillao cherchait Tigris, son fils, tout comme elle cherchait Anakin, mais depuis plus longtemps qu'elle.

Elle s'évada de sa transe pour observer le système binaire qui se levait par-delà la Station. La naine blanche plongeait derrière un vaste tourbillon de débris en fusion. Au centre, un trou noir effleurait l'astre voisin, arrachant à sa surface des geysers de matière en explosion. Elle était confondue par la terrible beauté du spectacle.

– C'est le système le plus bizarre que je connaisse, dit-elle. Et aussi le plus violent.

D2 bipa un long trille et des informations se dessinèrent au-dessus de sa carapace. Il termina par un gazouillement excité.

Leia déchiffra le message.

– Il dit que c'est effectivement très bizarre.

D2 amplifia une partie du message.

– Comment ? Elle est en train de mourir ? s'écria Leia. Cette étoile va mourir ? (Elle se pencha plus près et déchiffra plus attentivement ce que disait D2.) Toutes les naines blanches meurent, mais celle-ci est en train de geler ?

– Une étoile qui gèle ! fit Rillao, sceptique. Je pense que votre droïd se moque de nous.

– D2 a bien des qualités, mais il n'a guère le sens de l'humour. Cette étoile est tellement dense qu'elle n'est plus qu'un plasma quantique. Et elle est si âgée qu'elle a cessé de brûler. Elle distribue sa chaleur à l'univers. Elle est en train de geler pour se changer en un gigantesque cristal quantique.

Leia entendit un geignement et courut vers sa cabine. Chewbacca était penché sur ses enfants.

Jaina et Jacen venaient de se réveiller. Jaina était en pleurs et Jacen restait muet et pâle.

– Hethrir est revenu ? geignit Jaina.

– Mais non. Il est loin. Jamais plus il ne vous approchera. Tu as fait un cauchemar ?

Jaina hocha la tête d'un air sombre.

– J'ai mal à la tête, se plaignit Jacen.

Leia le berça un instant. Plus tard, ils se rendormirent d'un sommeil agité et Leia les laissa à la garde de Chewbacca.

L'*Alderaan* allait se poser sur la Station Crseih.

Tigris entra dans la salle de réunion de la Station. Les longs bancs de pierre étaient bondés. Le velours blanc du dais brillait doucement au-dessus de l'estrade ; là où le Seigneur Hethrir allait faire son apparition, très bientôt, avec ses cheveux roux et or pareils à des flammes, et ses yeux sombres et brûlants.

Tigris reconnaissait la plupart de ceux qui attendaient le Seigneur Hethrir. Dame Ucce était assise à la place d'honneur réservée au plus généreux donateur de l'Empire Ressuscité. Le Seigneur Qaqquqqu, lui, était installé dans les rangs des partisans mineurs. La plupart de ceux qui étaient présents avaient visité le vaisseau-monde, en tant que commerçants ou fidèles. D'autres étaient passés du grade de Censeur à celui de Jeune de l'Empire et on leur avait assigné des missions au titre de l'Empire Ressuscité. Les voir là, tous réunis, était une expérience nouvelle pour Tigris. Et il admirait les Jeunes dans leur uniforme pâle, avec leurs médailles et leurs longs manteaux.

Chacun des invités, bien sûr, était d'essence humaine. Mais tous étaient accompagnés d'un enfant d'une autre race. Le rôle des humains était de rétablir l'Empire dans sa toute-puissance.

Tigris aperçut l'enfant centauriforme qui avait été la complice de la sœur d'Anakin lorsqu'elle avait osé défier les lois de l'école du Seigneur Hethrir. En fait, la plupart des enfants esclaves appartenaient au groupe que le Seigneur Hethrir avait lui-même sélectionné et vendu sur le marché. Mais il se disait qu'il était bizarre que tous ces enfants soient jeunes et non apprivoisés : ils auraient dû être tenus en laisse. Certains appelaient même leur mère. Mais Tigris se dit qu'il n'avait pas à critiquer les invités de son Seigneur.

Il chercha une place.

Les Censeurs se rassemblaient à l'extérieur.

– Debout !

Tigris se fraya un chemin vers le tout dernier banc en traînant Anakin. Autour d'eux, les fidèles se redressaient en courbant la tête. Et Tigris les imita, en attendant que son Seigneur l'autorise à lever les yeux.

La suite des jeunes Censeurs descendit la travée et se mit en place de part et d'autre du podium.

Le Seigneur surgit.

– Aurais-tu l'intention de garder mon sabre ?

Tigris se redressa, surpris par le ton grave et menaçant. Le Seigneur le fixait d'un air sombre.

Tigris se sentit blêmir. La poignée du sabre pesait lourdement à sa hanche. Il le tendit maladroitement à son Seigneur. Il aurait dû le suivre jusque dans sa chambre et lui restituer le sabre sans perdre de temps. Mais il s'était attardé à calmer Anakin alors qu'il aurait dû le laisser pleurer. Après tout, l'enfant devait apprendre à se maîtriser.

Hethrir gagna sa place sur le podium.

– Vous pouvez vous asseoir, dit-il.

L'un des invités resta debout.

Tigris le reconnut. Il s'appelait Brashaa. Il appartenait à la suite du Seigneur Hethrir. Comment pouvait-il oser désobéir ?

Hethrir se tournait vers lui avec un sourire bienveillant. Tigris crut déceler cependant une trace d'amusement. D'amusement et de mépris. Brashaa était connu pour son avarice. Il ne possédait pas même un esclave. Pis encore, il traînait l'animal favori d'Anakin au bout d'une lourde chaîne. C'était le Seigneur Hethrir qui avait offert à Dame Ucce la vilaine créature à six pattes. Elle ne cessait de haleter et de gémir, et la bave coulait entre ses ignobles crocs grêlés. Dame Ucce avait dû se faire un sérieux bénéfice en revendant cette chose à Brashaa.

— Qu'y a-t-il, Brashaa? demanda le Seigneur Hethrir.

— Mon Seigneur, depuis bien des années, vous nous avez promis que nous allions passer à l'action. Nous sommes las de nous dissimuler ainsi comme des usurpateurs de la Nouvelle République.

Anakin aperçut le loungaroun. Il se leva et se serait précipité vers le monstre dentu si Tigris ne l'avait pas retenu à temps.

— Reste assis, du calme, petit enfant.

— Anakin veut son wouf!

— Chhtt!

Le Seigneur Hethrir ne répondit pas à l'apostrophe de Brashaa. Il attendit dans un silence menaçant que l'autre ait le courage de poursuivre.

— Mon Seigneur, nous en avons vraiment assez de traiter les non-humains comme nos égaux. Nous devons agir vite, avant que nos enfants ne soient contaminés par la propagande égalitarienne, avant que notre génération ne soit trop vieille pour – pour combattre!

— Il semble que vous doutiez de moi, Brashaa.

— Pas du tout, mon Seigneur. Pas un seul instant.

— Je me demande si vous ne seriez pas un traître, Brashaa.

— Mon Seigneur!

Brashaa était pâle, terrorisé, et il regrettait ce qu'il avait dit. Tigris avait presque pitié pour lui et il était horrifié qu'il ait pu interpeller ainsi le Seigneur Hethrir.

— Laissez-nous, Brashaa. Vous n'avez pas votre place dans cette assemblée. Je ne souhaite pas que vous entendiez mon plan.

276

Brashaa resta muet, inerte. Il hésita à se lever, espérant sans doute que le Seigneur Hethrir allait annuler sa sentence.

Mais le Seigneur le toisait en silence. Brashaa rougit et chercha à reprendre son souffle. Tout autour de lui, les impétrants s'écartaient, comme s'ils craignaient la contagion.

Un filet de sang coula des narines de Brashaa.

Anakin escalada le banc et regarda avec de grands yeux, muet. Brashaa lâcha la chaîne de l'animal aux longs crocs qui le fixait aussi intensément qu'Anakin.

– J'implore votre pardon, mon Seigneur!

Le Seigneur Hethrir le toisait toujours en silence.

Le traître s'avança en titubant dans la travée et les fidèles s'écartèrent. Nul ne tendit la main vers lui.

– Mon Seigneur, pardonnez-moi!

Après un tel affront, jamais le Seigneur Hethrir ne le laisserait vivre. Tigris détourna le regard, honteux de sa propre faiblesse. Mais il ne voulait pas assister à la mort d'un homme.

Pourtant, Brashaa ne tombait toujours pas. Ses pas s'éloignaient vers le fond de la salle.

– Votre pardon, mon Seigneur!

Tigris se retourna à l'instant où Brashaa franchissait le seuil.

La créature aux longs crocs tournait la tête, les oreilles soudain dressées, dans le raclement de sa chaîne, et personne ne chercha à la retenir.

Tigris regarda le Seigneur Hethrir et fut choqué par son expression tendue. Il était encore plus pâle qu'à l'ordinaire. Son visage paraissait gris sur le blanc de sa robe et de sa chasuble de velours.

Il voulait la mort de Brashaa! se dit Tigris. Mais quelque chose a mal tourné. Comme lorsque son sabrolaser l'a trahi...

Anakin se laissa retomber sur le banc.

– Mauvais hommes, Tigris, dit-il d'un ton grave.

– Chhtt, petit.

Tigris espérait que le Seigneur Hethrir n'avait pas

entendu. Anakin referma son petit poing dans la main de Tigris, qui ne le repoussa pas. Troublé et malheureux, essayant de repousser ses pensées déloyales, il songea pourtant : Le Seigneur Hethrir a échoué.

La créature noire courait dans l'allée et chacun l'ignorait. Mais, au lieu de suivre son maître au-dehors, elle vint se planter aux pieds d'Anakin.

– Pschch! souffla Tigris.

– Bonjour, wouf! fit Anakin.

Le monstre posa sa tête affreuse sur son genou et Anakin le gratta entre les oreilles.

Les invités se concentraient à nouveau sur le Seigneur. Hethrir recouvrait ses moyens. Il afficha un sourire satisfait, comme s'il avait laissé Brashaa partir volontairement.

– Avant que je ne vous révèle mon plan, dit-il, l'un de vous aurait-il une question à poser?

Nul ne répondit.

Mais le loungaroun émit une plainte.

Dans la chaleur suffocante, Yan se dirigeait vers le temple de Waru et ses étranges calligrammes. Il était si fatigué que les signes semblaient danser et se reformer à chaque pas. Il avançait péniblement, à contre-courant de la foule.

Le service avait dû s'achever et les fidèles refluaient. Parfait. Il allait sans doute rencontrer Luke et C3 PO à mi-chemin. Xaverri n'était sans doute pas très loin et ils pourraient régler le problème tous ensemble.

A la seule idée de se retrouver en présence de Waru, il avait les nerfs en pelote. Il ne serait vraiment heureux que lorsqu'il aurait la certitude de ne plus jamais revoir cette maudite chose.

L'un des suppliants s'arrêta, dans un frisson d'écailles et de plumes qui passèrent du beige au jaune vif.

– Waru nous a congédiés, chercheur, dit l'être. Il faudra revenir plus tard pour un autre service.

– Ça va, fit Yan. J'attends seulement quelqu'un.

La chose écailleuse et emplumée lui tapota amicalement l'épaule avant de reprendre son chemin.

La foule finit de s'écouler autour de lui et il n'y avait toujours pas trace de Luke et C3 PO.

Il traversa la cour silencieuse en sifflant doucement, sur ses gardes, avant de pénétrer dans le temple. Il s'arrêta dans le hall, aux aguets. Il perçut une voix isolée. Les mots ainsi que le timbre étaient rendus confus par une acoustique complexe. Après un bref silence, une deuxième voix se fit entendre. Celle de Waru.

Il entra dans la salle.

En bas de l'estrade, Luke se tenait face à l'entité, les épaules voûtées.

— Je suis fatiguée, Luke Skywalker, disait Waru.

Oh, parfait, se dit Yan. Il a révélé qui il était à ce machin !

— Tu penses que je peux faire infiniment le bien, que mes pouvoirs de guérison sont sans limite. Mais je suis une créature vivante et je puis être aussi lasse que toutes les autres. Mes adeptes ont accédé à ma requête et se sont retirés. Ne peux-tu montrer la même courtoisie ?

— Je crains de mourir si vous ne me venez pas en aide.

Mais qu'est-ce qu'il fait ? se demanda Yan.

Waru eut comme un énorme soupir.

— Très bien. Je vais t'aider.

Luke monta sur l'autel.

— Luke ! cria Yan.

Luke tendait déjà les bras vers Waru, posait ses mains sur les écailles d'or limpide. Yan courut vers lui et bondit vers l'autel. Il l'agrippa et l'écarta de Waru. Le Jedi se débattit, essayant de dégainer son sabrolaser. Yan lui bloqua les bras dans le dos : il savait que si Luke parvenait à tirer son sabre, il n'aurait plus aucune chance de le sauver.

— Arrête ! Tu ne vas pas lever ton sabre sur moi et tu le sais !

C'est alors qu'il vit le visage de Luke. Crispé, pâle, douloureux, le regard fixe, et Yan perdit toute certitude.

— Laisse-le, dit Waru. Il a demandé mon aide et je la lui ai offerte.

— Non, c'est beaucoup trop. Nous reviendrons quand vous vous serez reposée.

Dans le même instant, il s'interrogea : Hé, mais qu'est-ce que je fais ? Je joue au diplomate alors qu'il faut que je tire Luke d'ici ?

— Il a le droit de déterminer son propre destin, reprit Waru, et sa voix était comme de la soie, légère et caressante.

« Il a le choix de vouloir sauver sa propre vie.

— Mais il n'a rien, bon Dieu !

Yan sauta dans la salle avec Luke, et il eut du mal à conserver son équilibre. Luke s'effondrait soudain, les membres inertes. Yan espérait que ce n'était qu'une feinte, qu'il allait appeler son sabre qui se retrouverait miraculeusement dans sa main. Mais non : Luke n'était plus qu'un poids mort qu'il s'efforçait de traîner vers la sortie, loin de Waru.

— Il est très malade, très faible, dit l'entité. Ramène-le-moi. S'il peut être guéri, je le guérirai.

Sans répondre, Yan réussit à remettre Luke sur pied.

— Aide-moi un peu, petit frère, marmonna-t-il.

Luke vacilla.

— Yan, s'il te plaît. Aide-moi...

— Ramène-le ! gronda Waru.

Yan passa un bras de Luke sur son épaule et continua d'avancer vers la sortie.

— Non, souffla Luke. Non... Je t'en prie...

Yan se sentit soudain glacé. Luke ne lui demandait pas de l'aider à fuir : il voulait retourner près de Waru. Et Yan ne pouvait le permettre.

— Tu sais, gamin, je t'ai déjà sauvé la vie. Au moins une fois. Et tu me dois ça.

Ils se retrouvèrent à l'extérieur. Yan avait la vue brouillée par les larmes. Le trou noir flamboyait dans le ciel avec l'étoile de cristal, qui pulsait à son zénith. Il frissonna en pensant à la mortelle averse de rayonnements qui fouettait les boucliers.

Mais la menace majeure n'était pas dans le ciel.

Il souleva de nouveau Luke et s'engagea dans le sentier secret de Xaverri.

Tigris, fasciné, écoutait le discours du Seigneur Hethrir. Il parlait depuis quatre heures. Et tout l'auditoire était paralysé, hypnotisé par la voix du Seigneur et son puissant message.

Seul Anakin était immunisé. Il courut jusqu'à la créature aux longs crocs et se blottit contre elle. L'un et l'autre s'endormirent devant Tigris.

– Aujourd'hui, je vais renforcer mon pouvoir, annonça le Seigneur Hethrir.

« Aujourd'hui, je vais m'affiner comme un métal précieux arraché au minerai grossier de l'existence humaine.

« Aujourd'hui, je vais ressusciter – tout comme l'Empire, dont j'ai personnellement conçu l'incubation et la réincarnation.

« Aujourd'hui, je vous présente : l'Empire Ressuscité.

Tous les regards étaient rivés sur lui, captivés par sa hardiesse. Et l'assistance se leva d'un seul mouvement pour l'applaudir.

Tigris lui aussi faillit se lever. Mais il risquait de réveiller Anakin, qui se mettrait immanquablement à pleurer et perturberait le triomphe du Seigneur.

Et puis, les pieds de Tigris étaient endormis eux aussi.

Quelques enfants-esclaves gémissaient et pleuraient. Mais Tigris n'était pas responsable de leur comportement. Contrairement à celui d'Anakin.

Il ne bougeait plus, espérant passer inaperçu dans l'ombre. Tous les autres étaient debout et applaudissaient en criant de bonheur. Il avait peut-être une chance que le Seigneur Hethrir ne connaisse pas ses moindres gestes, comme d'habitude.

Anakin paraissait tellement paisible. Tigris se demandait comment il pouvait dormir dans ce vacarme.

Il lui adressa un sourire plein de fierté, heureux de le voir là, à ses pieds, avec la créature à six pattes pleine de crocs.

Je me demande comment ça serait d'avoir un petit frère comme Anakin? se demanda-t-il. Ou un frère tout court, une sœur, une famille? Pourquoi ma mère était-elle une traîtresse? Et qui était mon père et pourquoi m'a-t-il abandonné?

Anakin ouvrit les yeux. Il cligna des paupières, l'air ensommeillé, rencontra le sourire de Tigris et lui répondit. Tigris remua les orteils pour dégourdir ses pieds. La créature à longs crocs ronfla, se réveilla et s'étira.

La salle redevint tout à coup silencieuse. Les fidèles se rasseyaient et les enfants-esclaves se serraient à leurs pieds. Hethrir, lui, se leva en écartant les bras. Tigris s'efforça de redresser Anakin qui réagit en se recroquevillant un peu plus contre lui.

— Anakin, rendors-toi, lui souffla-t-il.

Hethrir descendit du podium et s'engagea dans l'allée.

— Venez avec moi.

Il ne détournait pas la tête, indifférent à ceux qui lui obéissaient et le suivaient.

Et, bien sûr, tous lui emboîtèrent le pas les uns après les autres. Deux de ses Censeurs se précipitèrent pour lui ouvrir la porte tandis que les fidèles s'agglutinaient derrière lui avec leurs enfants-esclaves ensommeillés.

— Ne dors pas tout de suite, petit, chuchota Tigris. Viens, il faut que nous y allions.

Il prit l'enfant dans ses bras et se leva. Il se sentait maintenant aussi épuisé qu'Anakin.

L'un des Censeurs pointa un doigt sur lui.

— Hé, la nurse! On va te laisser en arrière!

Les Censeurs s'éloignèrent en riant et firent claquer la porte sur eux. Tigris fut contraint de serrer Anakin sur sa hanche afin de pouvoir ouvrir. Le loungaroun suivait sur ses six pattes, dans le cliquetis de sa chaîne.

Tigris redressa la tête en serrant les dents.

Leia, Rillao, Chewbacca, Jaina, Jacen et D2 roulaient vers la station à bord du tracteur du port de Crseih.

On fait une jolie équipe! se dit Leia. Un commando déguisé en comité familial.

Elle cherchait du regard le *Faucon Millenium*, mais elle ne réussit pas à le repérer entre tous les boucliers multiformes qui encombraient le port.

Je pourrais demander, mais nul ne doit deviner mon identité.

– Est-ce que les autorités du port conservent un registre? demanda-t-elle au conducteur anthropoïde.

– Il doit figurer dans les données.

– Et comment le consulter?

– Ce n'est pas possible.

– Pourquoi?

– La compagnie garde ce genre d'information secret.

Jaina se serrait contre Leia, avec son multi-outil et une couverture intelligente qu'elle avait emportée de l'*Alderaan*. Elle prétendait qu'elle était pour Anakin alors que Leia savait bien que son fils n'avait pas de passion particulière pour les couvertures de camping. Contrairement à Jaina. Mais elle ne voulait pas contredire sa fille à ce propos.

Elle avait décidé de continuer à voyager incognito sous son identité de Lelila, sans se présenter comme une chasseuse de primes. Elle doutait que son rang de Chef d'État de la Nouvelle République lui vaille une réelle popularité sur la Station Crseih. Et elle gardait les cheveux dénoués sur ses épaules.

Rillao était splendide dans sa tunique de soie verte. Son attitude altière faisait oublier le tissu râpé qui cachait en grande partie ses cicatrices.

Chewbacca boitillait encore un peu. Il avait peigné son pelage et son poil argent et noir était doux et lisse. De tous, il était le membre le plus honorable du commando.

Jaina et Jacen étaient impeccables. S'ils avaient fini de dévorer leur déjeuner, ils se montraient encore anxieux et méfiants.

A vrai dire, seul D2 gardait son image authentique.

Jaina tira sa mère par la manche.

– Maman! Regarde le vaisseau, là-bas!

Elle montrait un petit bâtiment à la coque dorée sous un bouclier antiradiation.

– Mais lequel, chérie?

– C'est un de ceux qui se sont posés sur le vaisseau-monde, juste avant qu'Hethrir emmène Lusa!

Leia et Rillao échangèrent un regard d'espoir.

– Maman, il faut qu'on aille au secours de Lusa!

Est-ce que ça pourrait être aussi facile? s'interrogea Leia. Mais... si Anakin est dans ce vaisseau, pourquoi ne puis-je le sentir?

– Conducteur, dit-elle soudain, nous aimerions visiter ce bâtiment doré.

– Ça vous coûtera plus cher.

Chewbacca grommela, mais Leia lui tapota discrètement le bras.

– C'est d'accord.

Le vaisseau ne répondit pas au signal du conducteur. Le tracteur déploya son tunnel d'accès vers la coque dorée. Vu de loin, le vaisseau n'avait révélé aucun signe distinctif, mais à présent Leia distinguait de nombreux hublots richement décorés, mystérieux.

– Fais attention, maman! s'exclama Jacen.

Et Jaina ajouta:

– Ce sont des gens mauvais qui ont pris Lusa!

Leia frappa sur la coque, le cœur battant d'excitation et de crainte.

Rien. Elle attendit un instant avant de taper un peu plus fort sur un des hublots. Elle essaya de regarder à l'intérieur, mais la décoration était si fastueuse qu'elle pouvait très bien imaginer les ombres qu'elle croyait voir. Elle tapa une troisième fois et une mince fente apparut dans la coque.

– Patience, noble dame, patience! Que désirez-vous?

– Je suis...

Tout serait tellement plus facile, songea-t-elle, si j'avais la certitude qu'Anakin et les autres enfants sont bien là. Mais je le sentirais. Non?...

– Nous cherchons un enfant, dit Rillao.

– C'est exact, ajouta Leia, imitant l'approche directe de Rillao ainsi qu'elle l'avait fait avec l'Indexeur.

– Des humains? dit la voix. De vrais humains?

Une protubérance velue garnie de vrilles charnues échevelées s'agita dans l'interstice.

– A moins que vous ne préfériez: « trans-espèces »?...

– On cherche Lusa! lança Jaina. Elle a quatre jambes, non: deux! Elle est rouge doré avec des taches blanches, et elle a des cornes. Oui, des petites cornes!

L'explosion poilue se pencha vers elle.

Jacen tira sa mère par la manche en chuchotant :

– Anakin... Il n'est pas dans ce vaisseau doré.

– Vraiment ?...

Son fils hocha gravement la tête. Leia repensa à ce que Jaina lui avait dit. Jacen avait raison. Jamais Jaina ne lui avait dit que Lusa et Anakin étaient ensemble. Le Censeur qu'elle avait interrogé avait insinué qu'Anakin pouvait se trouver à la Station Crseih, sans plus.

– Ce que je veux dire, enchaîna Jacen, c'est que je crois vraiment qu'il n'est pas là. Tout est tellement bizarre. (Il plissa le front en levant vers elle un regard plein d'espoir.) Tu ne sais pas où il est, toi ?

– Lusa ne serait pas ici ? demanda Jaina à la chose à poil.

– Je ne saurais le dire, noble demoiselle. Il faudrait que vous parliez à ma maîtresse, Dame Ucce.

– Où est-elle ? demanda Leia.

– Je pense que vous devriez la trouver au Logis du Cratère.

La coque dorée du vaisseau redevint lisse. Leia frappa une dernière fois, vainement.

12

Ils entrèrent dans le hall du Logis du Cratère comme des touristes ordinaires. Ils attendirent entre les ruisseaux, les bassins et les dalles de pierre noire. Un droïd d'entretien bourdonnait non loin de là, s'acharnant sur une longue tache qui déparait les dalles, et il les ignorait.

Jaina et Jacen examinaient les lieux avec curiosité. La chauve-souris à quatre ailes s'évada de la chemise de Jacen et voleta dans la pénombre.

– Hello! fit Rillao.

Un gargouillis se forma à la surface d'un bassin.

– Vous êtes en retard. Il va falloir vous hâter.

– C'est à moi que vous parlez? demanda Rillao.

– Oui. Ne faites-vous pas partie de la suite du Seigneur?

Rillao n'hésita qu'un bref instant.

– Mais oui.

– Puis-je inscrire votre nom?

– Si vous connaissez le Seigneur, vous n'avez pas à me demander mon nom.

Leia n'avait nul besoin de ses pouvoirs de Jedi pour déceler la tension de Rillao. Et ses perceptions l'avaient abandonnée, ne lui laissant qu'un vague mal de tête. Elle se demanda si Rillao éprouvait la même sensation.

– Veuillez m'excuser, fit le gargouillis.

– Je veux bien. Le Seigneur est-il arrivé?

– Oui, certes, mais il est reparti avec sa suite. En vous dépêchant, vous devriez les rejoindre.

– J'aurai besoin d'un guide.

– Ce n'est pas nécessaire.

Rillao prit un air perplexe tandis que le gargouillis tournait paisiblement sur place.

– Il suffit de demander Waru.

– Très bien.

– Je veillerai à ce que l'on s'occupe de vos serviteurs.

– Ils voyagent avec moi.

– Ah... fit le gargouillis avant de se figer dans quelques dernières rides.

La chauve-souris de Munto Codru était de retour. Elle plongea vers le bassin et remonta avec un poisson minuscule dans ses griffes, qu'elle entreprit de déguster goulûment.

– Ah, non! fit le tenancier, ça n'est pas la salle à manger, ici! (Soudainement, il y avait de la colère et du doute dans sa voix humide.) Ces créatures ont de la valeur, elles sont même horriblement chères! Elles font partie du décor!

Chewbacca ronfla de mépris.

– Je suis désolé! dit Jacen à l'instant où la chauve-souris revenait se nicher dans sa paume. Elle avait faim!

– Mettez ce poisson sur notre compte, fit Rillao. Allons-y.

Dès qu'ils furent dehors, Rillao interpella la première personne qui passait et lui demanda où trouver Waru.

– Ce chemin, là. Ce conduit d'aération. Vous verrez. (L'être cligna de toute sa tourelle d'yeux immenses.) Mais sachez bien que Waru se repose. Elle a demandé du calme et du temps.

– Je vois. Ne vous inquiétez pas. Nous y prendrons garde.

Elle s'engagea sur la piste, suivie de Leia, Chewbacca et des enfants.

Ils avaient quitté le parc lorsque Leia s'aperçut que D2 n'était plus là.

Mais où a-t-il pu passer? se dit-elle. Elle n'avait plus le temps de rebrousser chemin.

Yan gravissait la pente vers la cime de la colline. Luke ne l'aidait absolument pas. Pourtant, malgré le fardeau qu'il portait et sa fatigue, il était bien moins épuisé qu'au tout premier jour sur la Station Crseih.

– Laisse-moi, Yan, lui dit Luke. S'il te plaît. Il faut que je retourne auprès de Waru!

Yan le traîna jusqu'à un rocher, à l'écart de la piste, et le déposa. Luke se recroquevilla dans la poussière en la creusant des doigts, la tête baissée.

– Mais qu'est-ce que ça veut dire? s'emporta Yan. Tu demandes à cette... cette chose de te guérir? Après avoir vu ce qu'elle a fait? Et tu n'es même pas malade!

– Mais si, je suis malade! Yan, il m'est arrivé quelque chose d'affreux! Tu ne vois donc pas?

– Tout ce que je vois, c'est que tu te conduis comme un crétin! Pourquoi as-tu dit à Waru qui tu étais?

– Yan, je suis en train de perdre mes pouvoirs. Mon contact avec la Force. Je ne parviens plus à maintenir mon déguisement. Les gens commencent à me voir tel que je suis. Ils me reconnaissent. Quand nous avons parlé au sujet de Xaverri, je ne savais même pas si tu me disais la vérité! C'est comme si je devenais sourd-muet, tu comprends? Comme si on m'avait arraché le cœur! Je ne sais pas quoi faire!

– Tu ne dois pas t'abandonner à Waru! Tu ne sais pas ce qui se passe en toi. Mais quelqu'un t'a peut-être lancé un sort.

– Il n'y a pas d'ysalamari dans le coin.

– Alors, disons que ton sabrolaser a pété un fusible!

– Il n'a pas de fusible!

– C'est peut-être quelque chose qui est dans l'air! Ou même l'atmosphère! Ou bien la lumière, je ne sais pas, moi!

Baigné de sueur, Yan s'assit à l'ombre du rocher.

Luke se tut, l'air pensif, les jambes croisées. Il passa lentement les doigts dans ses cheveux et rabattit sa capuche sur son visage.

– Bon, les vacances ont peut-être suffisamment duré, dit Yan. Écoute, Luke, on n'est plus au bon vieux temps. On n'a pas à résoudre tous les problèmes et à remporter tous les combats. Si tu es malade, il faut que nous retournions sur Coruscant pour qu'on te soigne.

Et, songea Yan, pour que tu te retrouves loin de Waru. Non, vraiment, ça n'est plus le bon vieux temps. Parce que alors je savais toujours qui était l'ennemi et que je savais comment riposter. Maintenant... Tout est tellement compliqué.

– Je veux qu'on fiche le camp, dit-il. Je finis par avoir la trouille, ici.

– Mais le Jedi – Waru – commença Luke.

– Il n'y a pas de Jedi perdu ici. On est partis des rapports de Xaverri, et ils concernaient tous Waru. Non pas un Jedi, mais Waru.

Luke hésitait et dit enfin :

– C'est vrai.

Il avait l'air perdu et triste.

– On va aller récupérer C3 PO et Xaverri et décoller vite fait.

– Xaverri ?

Il y avait un trait de colère dans le ton de Luke.

– Tu ne veux quand même pas qu'elle reste ici, non ? Si j'arrive à la convaincre de partir.

– Pour quelle raison tu en aurais besoin ?

– Mais qu'est-ce qui t'arrive ?

Exaspéré, Yan le redressa violemment.

Furieux, Luke se dégagea et leva la main, la paume ouverte. Yan sentit aussitôt le choc de la Force au creux de sa poitrine. Il se jeta en arrière et se dit : Je ne peux pas aller plus loin – je suis mort !

La pression disparut et Luke tomba. Yan s'agenouilla près de lui.

– Je suis navré, dit Luke. Navré... J'ignorais...

– J'ai aimé Xaverri. Oui, je l'ai aimée, autrefois. Je ne peux pas le nier. Non. Et si elle ne m'avait pas quitté... je ne sais pas. Mais peu importe désormais, Luke. Tu ne peux pas comprendre ça ? Mon frère, je te l'ai dit : ce que Xaverri et moi étions l'un pour l'autre n'a rien à voir avec ce que Leia et moi, nous sommes maintenant.

Luke fuyait son regard.

– Excuse-moi. Je n'avais aucune raison de dire ce que je t'ai dit. Ni de refuser de t'écouter. Mais hier...

– Hier, j'ai vu mourir un enfant ! Et c'est comme si j'avais vu mourir un de mes enfants sous le pouvoir de cette chose !

– Je sais qu'il fallait que tu en parles à quelqu'un. Je comprends ça. Mais j'aurais pu...

– Non, tu ne comprends pas ce que j'éprouve. Xaverri, elle, le pouvait. L'Empire. L'Empire a assassiné ses enfants. (Yan se redressa.) Viens, il faut que nous partions d'ici.

Luke gardait le silence et Yan le releva en demandant :

– Où est passé C3 PO ?

Luke haussa les épaules. Il tremblait. Et Yan se dit qu'il était sans doute réellement malade.

– Je ne vois vraiment pas où il a pu aller, dit-il.

Il se tourna vers la piste secrète qui se perdait dans la forêt mutante.

A cet instant précis, Xaverri surgit de l'entrée dissimulée et se dirigea vers eux. Elle leva la main quand Yan cria son nom. Yan ne pouvait déchiffrer son expression.

Il alla à sa rencontre avec Luke. Quand ils sortirent de l'ombre du rocher, la chaleur pesa sur eux comme de l'eau bouillante. Yan s'arrêta devant Xaverri, espérant qu'elle allait lui prendre la main, mais elle le dévisagea sans un mot.

– Nous partons, dit-il enfin. Tu avais raison au sujet de Waru. Du danger qu'elle représente. Maintenant que nous savons, nous pourrons décider de ce qu'il faut faire.

– Je suis heureuse de l'entendre, fit-elle d'un ton neutre.

Et Yan songea : Je vais trouver une famille ithorienne. Ils ont récemment rallié la Nouvelle République – je saurai bien les convaincre de déposer une plainte devant une cour. Ensuite, on arrêtera Waru et elle sera jugée. Même si la famille ithorienne n'est pas d'accord, nous aurons au moins sauvé une victime de l'envoûtement de cette chose...

– Viens avec nous, dit-il à Xaverri.

Un sourire furtif effleura ses lèvres.

290

– Moi, Xaverri, au cœur du gouvernement? De la loi? Solo, ce ne sera jamais ma place. Je ne survivrais pas long-temps.

– Tu pourrais te surprendre toi-même.

– Peut-être que oui. Mais je ne veux pas prendre ce risque. (Elle se tourna vers Luke.) Skywalker, pourquoi ce malaise?

Il leva la tête sous le double soleil, défaillit et se courba à nouveau. Xaverri, l'air sombre, prit appui sur un rocher et porta son regard vers le temple de Waru.

De l'autre côté du dôme, un groupe venait de faire son apparition et se dirigeait vers l'entrée. A l'avant venait une phalange de jeunes en uniforme bleu, le torse chargé de médailles, les épaules couvertes de galons. Suivait un per-sonnage de haute taille en robe blanche, escorté de jeunes gens en longs gilets. Une foule moins disciplinée mais richement vêtue fermait la marche.

Yan observait lui aussi.

L'homme en blanc s'avançait maintenant seul dans la cour du temple.

Yan se tourna vers Xaverri et vit que tous ses muscles étaient tendus.

– C'est qui?...

– Je le connais, souffla-t-elle. C'est le Procurateur de Justice.

Yan observa le temple. La suite entrait à son tour dans le bâtiment.

C'est alors qu'il découvrit dans la foule, tout à la fin du cortège, un jeune garçon qui tenait par la main un enfant humain. L'un et l'autre disparurent derrière la double ran-gée de gardes.

Yan s'était figé.

– Luke, dit-il.

Xaverri le regarda, troublée par son ton impératif.

– Xaverri...

– Qu'y a-t-il, Solo?

– C'est Anakin.

Il s'élança sur le sentier abrupt, sans se soucier des plantes mutantes qui lacéraient ses vêtements, ni des cailloux qui roulaient sous ses pas à grand fracas, et encore moins de la poussière, de Luke ou de Xaverri qui le suivaient.

Anakin avait disparu dans l'antre de Waru.

Un moment, rien qu'un bref moment, Leia imagina qu'elle était en promenade avec Jaina et Jacen. Ils la tenaient par la main, confiants, heureux. Puis elle retrouva le vide causé par la perte d'Anakin et le froid revint, comme un trou glacé dans son cœur.

– Est-ce que vous ne sentez aucune trace de Tigris? demanda-t-elle. Si Anakin est ici...

Elle se dit qu'elle avait passé tant d'années à rétablir la loi. La justice là où la terreur avait régné. Mais ici, il n'y avait pas de loi. Et pas de justice.

– Et s'ils sont là, qu'est-ce qu'on fait?

– Je ne suis pas démunie de ressources, dit Rillao sans même la regarder.

– Mais nous ne sommes pas armées. Et vous m'avez dit que... (Elle hésita, n'osant pas aborder un sujet qui pouvait blesser Rillao.) Attendez un peu...

Les enfants avaient de la peine à les suivre, aussi prit-elle Jacen dans ses bras tandis que Chewbacca se chargeait de Jaina.

– Oui, je vous ai dit qu'il m'avait vaincue, il y a cinq ans.

– Il est avec tous ses gardes. Et il est aussi certainement armé !

– Bien sûr. Il a son sabrolaser... et le mien !

– Mais alors...

– Leia, ici, c'est comme l'a dit votre fils. (Elle caressa les cheveux de Jacen.) Tout est bizarre.

Leia ne put qu'acquiescer.

– Ici, la Force est dérangée, perturbée. Je me suis ouverte et je ne l'ai plus sentie. Je ne peux plus guérir – mais Hethrir ne peut plus détruire. Nos mondes ont sombré dans le chaos.

Elles sortirent du tunnel de connexion pour se retrouver sur une longue pente douce, au-dessus d'un bâtiment harmonieux.

– Si j'avais mon sabre, ajouta Rillao, je ne pourrais pas m'en servir. Pas plus qu'Hethrir ne pourrait se servir du sien.

Leia, troublée, demanda :

– Mais pourquoi ?

– Parce que le sabrolaser d'Hethrir ne peut être nourri que par la Force. Et le mien aussi.

Elles descendirent un nouveau tunnel d'aération avant de surgir sur un aplomb paisible qui dominait une vaste vallée.

Sur une colline, immédiatement en dessous, des jeunes gens en uniforme bleu pâle pénétraient dans le bâtiment aux arcades élégantes. Ils traversaient une cour avant de pénétrer dans le corps principal.

– Nous l'avons trouvé, fit Rillao, doucement.

– Du moins ses gardes. Ils seraient plus faciles à reconnaître s'ils avaient de la boue sur leur uniforme.

Leia reposa Jacen et se tourna vers Chewbacca, toujours chargé de Jaina. Il grogna son refus avant qu'elle ait dit un mot.

– Mais c'est important ! protesta-t-elle. Je comptais sur D2 pour veiller sur les enfants, mais il a disparu ! Je t'en prie, Chewie ! Il faut que quelqu'un reste ici avec eux ! Au cas où... où nous échouerions.

Jacen s'accrocha à sa jambe.

– Maman, ne t'en va pas !

Elle s'agenouilla.

– Il le faut, chéri. Il faut que je retrouve Anakin. Je reviendrai bientôt. Je te le promets.

Chewbacca s'accroupit et prit Jacen.

– Il faut nous hâter, Leia, la pressa Rillao.

Les derniers Censeurs venaient de disparaître dans le temple de Waru.

Elles dévalèrent la colline.

En entendant soudain un crépitement de graviers et le bruit de bottes lourdes, Leia se retourna.

Yan était à mi-chemin du dôme, suivi de Luke et d'une autre personne.

– Yan ! cria-t-elle.

Elle se précipita à sa rencontre. Elle rejeta ses cheveux en arrière à l'instant où elle le rejoignait. Stupéfait, il la prit dans ses bras.

– Leia ? Mais qu'est-ce que ?...

Il touchait ses cheveux dénoués, ses joues et ses paupières maquillées.

– J'ai retrouvé Jaina et Jacen. Ils vont bien. (Elle montra le sommet de la colline où Chewbacca montait la garde, sombre mais stoïque.) Mais Anakin, nous pensons qu'Hethrir l'a amené ici !

– Anakin est bien ici, confirma Luke.

Il se tourna vers Rillao avec plus d'attention, tout à coup. Et elle soutint froidement son regard.

– Il est dans le temple, dit Yan. Nous l'avons vu. Mais qu'est-ce qui s'est passé ?

Sans répondre, Leia lui prit la main et l'entraîna vers le temple.

La foule surexcitée déferlait autour de Tigris. Les invités d'Hethrir s'agglutinaient autour de l'estrade, sous le grand autel doré de Waru. Les seigneurs levèrent tous la tête tandis que les Censeurs se déployaient de part et d'autre de l'entrée, vigilants.

– Je te salue, Hethrir Mon Allié.

Tigris s'amusa de la stupéfaction d'un Censeur récemment promu : l'autel parlait ! Il bougeait ! Ses écailles dorées se redressaient en frémissant.

Anakin, lui aussi, était fasciné et silencieux.

– Je te salue, Waru Mon Alliée.

– Que m'as-tu apporté, mon ami ? demanda la créature dorée.

Sa forme changeait tout en prenant du volume. La chair écarlate se gonflait entre les écailles luisantes.

– Ce que tu m'avais demandé, dit le Seigneur Hethrir. Un présent. Et tu tiendras ta promesse. Tu m'ouvriras les limites de la Force.

– Mais que m'as-tu apporté ? insista la créature, d'une voix douce et perplexe. J'ai attendu longtemps. Je suis fatiguée. Et je suis seule.

La suite d'Hethrir se pressait autour de lui en chuchotant :

– Mon Seigneur, prenez le mien ! Le mien !

Les enfants que les seigneurs et dames tenaient reculaient, apeurés, mais leurs maîtres ne les lâchaient pas. L'un d'eux luttait visiblement pour retenir l'enfant-centaure rouge et or qui voulait fuir. Ses petits sabots claquaient sur les dalles de pierre.

Le Seigneur Hethrir se haussa par-dessus toutes les têtes et adressa un signe à Tigris.

Tigris se fraya un chemin dans la foule. Tout d'abord, on refusa de s'écarter devant lui : il n'était que Tigris, dans sa robe en loques, la nurse de l'enfant, un pauvre serviteur ridicule. Il aurait aimé que la vilaine bête d'Anakin le précède, avec ses grands crocs, au lieu de traîner sur ses talons. Les seigneurs et dames lui auraient très vite fait place.

C'est alors que le Seigneur Hethrir lui fit signe à nouveau. Les gens de sa suite comprirent enfin qu'il appelait Tigris à ses côtés.

Ils lui ouvrirent un chemin et s'agenouillèrent tous.

Tigris était bouleversé.

Si seulement le Seigneur Hethrir désirait me purifier moi. Je sais que je le servirais encore mieux. Et je pourrais vraiment me rendre utile à la cause de l'Empire Ressuscité.

Lorsqu'il se présenta devant son maître, il avait la vue brouillée par des larmes d'espoir et de désir.

– Donne-moi l'enfant Anakin, dit Hethrir. Je vais le présenter.

Anakin s'accrochait au cou de Tigris, le visage enfoui, et Tigris prit un instant pour tenter de l'apaiser.

– N'hésite jamais quand je te donne un ordre, fit Hethrir.

Sa voix resta douce. Mais, pour la première fois depuis toutes ces années où il avait servi et honoré son Seigneur, Tigris devina sa fureur.

Anakin refusait de le lâcher.

– Laisse-moi, Anakin. Ça va être merveilleux, je te le promets. Tu es un petit garçon qui a bien de la chance.

Anakin tremblait et luttait pour exercer ses faibles pouvoirs encore indisciplinés. La lumière qu'il réussit à susciter était devenue bien faible. Le Seigneur Hethrir devait l'avoir totalement en son pouvoir. Tigris réusit enfin à lui écarter les mains.

Il aurait aimé que le pouvoir du Seigneur Hethrir oblige Anakin à faire ce qu'il voulait.

L'enfant le regarda bien en face, effleura sa joue de la main et dit :

– Tigris pleure.

Gêné, Tigris essaya péniblement de sécher ses larmes du revers de sa manche. Mais avec Anakin, c'était impossible. Il le posa, lui saisit la main et le tira jusqu'à Hethrir.

– Non, Tigris, dit l'enfant. Non. S'il te plaît.

Hethrir empoigna Anakin par la main et le conduisit à Waru.

Le loungaroun à six pattes essaya de le suivre, mais Tigris le prit par son collier et il se débattit avec un geignement plaintif.

Anakin se laissa tomber sur l'estrade, refusant de bouger.

– Lève-toi, enfant, lui ordonna Hethrir. Approche honorablement de ton destin.

Il tira Anakin vers lui, mais l'enfant se mit à hurler, le visage enflammé, lançant des coups de pied violents.

Le Seigneur Hethrir le poussa contre les écailles dorées de Waru.

– Je t'ai amené ce que tu souhaitais, dit-il. Le plus puissant des enfants. (Il ménagea une pause avant d'achever :) Je t'ai amené le petit-fils de Dark Vador.

Tigris éprouva un curieux mélange de jalousie, de regret et d'horreur. Pas étonnant, songea-t-il, que cette assemblée soit si différente des autres. Pas étonnant non plus que le Seigneur Hethrir n'ait pas fait franchir à Anakin les étapes habituelles imposées aux Assistants, aux Censeurs et aux Jeunes de l'Empire. Anakin allait atteindre instantanément au plus haut degré.

Ou bien mourir dans le rituel de purification.

Derrière Tigris, l'enfant-centaure recula en gémissant.

La bête à six pattes tira furieusement sur son collier et échappa à Tigris.

Elle se rua vers Anakin avec un hurlement de détresse.

Et Tigris se dit : Les invités du Seigneur Hethrir n'ont pas amené leurs propres enfants. Ceux qui sont ici n'ont pas eu le choix. Ce n'est pas juste ! J'aurais choisi.

Les écailles de Waru ondulaient et se liquéfiaient.

Anakin sombra dans l'or en fusion avec un long cri de terreur.

– Tigris ! Tigris !

Il se débattait en tendant les bras.

J'aurais choisi de me donner à Waru, se dit Tigris. Peu importe le danger ! Mais Anakin, lui, n'a pas choisi !

Il bondit et arracha Anakin à l'emprise de Waru. Il se retourna pour fuir avec lui.

– Que fais-tu ? proféra Hethrir.

Waru se dressa tandis que son corps s'allongeait de façon monstrueuse et que l'ichor rouge sourdait de sa chair. La créature rugit de colère et de désespoir.

La plainte de l'étrange créature dorée domina le sanglot de Leia quand elle vit Anakin. Un jeune homme entraînait son fils loin de la chose convulsée. Il trébucha. Et Leia vit alors le loungaroun de Mr. Iyon aplati près de l'autel, tous crocs dehors.

Elle courut vers son fils, suivie de Yan.

Elle se faufila dans la cohue. Certains de ceux qui s'étaient agenouillés se redressaient. Si tous les adultes présents étaient des humains, il n'en était pas de même des enfants qui les accompagnaient. Ils appartenaient à de nombreuses races.

Elle rejoignit enfin le jeune homme et son fils.

– Papa ! Maman ! cria Anakin, le visage gonflé, barbouillé de larmes.

Ce jeune homme, ce doit être Tigris, se dit Leia. Il ressemble tellement à Rillao !

Il pleurait, lui aussi.

Anakin s'évada de l'étreinte de Tigris pour tomber dans les bras de sa mère. Yan lui caressa doucement les cheveux, émerveillé.

– Tout va bien à présent, chéri, chuchota Leia. Je suis là. Et Papa aussi.

La créature dorée se déployait vers eux. Leia n'avait jamais rencontré une pareille chose. En reculant, elle se heurta à Yan.

Anakin s'était maintenant accroché au cou de son père.

Un homme en robe blanche – Hethrir, se dit Leia – saisit Tigris et le secoua.

– Pauvre idiot! Misérable demeuré!

– Waru! cria Luke en bondissant sur l'autel.

– Non, Luke!

Leia vit qu'il n'avait pas d'arme. Il allait attaquer la chose sans son sabre!

– Arrêtez! lança Hethrir.

Mais Luke était déjà tout près des écailles dorées.

– Waru! cria-t-il comme un défi.

– Que veux-tu, Skywalker? gronda Waru. Je souffre et mes fidèles ne m'ont apporté aucun présent.

Hethrir fixait Luke, déconcerté et furieux. Mais, peu à peu, il parut comprendre et le reconnaître avec étonnement.

– Skywalker! Waru, tu dois t'emparer de lui! Luke Skywalker est un Jedi confirmé. Il est le fils de Vador!

La chose d'or s'enflait toujours plus. Et Luke l'affrontait, les bras ouverts, sans défense. Ses bottes baignaient déjà dans le fluide doré. Waru se dilata encore, formant une concavité dans laquelle poussèrent des ailes atrophiées qui cernèrent Luke dont l'image distordue, inversée, se refléta dans les écailles.

– Oui, fit-il. Prends-moi.

La créature gronda encore, mais plus doucement, comme sous l'effet d'un plaisir nouveau.

– Luke! cria Leia.

Avant qu'elle ait pu esquisser un geste, les ailes d'or s'abattirent sur Luke et l'enveloppèrent en fondant pour se changer en vagues et l'emporter telle une marée.

Luke avait disparu.

– Non! hurla Leia, horrifiée.

Cette vision atroce réveillait l'image toujours ancrée en elle de Yan congelé dans le carbone [1].

1. Voir *L'Empire contre-attaque*.

Mais Yan était là, il serrait leur fils dans ses bras. Il venait de se tourner vers Waru et le chagrin envahissait son visage.

Leia posa les doigts sur sa joue, très doucement. Il la regarda.

Puis elle s'avança vers la masse bouillonnante d'or fondu qui venait d'avaler Luke.

Et plongea à la poursuite de son frère.

Elle nageait dans la lumière dorée, les cheveux épars. Au loin, elle voyait Luke. Il luttait et se tordait entre de grandes ondes de boucliers d'or. Elle plongea vers lui en se souvenant de la période qu'il avait passée dans la cuve de régénération bacta, perdu dans des cauchemars dont il voulait s'évader.

Leia avait les poumons en feu. Elle osait à peine respirer dans cette lumière dense, couleur de miel. Elle allait étouffer. Elle exhala profondément, puis inspira une longue bouffée d'oxygène. C'était douloureux, mais au moins elle ne se noyait pas.

Les boucliers d'or se convulsaient et dansaient entre elle et Luke. Elle tenta d'en repousser un, mais il pivota, se présenta comme une lame et lui lacéra la manche. Leia bascula en arrière, puis réussit à se redresser et à éviter l'assaut d'un autre bouclier. Elle ressentait une certaine gravité dans cet étrange environnement. Un troisième bouclier roula vers elle. Elle se défendit à coups de botte et il vola en éclats d'or, puis en poussière, et disparut.

Elle se glissa entre deux autres et rejoignit enfin Luke.

— Chewie, on ne peut pas rester là ! protesta Jaina.

— Maman est là en bas avec Papa et Oncle Luke, ajouta Jacen.

— Il faut les aider.

Jaina savait qu'il se passait quelque chose d'inquiétant. Mais elle ignorait quoi exactement. Elle avait affreusement mal à la tête.

Le grondement de Chewbacca se changea en une plainte. Lui non plus ne pouvait supporter de rester là, alors qu'il avait tellement envie de rejoindre Leia avec les enfants. Il était déjà à mi-pente, les enfants accrochés à ses mains, quand il s'arrêta net.

Maman lui a dit de nous protéger, songea Jaina.

Un hurlement lugubre s'élevait du dôme.

– Chewie ! C'est le loungaroun de Monsieur le Chambellan !

Le Wookie eut un souffle rauque d'indécision.

Une enfant cria.

– C'est Lusa ! Oh, Chewie, je t'en prie ! C'est Lusa, ils vont lui couper les cornes. Viens, il faut faire vite !

Ele lâcha la main de Chewbacca et se mit à courir.

Avec un grondement sourd, il la rattrapa, la souleva, jeta Jacen sur son épaule et finit de dévaler la pente à une allure surprenante.

Il passa sous les arches et entra. Il dut se frayer un chemin dans la cohue des Censeurs d'Hethrir qui tentaient de retenir la foule paniquée. Tous hurlaient et se battaient pour fuir, dans un ballet frénétique de robes somptueuses et de bijoux clinquants. Chewbacca s'avançait sans ralentir, mais Jaina avait peur des Censeurs. Pourtant, ils étaient incapables d'activer leurs sabrolasers ! Tout comme elle ne pouvait utiliser ses pouvoirs. Chewbacca, lui, ne semblait rien redouter.

Tous les enfants qu'Hethrir avait conduits ici essayaient de fuir, eux aussi, même s'ils ne savaient pas où aller.

Tous sauf Lusa. Si elle courait, ce n'était pas pour s'enfuir. Elle fondit sur l'un des Censeurs, se retourna et lui décocha une ruade qui l'envoya rouler sur les dalles. Il y resta, gémissant. Le loungaroun la suivait, le regard curieux.

Jaina eut un rire de ravissement.

– Lusa !

Mais elle ne sut pas si son amie l'avait entendue dans l'énorme vacarme.

Chewbacca n'avait pas ralenti. Il rejoignit Yan, qui tenait Anakin dans ses bras. Ils pleuraient.

– Anakin ! cria Jaina, éperdue de joie. Papa ! Ne pleure pas ! Tu n'es pas mort ! Je savais que tu n'étais pas mort ! Où est Maman ? Et Oncle Luke ?

Elle vit Tigris, non loin de là. Il avait l'air bouleversé, malheureux. Rillao se dressa soudain entre lui et Hethrir.

Elle bondit vers Hethrir, le saisit à la gorge et le fit tomber.

Yan posa Anakin entre les bras de Chewbacca.

– Prends soin des gamins, dit-il.

Jaina n'avait jamais entendu son père parler ainsi. Il leur jeta un regard très bref et dit :

– Je vous aime. Je vous aimerai toujours.

Et il courut vers la sphère d'or massive et frissonnante. Et disparut.

– Papa! cria Anakin avant d'enfouir son visage dans la fourrure du Wookie.

C'est si beau! se dit Jaina. Est-ce que Papa va ressortir doré, comme C3 PO?...

Lusa s'approcha.

– Jaina, tu ne trouves pas ça drôle? On peut donner des coups de sabots aux Censeurs!

– Ça me fait tellement plaisir de te revoir! Et ils n'ont pas touché à tes cornes?

– Non. Mais ils voulaient me jeter à ce monstre qui mange les gens.

– Il... Il les mange? souffla Jaina.

Elle fixait la sphère boursouflée dans laquelle son père venait de disparaître. Elle commençait à deviner ce qui était arrivé à Maman et à Oncle Luke.

Tigris recula en vacillant jusqu'à l'estrade. Waru continuait à frémir et à bouillonner dans sa phase de transformation. Tigris était paralysé par l'émotion. Il n'avait jamais pensé revoir sa mère. Hethrir lui avait dit qu'elle était morte. Qu'elle avait été exécutée pour avoir trahi l'Empire. Pour n'avoir pas soutenu la cause de l'Empire Ressuscité. Et il en avait été heureux.

Mais là, devant lui, elle s'acharnait sur son Seigneur!

Il aurait dû voler à son secours. Mais il était incapable du moindre geste.

Hethrir sortit son sabrolaser. Mais au lieu de réagir à son ordre, il crépita et cracha un jet d'étincelles. Une puissante odeur d'ozone monta dans l'air et Hethrir lâcha son arme en jurant. Elle tournoya sur les dalles avant de heurter le mur. Elle s'y fracassa et la pierre fondit.

Rillao lança ses ongles vers le visage d'Hethrir. Et le

second sabre, le petit, tomba de la ceinture du Seigneur. Rillao s'écarta. Les deux adversaires se fixaient en haletant. Le sang perlait de leurs blessures. Rillao feinta, Hethrir se porta à l'attaque, et elle en profita pour se dégager et récupérer le petit sabrolaser.

Elle ne l'activa pas, pourtant. Elle le glissa dans sa robe. Hethrir profita de ce bref instant d'inattention pour la charger par-derrière. Elle vacilla sous le choc. Il referma son bras autour de son cou et, dès que les genoux de Rillao vacillèrent, il ouvrit la bouche. Ses longues dents luisaient. Il allait lui mordre la gorge, lui briser la colonne, la paralyser, la tuer.

— Non ! hurla Tigris.

Il tira Hethrir par sa robe à la seconde où il mordait, et ses canines lui crevèrent la lèvre. Rillao se dégagea et s'effondra en avant, le souffle coupé.

— Tu es fou, mon garçon ! Tu es fou ! C'est une traîtresse ! Elle a trahi l'Empire comme elle t'a trahi, toi !

Rillao se releva.

— Le traître, c'est toi, lança-t-elle.

Tigris la foudroya du regard.

— Comment oses-tu dire pareille chose au Seigneur Hethrir ?

Elle lui répondit par un regard triste avant de se tourner vers Hethrir.

— Tu ne lui as rien dit, n'est-ce pas, Hethrir ?

— Ne prononce pas mon nom !

— Il t'a trahi, dit-elle à Tigris. (Il secoua la tête, déconcerté.) Parce qu'Hethrir est ton père.

Yan nageait vers Leia et Luke dans l'épaisse lumière. Il était décidé à nager ainsi pour l'éternité, mais ses muscles étaient déjà douloureux.

Waru était nettement plus vaste à l'intérieur qu'à l'extérieur. La créature tourbillonnait autour d'un point nodal obscur. On aurait dit un trou noir cerné par son disque d'accrétion.

Yan se posait la question : le trou noir était-il une porte sur un autre univers ? Et c'est de là que Waru serait venue ?

Rien ne pouvait échapper à la gravité d'un trou noir... Mais celui-ci distordait le temps et l'espace autour de lui.

Peu importait. Pour l'heure, il devait atteindre Leia et Luke. Il les voyait au loin, ils se battaient dos à dos contre des créatures qui ressemblaient tantôt à des lames de poignard, tantôt à des prédateurs ondulants d'or liquide. Il déchira un chemin dans le cercle des attaquants, aveuglément, profitant de leur acharnement.

– Yan !

Les doigts de Leia se refermèrent sur son poignet. A trois, ils formèrent un cercle de bataille. Ils ripostaient maintenant en même temps, flanc contre flanc, déchaînés, frénétiques.

Le tourbillon les emportait vers le nombril de ténèbres.

– Il faut nager ! cria Yan.

Il le savait. Et il se demanda : Je le sais, mais comment ? Si nous touchons seulement cette obscurité, là-bas, ce sera notre fin.

Il lui semblait entendre déjà les fantômes de tous ceux que Waru avait digérés.

Il lança les jambes en arrière dans un mouvement de nage frénétique. Il voulait qu'ils s'arrachent au tourbillon, qu'ils s'évadent du maelström interne pour retrouver la peau dorée de l'entité Waru. Leia avait compris et elle l'imita.

Mais Luke flottait entre eux, inerte, étrangement passif, et il était soudain un poids mort.

– Abandonne-toi à moi, Skywalker, dit Waru. Je vais te montrer. Je vais te faire accéder au plus grand des pouvoirs que tu puisses imaginer.

Luke partit à la dérive vers le centre obscur, le piège de Waru.

Leia sentit que son frère allait céder. Il tombait et il tentait de l'attirer avec lui.

Elle nagea vers lui. Le tourbillon s'accélérait, de plus en plus bas.

– C'est la vérité, dit Waru. Je suis la vérité !

La voix de sirène apaisa les dernières craintes de Leia. Ses doigts se relâchèrent et Luke lui échappa tandis que la lumière dorée l'aveuglait.

Le tourbillon retenait sa main.

13

Jaina était juchée sur l'épaule de Chewbacca ainsi que Jacen. Anakin, lui, était blotti sur son torse, soutenu par la main du Wookie. De sa main libre, il venait de cueillir un Censeur et le secouait. Le Censeur essaya d'empoigner son sabrolaser, mais Jaina ne s'inquiéta pas : elle savait bien qu'il allait exploser dès qu'il le dégainerait. Ce qui se produisit à sa grande joie.

Chewbacca ne cessa pas pour autant de secouer le Censeur.

– Arrêtez, je me rends !

Le Wookie le laissa tomber et il se traîna sur le sol en gémissant.

De toutes parts, les enfants se déchaînaient dans un grand tumulte, bousculant les Censeurs quand ils ne les faisaient pas tomber pour les mordre plus facilement. Lusa et le loungaroun de Monsieur le Chambellan en faisaient une fête. Lusa se retournait régulièrement pour décocher une ruade, après quoi le loungaroun attaquait. Le Censeur s'écroulait et les deux compères le laissaient pantelant.

Apparemment, les Censeurs avaient acculé certains des invités d'Hethrir dans un coin de la salle. Jaina ne comprenait pas pourquoi. Peut-être Hethrir voulait-il les donner en pâture au monstre doré. Beaucoup s'étaient déjà évadés en abandonnant les enfants sur place.

Les Censeurs auraient pu s'échapper s'ils avaient laissé sortir tous les invités. Ils auraient même pu se battre et vaincre : ils étaient nettement plus nombreux que les amis de Jaina. Mais, dépourvus de leurs sabres et sans Hethrir, ils étaient perdus.

Jaina vit que la personne qui était descendue de la colline avec Papa et Oncle Luke ravageait les rangs des Censeurs. Elle leur déchirait les manches avant de nouer leurs bras dans le dos, et faisait la même chose avec leurs genoux en lacérant leurs pantalons.

En compagnie de Chewbacca, elle se dirigea vers les deux derniers Censeurs, qui brandirent leurs sabres inutiles, puis s'effondrèrent à genoux.

Quelques-uns des derniers invités d'Hethrir tentaient de se replier, mais Chewbacca les interpella en grondant.

Les enfants, qui n'avaient pas peur du Wookie, s'étaient tous regroupés autour de lui avec l'ami du Papa de Jaina.

— Est-ce que tu te souviens de moi? demanda-t-elle à Chewbacca. J'ai changé, je sais, mais c'est moi : Xaverri.

Il eut un ronflement de surprise avant de poser tendrement la main sur son épaule.

— Papa! gémit Anakin. Reviens, Papa!

Tous s'étaient maintenant tournés vers la sphère d'or en fusion. Anakin tendait ses petites mains.

— Il faut les sauver!

Jaina s'élança vers Waru, suivie de Lusa.

Chewbacca rugit sa détresse et les rattrapa d'un bond.

— Mais Chewie, qu'est-ce qu'on va faire? demanda Jaina en se débattant.

Ses plaintes se confondaient avec celles de Jacen, de Lusa et des autres enfants. Le loungaroun se joignit au chœur en ululant.

Tigris avait le regard fixé sur Hethrir. Il réussit à balbutier :

— Mon... mon père?...

— Elle ment et elle n'est qu'une traîtresse, dit Hethrir. Que veux-tu attendre de quelqu'un qui a trahi son serment à l'Empire? Au Seigneur Vador. Et à moi?...

— Et le serment qui nous liait? fit Rillao avec tristesse.

— Tu avais renoncé à tous tes droits...

Tigris prit conscience que sa mère disait la vérité. Hethrir avait menti. Jamais encore Tigris ne l'avait vu à court de mots comme en cet instant.

— T'aurais-je donc déçu au point que tu ne reconnaisses pas notre fils ?

— Notre fils, répéta Hethrir avec mépris, ne mérite pas d'être reconnu. Il ne sera jamais mon héritier. Il est ordinaire.

Tigris se sentit rougir d'humiliation.

C'est alors qu'Hethrir, se détournant soudain de Rillao et de Tigris, bondit vers l'estrade.

— Waru ! Le temps est venu ! Tu as Skywalker ! Honore ta promesse : rends-moi omnipotent !

Tigris esquissa un geste pour le suivre, mais Rillao le cloua sur place.

— Laissez-moi !

— Il ne mérite pas ta loyauté ! dit-elle. Il ne vaut pas le prix de ta vie !

Yan luttait contre la puissance du tourbillon, la main serrée sur le poignet de Leia.

— Nage ! cria-t-il. Je t'en prie, mon amour, nage !

Mais elle était prisonnière des promesses de Waru, de la fascination de Luke. Elle lui échappa. Ses doigts glissèrent entre les siens et elle dériva vers le centre de la lumière d'or, ses cheveux lui faisant une auréole.

— Leia ! cria Yan une dernière fois avant de se laisser emporter à son tour vers le cœur noir et froid de Waru.

Des voix l'appelaient :

— Maman, Papa ! Oncle Luke !

Leia se laissait entraîner par la voix de sirène de Waru. C'était comme une mélodie qui la coupait des voix venues d'ailleurs.

Elle hésita. Le tourbillon l'emportait de plus en plus vite. Elle lutta pour ralentir, essayant de se souvenir du sens des mots, nageant dans la tourmente silencieuse de Waru qui l'aspirait toujours plus bas.

— Maman, reviens !

C'était la voix de Jacen. Elle se souvint de ses doux baisers sur sa joue, de son émerveillement à le voir grandir, lui et sa sœur. Jaina. Oui, ils changeaient et ils apprenaient.

— Maman!

Il y avait aussi Anakin. La lueur de son esprit.

Elle tournoyait sur place, follement, dans la lumière oppressante et dorée.

— Papa, Maman, Oncle Luke!

Le grondement de Chewbacca poussait les voix de ses enfants à travers la lumière écrasante.

Luke était au bord du centre obscur. S'il le touchait, jamais il ne pourrait lui échapper. Il allait être détruit.

— Luke, souffla Leia. Luke, écoute, il faut retourner en arrière.

Yan se matérialisa auprès d'elle et lui saisit le poignet.

— Luke!

— Laisse-le-moi, fit Waru. Laisse-le-moi et je vous libérerai!

— Non! Rends-le-nous. Et pourquoi le veux-tu?

La voix de Waru se radoucit.

— Il peut m'aider à retrouver mon chemin, à revenir chez moi. Vous ne voulez pas m'aider? Vous savez ce que c'est d'être perdu, loin de chez soi. Je le vois. Et moi, je suis depuis si longtemps perdue.

La voix était tellement triste que Leia s'était laissée dériver plus bas.

— Comment pourrions-nous vous aider?

— Leia! s'écria Yan. Ne l'écoute pas!

— Son pouvoir peut m'ouvrir un portail...

Luke leva la tête, les yeux vides. Leia étouffa un cri. Elle reconnaissait à peine son frère.

Elle savait que s'il aidait Waru, il était condamné à disparaître. Elle lança son esprit pour tenter de l'arracher au tourbillon.

Le point obscur se dilata et monta vers eux avec une avidité féroce. Déjà, il s'enroulait aux pieds de Luke.

— Oncle Luke!

La voix de Jaina!

Il frissonna, secoua la tête, ferma les yeux.

Et lorsqu'il les rouvrit, il avait encore l'air éperdu, mais il était redevenu Luke.

– Où...? Mais qu'est-ce que...?

– Viens avec nous! supplia Leia.

Luke lança un coup de pied désespéré. Leia et Yan l'attiraient à eux.

Ils échappèrent d'un rien à la nuit. Leia serra Luke dans ses bras, haletante et heureuse.

Ils fuyaient à présent, plongeant loin de la noirceur avide à travers la lumière de Waru. Le tourbillon éclatait en courants chaotiques, en spirales erratiques qui les secouaient d'avant en arrière.

Leia approchait de la surface d'or frémissant. Elle tendit les doigts, la transperça et sentit l'air sur sa main.

Elle retomba sur l'estrade en tirant Yan et Luke et resta immobile, à bout de souffle. Enfin elle parvint à se redresser et descendit en vacillant : elle voulait être aussi loin que possible de Waru. Yan se chargea de Luke, incapable de bouger.

Ils s'éloignèrent tant bien que mal de l'autel.

Les enfants coururent vers eux et elle les étreignit en pleurant. Chewbacca les rejoignit. Yan prit Anakin et Luke eut la force de soulever Jaina. Chewbacca les entoura tous de ses bras immenses.

Les enfants étaient sauvés.

La voix de Waru gronda dans la salle.

– Tu n'as pas tenu ta promesse, Hethrir. Tu ne m'as pas donné l'enfant. Tu ne m'as pas donné le Jedi. Je ne te dois rien. J'ai faim, Hethrir. J'ai faim, je suis seule et je me meurs. Et je veux retourner chez moi.

– Non! hurla Hethrir, terrifié.

La surface dorée grandissait, se dressait, vive comme un serpent. Elle s'abattit sur Hethrir, l'enveloppa, l'engouffra.

Hethrir avait disparu dans l'écho d'un dernier cri.

Il se passait quelque chose. Les trois enfants gémirent. Lusa bondit dans les airs. Rillao défaillit, Luke émit une plainte, et Leia eut l'impression qu'un gong résonnait dans sa tête. Un instant, ce fut comme si la Force avait déserté l'univers.

308

Le sentiment s'effaça, laissant Leia tremblante, le souffle coupé.

Tigris n'avait pas été affecté, il ne sentait pas les tourments qui se déchaînaient autour de lui, dans le tissu même de l'espace-temps. Il échappa à Rillao et bondit sur l'estrade à la poursuite d'Hethrir. Rillao le saisit à la cheville et le cloua au sol avec une énergie désespérée. Xaverri se précipita pour l'aider.

– Laissez-moi! cria Tigris.

Rillao était encore trop secouée pour résister longtemps. Son fils se dégagea à la seconde où Xaverri tentait de l'attraper.

Rillao poussa un cri de désespoir.

Tigris venait de se jeter dans la coque dorée de Waru.

Mais la chose s'assouplit et le renvoya en arrière en résonnant comme une cloche sourde. Tigris roula sur l'estrade.

Le son s'estompa, s'éteignit.

Ils n'entendirent plus que les sanglots angoissés de Tigris.

La coque d'or de Waru se solidifia. Se contracta.

Rillao et Xaverri écartèrent Tigris de l'estrade.

– Tigris, fit Rillao, mon tendre enfant...

– Laissez-moi! Ne dites jamais plus mon nom! Jamais plus!

Il s'écarta de quelques pas, puis s'immobilisa, tremblant, les épaules affaissées.

– Maman? demanda Jaina, tout doucement.

– Tout va bien, chérie. (Leia regarda Yan droit dans les yeux et sourit.) Oui, tout va bien. Nous allons rentrer chez nous.

Juchée sur l'épaule d'Oncle Luke, Jaina observait la salle.

– Tous ces Censeurs se sont échappés! constata-t-elle. Et les autres gens aussi!

Mais elle se trompait. Il restait encore un Censeur, le plus récemment promu. Nul ne s'était arrêté pour le délivrer et il n'était pas parvenu à se dégager des liens que Xaverri avait fabriqués avec les lambeaux de son uniforme.

— On devrait les poursuivre, dit Yan.

— Sans Hethrir, ils ne sont plus une menace, dit Xaverri. Il faut surtout t'inquiéter de ceux qu'Hethrir a réussi à introduire dans la République. (Elle eut un sourire désabusé.) Quoique je soupçonne qu'ils sont sur le point d'être au chômage.

— On va s'en occuper, dit Yan, l'air furieux. Et aussi de la suite d'Hethrir ! Ces maudits esclavagistes ! Ils méritent tous d'être jetés en prison !

— Je te dirai où les trouver. Très bientôt. Quand j'en aurai fini avec eux. Et quand tu auras accompli une tâche plus importante : ramener tous ces enfants chez eux. (Son sourire disparut et l'émotion fit vibrer sa voix.) Ces enfants ont encore une maison.

— Xaverri...

— Au revoir, Solo. (Elle se tourna vers Leia.) Au revoir, Princesse Leia. Je suis heureuse de vous avoir connue.

— Au revoir et merci, Xaverri.

— Au revoir, Xaverri, ajouta Yan.

Elle s'éloigna sans un mot de plus et ne s'arrêta que pour trancher les liens du jeune Censeur et jeter son sabrolaser au loin.

Elle sortit et le Censeur se redressa en titubant. Il avait l'air si ridicule dans les loques de son costume que Jaina éclata de rire. Il lui décocha un regard de rage, chercha son sabre des yeux, mais la crainte le retint d'aller le récupérer, et il sortit à son tour.

Sur l'estrade, la sphère d'or se contracta. Elle n'était pas plus grande qu'un ballon, maintenant, et Jaina se dit qu'Hethrir devait être écrasé à l'intérieur.

Elle se sentit encore mieux.

— Nous rentrons, déclara Yan en regardant ce qui restait de Waru. Cet endroit me fiche encore la trouille.

— Et moi, il me donne mal à la tête, dit Rillao. Je n'aime pas du tout ce système. Il est... déconnecté.

Leia s'approcha de Luke et prit ses enfants.

— Venez, dit-elle. Oncle Luke est bien fatigué.

Luke avait le visage gris et il gardait les yeux fixés sur la sphère d'or.

– Cette créature, que nous voulait-elle? demanda Leia. Elle avait appelé son frère, l'avait tenté...

– Elle était naufragée, dit Luke, comme dans une transe. Elle ne pouvait retrouver de l'énergie qu'en annihilant la Force de notre univers par l'anti-Force qu'elle possédait.

– Waru a réussi à atteindre la Force? fit Leia, horrifiée.

– Oui. A travers les êtres. En les détruisant.

– Lusa dit qu'elle dévorait les gens, dit Jaina.

– Ce fut le cas pour l'enfant ithorienne, expliqua Yan.

Luke approuva.

– Mais Waru ne tuait pas toujours ses victimes. Parfois, quand elle était rassasiée, elle restituait un peu de son pouvoir, et elle était vraiment capable de guérir les gens, de leur redonner de l'énergie. Elle le faisait pour les Censeurs d'Hethrir s'ils survivaient à l'épreuve. Et c'est ce qu'Hethrir voulait pour lui-même. Il voulait que sa connexion avec la Force soit plus sûre, totale. Une offre très... très tentante. (Luke secoua la tête comme s'il chassait violemment un souvenir.) Hethrir devait donc rassasier Waru avant de prendre ce risque. Pour cela, il avait besoin de quelqu'un de plus puissant que lui, et que Waru préférerait, mais qu'Hethrir pouvait contrôler dans le même temps.

– Anakin! souffla Leia.

– Anakin veut descendre! protesta l'enfant.

A regret, Yan le libéra. Anakin courut jusqu'à Luke et leva les yeux vers lui.

– Peu importait à Waru ce qu'Hethrir désirait, reprit Luke. Ce qu'elle voulait, c'était suffisamment d'énergie pour se frayer un chemin à travers notre continuuum jusqu'à son propre univers. A la façon d'un électron et d'un positron. On les rapproche et... (Il claqua des mains.) C'est l'annihilation. Une somme d'énergie inimaginable : Hethrir, lui, pensait qu'il pourrait puiser dans cette énergie. Et... moi aussi, un instant, je l'ai cru.

– Waru a bel et bien disparu? s'inquiéta Yan.

– Oui. Et Hethrir également. Waru voulait tellement rentrer chez elle.

Luke prit Jaina, Jacen et Anakin contre lui en les embrassant tour à tour sur le front.

– Merci, petits Chevaliers Jedi, pour m'avoir appelé.

– Mais de rien, Oncle Luke, firent-ils dans un bel ensemble.

Leia et Chewbacca rassemblèrent les enfants kidnappés tandis que Rillao serrait Tigris contre elle. Mais il se dégagea une fois encore avec irritation. Il s'approcha de la sphère d'or qu'avait été Waru, tenta de la soulever sans y parvenir. Alors, il quitta le temple. Leia prit la main de Rillao et la serra, avec l'espoir de donner un peu de réconfort à la Firrerreo.

– Leia, fit Rillao. Mon doux, mon tendre fils...

– Il faut lui donner du temps.

– Oui, je sais. Et un peu de paix, si nous parvenons à la trouver.

– Je peux vous aider. Et Luke aussi.

– Non ! Tigris est resté trop longtemps sous l'influence d'Hethrir. Il n'arrive pas à la rejeter. Il faut le laisser seul, il doit se trouver lui-même. Si jamais il me revient, ce sera de sa propre volonté.

– Je connais un endroit où vous pourrez vous reposer, réfléchir, parler aux autres et même vous distraire. Un refuge, pour le temps que vous souhaiterez. Un lieu paisible.

Rillao se tendit. Son peuple n'avait pas pour coutume d'accepter la charité ni même la sympathie. Un instant, Leia craignit qu'elle ne proteste en lui demandant : « Qui a besoin de votre aide ? » Elle ajouta alors :

– Ma famille vous doit tant. Nous serons toujours vos débiteurs, Firrerreo. Permettez-moi donc de vous rembourser, ne serait-ce que si peu.

Je n'ai pas prononcé son nom, songea Leia. Jamais plus je ne me servirai de ce pouvoir sur elle.

Rillao n'hésita que brièvement avant de répondre :

– J'accepte, Princesse Leia.

Elle se tourna vers l'autel. La sphère se contractait encore, de plus en plus vite. Elle eut bientôt la taille d'une orange, d'un œuf, d'un dé à jouer. Elle devint floue.

Il ne resta plus qu'un grain de sable sur l'autel. Il disparut dans un petit bruit sec et l'air remplit le vide.

Rillao se détourna en frissonnant.

– Venez avec moi, dit Leia.

– Je vous suis.

Elles quittèrent le temple et s'avancèrent sous la clarté ardente de l'étoile de cristal.

Tigris s'était arrêté au bas de la colline. Il était assis, la tête penchée, et Rillao l'observa.

Sous le poids torride de la lumière, Leia sentit ses genoux trembler. Épuisée, elle se laissa tomber sur le sol. Jacen vint se blottir contre elle, inquiet soudain. Rillao s'accroupit auprès d'eux sans quitter son fils des yeux. Il leur tournait le dos, immobile.

Leia regarda le ciel. La vision était stupéfiante. L'étoile de cristal se rapprochait de plus en plus du trou noir, elle crevait le tourbillon aveuglant. Les courants gravifiques la déchiraient. Le trou noir lui avait arraché une spirale de matière stellaire qui se fondait maintenant dans le disque d'accrétion dont l'éclat était plus intense.

Leia détourna les yeux, éblouie.

Le loungaroun de Monsieur le Chambellan se jeta à ses peids, pantelant, et la regarda de ses grands yeux dorés.

Pour la première fois depuis – depuis combien de temps ? – les enfants délivrés jouaient en criant. Lusa cabriolait, heureuse.

Yan vint s'asseoir derrière Leia.

– Tu vas mieux ?

Elle hocha la tête, trop lasse pour répondre.

– On ferait bien de s'en aller très vite d'ici. Mais il faut d'abord retrouver C3 PO.

– Et D2.

– Quand on parle du loup... fit Yan.

Les deux droïds descendaient la colline. D2 était lancé à pleine vitesse, oscillant au moindre cahot, et C3 PO le suivait avec des foulées d'athlète.

– Maîtresse Leia ! Maître Luke ! Maître Yan !

– Monsieur Trois P ! s'écria Anakin.

– Maître Anakin, je suis ravi de vous revoir !

Anakin s'accrocha au pied du droïd de protocole en riant de ravissement.

313

Les deux droïds ralentirent en découvrant Tigris, qui ne réagit pas. D2 le dépassa en silence, et C3 PO ne lui accorda qu'un regard curieux.

Anakin, alors, bondit vers Tigris, l'agrippa par la chemise et l'entraîna vers les autres. Tigris se dégagea d'un haussement d'épaules.

Le loungaroun trottina jusqu'à Anakin dans un ferraillement de chaîne.

C3 PO avait enfin rejoint Leia et Yan, frénétique.

– Maître Yan, il faut nous hâter !

– Tu étais passé où exactement ? Et que t'est-il donc arrivé ?

Le vernis violet de C3 PO était craquelé. Le droïd ressemblait à un vase antique.

– Il y avait cet homme étrange. Il était avec cet enfant ! (C3 PO désigna Tigris.) Et Maître Anakin était aussi avec lui ! Quand je l'ai interpellé pour lui demander une explication, il m'a frappé ! Avec un sabrolaser ! Bien entendu, j'ai été complètement neutralisé. Encore heureux que je ne me sois pas retrouvé disloqué ! Maître Luke, si tel est le calibre des gens que vous recherchez, je vous en conjure : ne les retrouvez surtout pas !

– Ne t'inquiète pas, C3 PO.

– Ils m'ont emprisonné ! C'est D2 qui m'a découvert et qui a ressuscité mes circuits.

D2 émit un trille théâtral.

– Mais nous n'avons plus le temps, poursuivit C3 PO. Car D2 a découvert une menace qui pesait sur nous !

– Je ne suis pas certain que nous puissions en supporter une autre, fit Yan avec indulgence. Est-ce que ça pourrait attendre après le dîner ?

– Je crains que non, Maître. La naine blanche s'est refroidie en un cristal quantique parfait. Très rare – et même unique à ma connaissance ! Et comme le trou noir augmente l'amplitude de sa résonance...

– L'étoile de cristal résonne ?

– Je vous demande pardon, Maître Luke ?

– L'étoile de cristal résonne ?

– Certes, monsieur. Je crois que tel était le sens de mon

discours. La résonance déstabilise son orbite. L'étoile de cristal risque de sombrer à l'intérieur du trou noir à tout moment.

C3 PO s'interrompit afin de s'assurer que tous l'avaient bien compris.

Et ils avaient tous bien saisi le sens de ses paroles.

– Quand cela se produira – étant donné la violence de l'explosion, la densité du flux de rayons X... Aucun être vivant, biologique ou mécanique, ne survivra.

– Ça nous laisse combien de temps ? demanda Yan.

– Je regrette d'avoir à le dire, mais les probabilités ne sont pas toujours totalement calculables.

D2 sifflota aussitôt.

– Je pense avoir dit également cela, s'emporta C3 PO. Il est clair pour chacun qu'il ne nous reste que peu de temps.

Leia se redressa brusquement.

– Les enfants ! Venez ! Il est grand temps de partir !

Aucun des enfants kidnappés ne demanda à s'attarder pour jouer encore un peu. Lusa elle-même s'arrêta et dansa sur place.

– La maison ! dit-elle. Oh, oui, la maison !

Sous la conduite de Chewbacca et des droïds, les enfants regravirent la colline. Chewbacca à lui seul était devenu un transporteur d'enfants. Il en avait autant sous les bras que sur les épaules. Tigris libéra le loungaroun de Mr. Iyon de son collier et de sa chaîne. Le loungaroun se gratta furieusement le cou avec ses pattes centrales.

Rillao s'était arrêtée à quelques pas de Tigris.

– Mon fils, dit-elle doucement. Il faut partir.

– Non, répondit-il en la foudroyant du regard.

– Ce système va mourir sous peu.

– Peu importe !

Leia intervint.

– Oui, peu importe que tu viennes avec nous ou pas. Mais il vaudrait mieux venir.

Il la fixa, intrigué.

– Tigris, viens, on rentre à la maison ! dit Anakin.

Tigris posa la main sur les cheveux bouclés d'Anakin.

– Je n'ai pas de maison, petit.

– On aura des gâteaux, insista Anakin en le tirant par la main.

Tigris regarda sa mère.

– Tu ne m'as pas volé la Force, n'est-ce pas?

– Non, mon fils.

– Je n'ai jamais eu le don, c'est ça, n'est-ce pas?

Elle hocha tristement la tête.

– Attendez, une minute! lança Yan. Écoute, gamin, tu as sauvé la vie de mon fils. Tu ne peux pas te servir de la Force, peut-être. Et alors?... Moi non plus, mais ça ne m'a pas empêché de vivre.

– Et qui êtes-vous?

Yan, surpris, éclata de rire.

– Mon déguisement est sans doute plus efficace que je le croyais. Je suis Yan Solo.

– On m'a appris à vous haïr, fit Tigris d'un air songeur. Et ma mère aussi.

– C'est dommage, fit Yan avec un regret sincère. Mais je te suis reconnaissant. Et je te remercie de nous avoir ramené Anakin.

– On m'a aussi appris à vous respecter, continua Tigris.

– Voilà un bon début.

– En tant qu'ennemi.

Yan affichait son vieux sourire torve.

– Un début bizarre, je dois le dire, mais un début quand même. Viens, gamin : on fiche le camp.

– Je n'ai pas le choix, n'est-ce pas? fit Tigris d'un ton provocateur.

– Pas tellement.

Hostile, Tigris suivit les autres enfants. Rillao le regarda s'éloigner en silence et Leia posa la main sur l'épaule de sa nouvelle amie.

– Ça n'est que le début, lui dit-elle.

– Oui, Leia – Lelila. Un début.

Yan étouffa un rire en regardant Tigris.

– Yan! Arrête! fit Leia sur un ton de reproche.

– Oui, d'accord. (Il se contrôla et lui fit son drôle de sourire.) Je ne sais pas ce qu'il pense lui, mais je ne crois pas qu'il veuille vraiment mourir.

Rillao elle-même parut heureuse.

– Je crois que vous avez raison.

– Luke?

Leia s'était tournée vers son frère, qui observait le temple de Waru. Elle éprouvait la crainte irrationnelle de le voir repartir.

– La résonance, dit-il. C'est ça.

– C'est quoi? s'inquiéta Yan.

– La résonance. L'étoile de cristal. Elle perturbe la Force. C'est ce qui s'est passé pour moi.

– Pour moi aussi, dit Rillao.

Luke la fixa.

– Parce que... Vous êtes Jedi?

Elle sortit le sabre de sa robe sans l'activer, mais l'accrocha soigneusement à sa ceinture.

– Ah, vous avez retrouvé votre « petite machine », remarqua Leia.

Rillao acquiesça solennellement avant de revenir à Luke.

– Quand nous aurons quitté cet endroit, nous pourrons peut-être faire quelques exercices ensemble. Il y a bien longtemps que je ne me suis pas entraînée.

– Ça me plairait assez, fit Luke en souriant.

Il ne nous reste que trois heures pour nous dégager de ce système, songea Yan. Plus ou moins. Mais c'est le « moins » qui m'inquiète. Comme l'a dit C3 PO, les probabilités ne sont pas toujours totalement calculables.

– Et que va devenir la Station Crseih? demanda-t-il.

– Pourquoi?

– Quand l'étoile va exploser, la station va être réduite en poussière.

– Je dirais plutôt en particules subatomiques, ajouta Leia avec satisfaction.

– Leia! s'indigna Yan.

– Elle a raison, dit Rillao. Il vaut mieux que ce monde soit détruit.

– Mais il y a des gens qui vivent ici. Une amie en particulier.

– Prévenez-la, dit Rillao.

– Si j'arrive à la retrouver.

– Ce serait vraiment un drame si elle ne s'en sortait pas, ajouta Rillao.

– Nous allons prévenir tout le monde, dit Leia. Bien sûr. Mais il est évident qu'ils surveillent leur soleil. Ils savent bien qu'ils devront évacuer ce monde! Après tout, c'était censé être une station de recherche!

– Quoi qu'il se soit passé ici, remarqua Yan, ça ne relève pas vraiment de la recherche, non?...

– Comment ai-je pu ignorer tout ça? fit Leia en lui prenant la main. Je ne savais même pas que le commerce d'esclaves existait. Je me disais que tout allait bien, et pendant ce temps l'Empire terrorisait les gens en secret!

– Tu avais envoyé Winter pour enquêter.

– Je n'ai jamais parlé à des victimes. Sur Munto Codru, j'ai passé une journée à m'entretenir avec des ambassadeurs et des hauts fonctionnaires du régime, mais quand j'ai demandé si les gens du public avaient des questions à me poser, on m'a répondu qu'ils n'avaient rien d'important à me dire.

– Ce que je connais d'Hethrir et de ses fidèles, je l'ai appris par Xaverri, dit Yan. Ils sont prudents, méfiants et disposent de ressources immenses. Le butin de l'Empire.

– Raison de plus pour les trouver.

– Oui. Et dès maintenant.

– J'aime les grands projets.

Il eut un rire de dérision.

Tandis qu'ils remontaient un tunnel, il lui chuchota:

– Tu sais que j'aime bien tes cheveux comme ça?

Elle porta soudain la main à ses mèches folles.

– J'avais oublié!

Elle décida alors de les garder comme ils étaient.

Yan observait le port spatial. C'était l'affolement général : tous les vaisseaux étaient en partance. Les pilotes et les propriétaires se disputaient avec le personnel de contrôle et tout le monde semblait en quête d'une place.

– On dirait qu'il y en a pas mal à s'être rendu compte de ce qui se passe, remarqua Yan.

Leia et Chewbacca s'activaient pour diviser les enfants en deux groupes : l'un devrait embarquer sur l'*Alderaan* et l'autre sur le *Faucon Millenium*. Yan interrogea C3 PO.

– Est-ce que tu pourrais contacter Xaverri ? Jamais elle ne m'a dit où elle habitait ni comment la joindre.

– Je l'ai déjà fait, Maître Yan. A vrai dire... (Le droïd désigna un vaisseau à la coque détériorée qui décollait avec une précision et une vitesse inversement proportionnelles à sa laideur.) Je crois que c'est elle qui est en route pour l'hyperespace.

Yan se détendit en souriant.

– Elle a toujours affectionné les apparences trompeuses.

Anakin s'agita soudain sur ses épaules.

– Regarde, Papa ! Le wouf de Monsieur le Chambellan !

La grande bête était recroquevillée sur le terrain, le mufle caché sous un buisson, ses six pattes ramassées. Yan courut jusqu'à elle et cria :

– Oh, l'ami ! Ça ne va pas ?

Le loungaroun entrouvrit un œil à la paupière lourde et geignit.

Leia rejoignit Yan.

– Oh, mon Dieu !

– Tu sais ce qu'il a ?

– Rien.

– Pour un rien, ça fait de l'effet, rétorqua Yan.

Une sueur épaisse et bleue poissait le pelage du loungaroun.

Leia sourit soudain.

– Je pense que dès que nous serons sur Munto Codru, nous amènerons un petit garçon ou une petite fille auprès du chambellan, plutôt que ce loungaroun.

– Pourquoi ?

La sueur bleue du loungaroun se solidifiait peu à peu, le recouvrant d'une couche caoutchouteuse.

– Parce qu'il est en train de se métamorphoser. Quand il se réveillera, il aura acquis une conscience : il sera un enfant codru-ji.

La couche bleuâtre recouvrait maintenant le mufle du loungaroun. Il renifla et elle pénétra dans sa truffe, lui fermant les narines.

– Aide-moi à le porter jusqu'au vaisseau, dit Leia.

Luke les avait rejoints.

– Il doit ressentir la même chose que moi.

– Oui, c'est vrai, fit Yan. Tu as l'air vaguement bleu.

– J'irai mieux dès que je serais sorti de ce...

Il s'évanouit.

Jaina attendait impatiemment que l'*Alderaan* décolle. Elle gardait sa main dans celle d'Oncle Luke, tout comme Jacen. Monsieur C3PO avait essayé de leur expliquer pourquoi l'étoile quantique résonnait. Mais Jaina n'arrivait quand même pas à comprendre pourquoi elle n'était plus comme un grand diamant éblouissant dans l'espace. Ce qu'elle savait, c'est qu'elle ne pouvait plus se servir de ses pouvoirs. Et que c'était l'étoile qui rendait Oncle Luke malade. Et aussi Maman, Anakin, Jacen et Rillao s'ils ne partaient pas très vite.

– On y est presque, dit Maman.

Elle était dans le cockpit avec Rillao. Papa et Chewbacca, eux, étaient sur le *Faucon*, avec C3PO, D2 et la plupart des enfants. Tigris, lui, était à bord de l'*Alderaan*, mais il aurait pu être n'importe où, car il était devenu muet.

Lusa et le loungaroun changé en chrysalide occupaient le lit de Maman dans la cabine voisine. Lusa avait peur. Elle n'avait guère voyagé dans l'espace et Jaina aurait bien aimé être avec elle pour la rassurer.

– On est tous prêts, Maman, dit-elle.

– Comment va Luke?

– Il... Il est très calme.

Les moteurs ronronnèrent.

– Leia, dit la voix de Yan dans le comlink. Est-ce que D2 est avec vous?

– Mais non, je pensais qu'il était dans le *Faucon*.

– Quoi? Écoute, tu t'en vas avec Luke, et moi je vais jeter un dernier coup d'œil pour essayer de le retrouver.

Yan était incapable de décoller sans D2.

Les boucliers antiradiation venaient de se retirer. Le ciel

320

était libre, à présent, au-dessus du *Faucon Millenium* et de l'*Alderaan*.

Yan se releva en jurant.

– Est-ce que tu as seulement vu où il est parti? jeta-t-il à Chewbacca.

Le Wookie grommela une réponse négative.

– Je ne sais que faire, se plaignit C3 PO. D2 ne fait jamais ce que je lui demande. Il est totalement imprévisible.

– Il était censé aller où?

– Je crois – mais je peux me tromper – souvent, il me donne des informations inexactes...

– Où est-il allé? le coupa Yan.

– Il voulait vérifier les contrôles de la Station Crseih.

– Je devrais le laisser se désintégrer avec tout ce foutu monde!

Yan se ruait déjà vers la coupée.

– Si je ne suis pas de retour dans un quart d'heure...

Le grondement de Chewbacca couvrit la fin de sa phrase. Yan sourit: le Wookie ne décollerait jamais sans lui.

Au même instant, D2 surgit dans un gazouillis frénétique ponctué de pépiements suraigus.

– Ah, il était temps! s'exclama Yan. On allait partir sans toi, tu te rends compte?

Imperturbable, D2 sifflota encore une seconde et passa près de lui en roulant. Yan et C3 PO le suivirent.

– Qu'est-ce que tu racontes? fit C3 PO, offensé. Ça ne t'aurait rien fait qu'on décolle sans toi? Tu voulais rester là-bas pour être vaporisé?

D2 gémit et crépita quelques pleurs électroniques.

– Non, non, s'empressa d'ajouter C3 PO, c'était très bien de ta part. Très habile.

Yan se boucla dans son siège.

– On y va!

Le *Faucon Millenium* revenait à l'existence.

Et C3 PO annonça:

– D2 a pris des dispositions pour que la Station Crseih nous suive hors de ce système de telle façon qu'elle ne soit pas atomisée. Car il y a encore de nombreux membres de la suite du Seigneur Hethrir à bord...

— Et ils seront plus faciles à rassembler comme ça, conclut Yan.

Le *Faucon* jaillit dans l'espace, sur la trace de l'*Alderaan*.

Leia avait mis le cap sur l'hyperespace, mais son attention était encore fixée sur la Station Crseih et le *Faucon*, sur la turbulence des forces élémentaires qui se déchaîneraient bientôt. L'étoile de cristal tournait de plus en plus vite autour du trou noir, et sa surface se déchirait en lambeaux iridescents de plasma.

Leia souffrait atrocement dans sa tête, comme si son cerveau réagissait à la résonance du système et du trou noir. Rillao elle aussi semblait défaillir, pâle et affaiblie.

— Il faut tenir, dit Leia, autant pour elle-même que pour son amie. Encore un moment et nous serons loin.

— Oui, fit la Firrerreo dans un souffle.

Dans le lointain, le vaisseau de Xaverri venait d'être absorbé par l'hyperespace. Leia s'avoua que cette fille l'intriguait. Elle aurait voulu lui parler, pour en savoir plus sur la vie de Yan. Bizarrement, elle ne ressentait aucune trace de jalousie.

Je me suis toujours dit, songea-t-elle, que si jamais je la rencontrais, je penserais qu'elle n'était pas digne de Yan. Mais elle l'était. Et j'en suis heureuse.

Elle chercha le *Faucon* du regard.

Et cria en esprit : « Où êtes-vous ? »

— Maman ?

— Oui, Jaina ?...

— Je... Je crois que vous devriez faire très vite. Oncle Luke...

Le tourbillon ardent s'emballait furieusement et déchirait la surface de l'étoile de cristal en longs copeaux. Une bouffée terrible de rayons X et gamma s'enflait dans l'espace avec la lumière aveuglante. Leia ferma les paupières et cria dans le même instant :

— Yan !

Mais aucune énergie ne pouvait plus pénétrer cette cacophonie de particules.

Et tout à coup, au sein de l'éclat des étoiles mourantes, un point d'obscurité apparut et s'enfla.

– Le *Faucon*! cria Leia.

Il plongeait droit sur l'*Alderaan* et Leia accéléra, bouleversée de joie en dépit de sa souffrance. Le *Faucon* était en train de les rejoindre, en route pour l'hyperespace.

L'étoile de cristal tombait en une courte spirale vers le trou noir. Plus près d'eux, la Station Crseih s'était mise en mouvement.

L'étoile de cristal atteignit l'horizon événementiel du trou noir.

Elle se fragmenta. Brisée par des forces inimaginables, elle se partagea en atomes, en noyaux, en électrons, en particules subatomiques. Qui pulsèrent leur énergie en chutant dans le trou noir. Le rayonnement alimenta une onde de gaz sous pression et d'atomes qui déferla vers l'extérieur, balayant tout devant elle.

Leia perçut la perturbation dans la Force avant même que la tempête de particules ne s'abatte sur eux. Elle savait qu'elle devait lui échapper avant que les vagues violentes de rayons X ne l'atteignent.

L'hyperespace s'ouvrit devant eux dans un choc de couleurs. L'*Alderaan* y plongea en même temps que le *Faucon Millenium*, et la Station Crseih les suivit en remorque.

L'emprise de l'étoile de cristal s'évanouit.

Leia sentit soudain ses épaules plus légères.

Elle était libérée.

Sur le chemin du retour.

Ils regagnèrent l'espace normal au large de Munto Codru. Leia attendit un instant, le cœur battant. Et le *Faucon* apparut.

– Yan! lança-t-elle.

– On a réussi, mon amour!

– Tu vas bien? Et Anakin?

– Lui aussi. Je m'inquiétais pour lui, mais non, il va bien.

La Station Crseih venait de se matérialiser à quelques secondes-lumière de distance et se plaçait déjà en orbite autour du soleil de Munto Codru. Elle avait coupé ses moteurs et, désormais, elle était un astre naufragé, avec tous ses habitants.

Quant au vaisseau-monde d'Hethrir, il tournait sereinement au large, entouré de tous les vaisseaux disponibles : les conseillers de Leia et les fonctionnaires de Munto Codru récupéraient les enfants perdus qui seraient bientôt rendus à leurs familles.

Leia quitta son siège de pilotage et se précipita vers ses jumeaux. Ils étaient excités, les yeux brillants, comme s'ils avaient la fièvre.

— Vous avez été très courageux, leur dit-elle. Et très malins aussi. Je suis vraiment fière de vous !

Elle prit la main de Luke et la sentit froide et molle sous ses doigts.

— Luke !...

— Réveille-toi, Oncle Luke ! glapit Jacen.

Rillao se joignit à eux et s'assit à côté de Luke.

— Laissez-moi vous aider, dit-elle.

Mais il ne bougea pas.

— Il ne faut pas nous quitter maintenant. Vous étiez sous l'emprise de l'étoile de cristal, mais vous avez survécu. Et vous avez aussi survécu à la domination de Waru.

Elle lui caressait le front.

— Allez, Jedi, reviens avec nous.

Les paupières de Luke palpitèrent brièvement.

— Est-ce qu'il suffit d'une simple petite déchirure de l'espace-temps pour que vous vous laissiez aller ? se moqua Rillao.

Luke ouvrit les yeux et lui sourit.

Au fond de la cabine, Tigris observait sa mère en silence.

Lusa descendit la travée en trottant, dérapa sur ses sabots et demanda :

— On est arrivés ?